所有とは何か

ピエール＝ジョゼフ・プルードン
伊多波宗周 訳

講談社学術文庫

目次

凡例

・本書は、Pierre-Joseph Proudhon, *Qu'est-ce que la propriété? ou recherches sur le principe du droit et du gouvernement*, Paris: Chez J.-F. Brocard, 1840の全訳である。底本としては、Pierre-Joseph Proudhon, *Qu'est-ce que la propriété?*, Paris: Le Livre de Poche, 2009を用いた。同書は一八四〇年七月一日の初版（五〇〇部）に基づいた文庫版で、ピエール＝ジョゼフ・プルードン（一八〇九－六五年）の生誕二〇〇年を記念して、ロベール・ダミアン（Robert Damien）とエドワード・キャスルトン（Edward Castleton）によって出版されたものである。

・それより前に広く読まれていた版は、複数の全集版も含め、すべて初版以降の版を底本にしている。ただし、序文にあたる箇所での追加と第五章での削除を除き、初版からの変更点はそれほど多くない。特に重要と思われる変更点についてのみ訳注で注記した。

・訳文で用いた記号類については、以下のとおりである。

〈　〉原文において語の最初の文字を大文字にしている字句（必要に応じて付した）

《　》原文においてラテン語・ギリシア語で記されている字句（慣用的なものを除く）

〔　〕訳者による注記・補足

傍点　原文においてイタリック体で強調されている箇所

ゴシック体　原文においてすべてが大文字で表記されて強調されている箇所

・原注は、（1）、（2）などと表示し、当該の注が出現する段落の直後に配置した。なお、原注に出現する文献名を正確なものに直した場合がある。

・訳注は、＊1、＊2などと表示し、各章の末尾に配置した。以下に示す記号を付したもののほかは、訳者による注である。

［C］底本におけるキャスルトンの編注を引用したもの。底本の編注は多くを採用したが、長文の場合、部分的に採用したものもある。

［A］リヴィエール版全集（*Œuvres complètes de P.-J. Proudhon*, nouvelle édition, 23 vol., publiée avec des notes et des documents inédits sous la direction de C. Bouglé et H. Moysset, Paris: M. Rivière, 1923-74）におけるミシェル・オージェ＝ラリベ（Michel Augé-Laribé）の編注を引用したもの。読解上、特に有益と思われるものを数点採用した。

・訳語について。propriétéは従来どおり基本的に「所有」（文脈によって「所有権」、「所有物」、「地所」、「特性」など）と訳した。近年「私的所有」と訳されることもあるが、単独で「所有」という語を使えば、まず私的所有と読まれると判断した。権利的な「所有」と対比して使われる事実的なpossessionは「占有」、占有に向かう行為を指すoccupationは基本的に「先占」（文脈によって稀に「占領」）、所有に向かう権利的行為を指すappropriationは「専有」とやはり従来どおりに訳した。

「集合力」と訳されてきたforce collectiveについては、集合へ向かう力ではなく、集合によって生まれる力を指す言葉であることを明確にするため、「集合の力」と訳した。

日常語としては「儲けもの」を意味するaubaineには「資本利得」の訳語をあてた。プルードンがそれを「「資本による生産」と呼ばれるもの」（一六一頁）の結果と捉えているからである。droit d'aubaineについては、プルードンが歴史上実在した特権（第二章訳注＊13参照）に所有権の本質的な一側面を代表させていると捉え、「他国者遺産没収権」と訳した。結果、既訳においてそれぞれ「不労収得」、「不労収得権」（英訳ではincreaseおよびright of increase）と訳されて明確だった対応関係が非常に見えにくくなることになった。この訳語選択のさらなる理由については「訳者解説」を参照していただきたい。

所有とは何か
あるいは
法と統治の原理についての研究

ピエール＝ジョゼフ・プルードン

《他国者に対して所有権返還要求は永久不変である》
敵に対して所有権返還要求は永久不変である（十二表法）

第一の覚書

ブザンソン・アカデミー会員諸氏へ

一八四〇年六月三〇日、パリにて

拝啓

シュアール夫人基金の三ヵ年奨学金に関する一八三三年五月九日の議決で、先生がたは次のような望みを表明されました。

「本アカデミーは奨学金資格者に対し、毎年七月の前半、それまでの一年間におこなった各種研究についての簡潔で理論的な報告書を提出するよう促す」。

先生がた、私はその義務を果たそうとしています。

選考の願い出をしたとき、私は最も数が多く最も貧しい階級の物質的・道徳的・知的境遇を改善する手段に向かって研究を進める方針であるとはっきり表明いたしました。

こうした考えは、私の立候補の目的とまったく無関係に見えたかもしれませんが、先生がたは好意的に受け入れてくださいました。そして、私が賜ったこの得がたい栄誉によって、先生が厳粛なる約束は私にとって破ることのできない神聖な責務となりました。そのとき以来いかに立派で尊敬すべきかたがたと関わらせていただいているかをよく理解しております。先生がたの学識に対する敬意、恩恵に対する感謝、名誉に対する熱誠は限りないものになったのです。

まず、もろもろの意見と学説によって踏み固められた道から脱するには、人間と社会の研究に科学のしきたりと厳密な方法論がもたらされる必要があると確信していたので、最初の一年間を文献学と文法学に割きました。言語学、あるいは言葉についての博物学は、あらゆる科学の中でも私の精神の特質に最も見合ったものであり、私が取りかかろうとしていた研究に最も釣り合うものだと思われたのです。比較文法学の最も興味深い問いの一つについて当時書いた論文(1)は、輝かしい成功を示したわけではないにせよ、少なくとも私の研究の手がたさを証拠立てるものではありました。

(1) P＝J・プルードン「文法的カテゴリーについての研究〔*Recherches sur les catégories grammaticales*〕」。一八三九年五月四日、碑文〔・文芸〕アカデミーに「優」をいただいた論文。未刊。パリ、マダム通り三〇のテルズオロ社〔Terzuolo〕にて印刷中。

そのとき以来、形而上学と道徳学が私の唯一の関心事となりました。いまだ対象が不明確で、境界も不分明ながら、それらの学問にも自然科学のように論証と確実性を受け入れる余地があると知り、その経験によって私の努力はすでに報われたのでした。

けれども先生がた、見習ったあらゆる先達の中でも私は先生がたにこそ最も多くを負っています。先生がたによるコンクール、プログラム、ご指示は、私のひそかな願いや最も大切な望みと調和的で、絶えず私を啓蒙し、道筋を示してくださるものでした。この所有についての覚書は、先生がたのお考えから生まれたものなのです。

一八三八年、ブザンソン・アカデミーは次のような問いを提起されました。すなわち、「自殺数が絶えず増加している原因は何に帰するべきか。そして、この道徳上の感染の結果を抑えるための適切な手段は何か」というものです。

これは、よりはっきりとした言い方にすれば、社会悪の原因は何か、そしてその治療法は何かを問うものでした。貴委員会が〔コンクールの〕応募者たちによって自殺の直接的で個別的な原因とその一つ一つを予防する手段が完全に列挙されたと宣言なさったとき、先生がた自身も、そのことを認められました。けれども、多寡はあれ才能ある人々によってなされたこの列挙からは、悪の第一原因についても、その治療法についても何ら積極的な教訓は生まれませんでした。

一八三九年には、格式を重んじた表現でありながら常に刺激的で変化に富んだ貴アカデミーのプログラムが、いっそう明確な形になりました。一八三八年のコンクールでは、社会不安の原因、より正確には社会不安の症状としての宗教的・道徳的原理の忘却、富への野心、享受への欲望、政治的動揺への注意が促されました。〔一八三九年に〕これらの素材はすべて、先生がたによって、たった一つの命題にまとめられました。すなわち、「衛生、道徳、家族と都市での人間関係から見た日曜日の祝祭の効用について」であります。先生がたは、キリスト教の語法で社会の真の体系とは何かを問うておられます。応募者の一人[2]は、週一度の休息という制度が条件の平等を基盤とした政治体制と必然的に結びついていること、平等なしにはその体制が異常をきたし、不可能になること、平等だけがこの古代の神秘的な第七日の祭日を甦らせる可能性をもつこと、これらのことをあえて主張し、証明したものと考えております。この論文は、先生がたの賛同を得られませんでした。応募者が指摘した関連性は否定されないものの、条件の平等の原理そのものが明らかにされておらず、執筆者の考えは仮説の域を脱していないと正当にも判断されたからでした。

(2) P＝J・プルードン『日曜日の祝祭の効用について〔*De l'utilité de la célébration du dimanche*〕』ブザンソン、一八三九年。

ついに最近、先生がたはそうした平等の基本原理を次のような言葉でコンクールの課題とされました。すなわち、「子供たちのあいだでの財産の平等な分配に関する法が、フランスにおいて現在まで生み出してきた、また将来において生み出すはずだと思われるような経済的・道徳的な諸帰結について」であります。

格調も効力もない常套句のうちに閉じこもるのでもないかぎり、先生がたの問いは次のように理解されるべきものと思われます。

法が同じ父をもつすべての子供に共通の相続権を付与することができるのなら、すべての孫や曽孫にも等しい相続権を付与することはできないのか。法が家族における第二子以下をもはや〔長子と〕区別して捉えないのなら、相続権によって家系、部族、民族においてもそうした区別がないようにはできないのか。相続権によって、いとこ間や兄弟間と同様に市民間においても平等を保つことはできないのか。つまり、相続の原理は平等の原理になりえないのか。

これらすべての素材を一般的な表現のもとに要約すれば、相続の原理とは何か、不平等の基礎は何か、所有とは何か、となります。

先生がた、これこそ今日私が提出する覚書の目的であります。

私が先生がたのお考えの目的をしっかり把握しているなら、議論の余地なき真実でありながら、あえて私が説明したような原因で長らく理解されてこなかった真実を明らかにしているなら、絶対確実な探究方法によって条件の平等の学説を確立しているなら、民法の原理、公正の本質、社会の形態を確定しているなら、所有を永遠になきものとしているなら、その栄誉はすべて先生がたのものです。先生がたのお助けとご示唆のおかげのものなのですから。

この研究の意図は、哲学の諸問題に方法論を適用することです。それ以外の意図は、すべて私とは無関係ですし、〔それを私に帰することは〕侮辱的でさえあります。

私は平均以下の評価で法律学について語りました。私にはそうする権利がありましたが、この自称科学とそれに勤《いそ》しんでいる人々を区別しなければ不公正でありましょう。骨の折れる禁欲的な研究に身を捧げていて、その知識と雄弁さによってあらゆる点で同国人に評価されるにふさわしいフランスの法律学者ですが、恣意的な法律に敬意を払いすぎているという非難にだけは値するのです。

私は経済学者たちを容赦ない批判で責め立てました。告白すれば、私は概して彼らのことを好まないのです。彼らが書くものの尊大さと空虚さ、彼らの無礼なまでの傲慢さと言語道断の間違い、これらが私を憤慨させたのです。彼らのことを知っていて容認する人は、誰であれ、彼らの書いたものを読むべきです。

私はキリスト教指導団にも厳しい非難を表明しました。そうしなければならなかったのです。その非難は、私が明らかにする諸事実の帰結です。なぜ教会は理解していないことについて裁定するのでしょうか。教会は教義においても道徳においても誤っています。物理学的・数学的に明白な事実が、それに不利な証言をしています。このようなことを言うのは私の落ち度かもしれません。けれども、それが真実なら、確実にキリスト教団にとっては不幸なことです。先生がた、宗教を復興するためには、教会を非難しなければならないのです。

おそらく先生がたは、私が方法論と明証性に配慮のすべてを使ってしまっていて、形式と文体をおろそかにしすぎているのを遺憾に思われることでしょう。私としてはよりよいものにするべく試みたのですが、無駄でした。私には文芸的な希望や信念が欠けているのです。私の見るところ、一九世紀は新しい諸原理が練り上げられる創成の時代でありますが、そこで書かれるものは何一つ長持ちしないでしょう。私の考えでは、これが現在のフランスに多くの才能ある人物がいながら、大作家となると一人もいないことの理由でもあります。今のような社会で文芸的名誉を求めることは時代錯誤であるように思われます。〔ギリシア神話の文芸を司る女神たち〕ムーサが生まれようとしているときに、年老いた巫女に語らせて何になりましょう。終幕に達しつつある哀れな悲劇役者に対してわれわれができる最善のことは、破局を早めることです。われわれのうちで最も賞賛に値するのは、この役割を最もよく果たす人物であります。けれども、私はそうした痛ましい成功をもはや熱望してはおりません。

先生がた、どうして私は認めないことがあるでしょうか。私は現存するものすべてを憎み、破壊の計画を有しながら、先生がたの賛意を得たいという野心に燃え、奨学生の資格を求めました。その私は、おだやかで忍従した哲学の精神に身を置いて、この研究課程を終えることでしょう。抑圧の感情が私に怒りを与えたのにもまして、真理の会得が私を冷静にしたのです。そして、この覚書から私が得たい最も価値ある成果は、そうした魂の平安を読者たちにも抱かせることです。それは悪とその原因についての明晰な知覚によって得られるもので、熱情や熱狂よりもはるかに有力なものです。人間の特権や権威に対する私の憎しみは限りのないものです。おそらく、ときに憤慨のあまり人物と事物を混同する誤りを犯したことでしょう。けれども、現在の私にできることはもう軽蔑し、嘆くことだけです。憎むのをやめるには、知ることだけで十分だったのです。

今や、真理を布告することが使命であり特質である先生がたこそ、人民を教化し、何を望み、何を恐れるべきかを学ばせるべきなのです。いまだ自分に何がふさわしいかを正しく判断することのできない人民は、彼らをそそるようなものを少しでも目にするや、まったく正反対の考えでも等しく賞賛します。それが彼らにとっての可能性の限界であり、思考の法則なのです。彼らは、かつて物理学者と魔術師をうまく見分けられなかったように、今日やはり学者と詭弁家をうまく見分けられません。「新しいことを知らせる号笛や呼び鈴が聞こえれば、どんなものでも正しいこと、確かなことと捉え、その知らせが何であれ、あっさり信じ、受け入れて、拾い集める人々は、おまるの音だけで集まってくる蝿のようだ(3)」。

(3)〔ピエール・〕シャロン〔Pierre Charron〕『知恵について〔*De la sagesse*〕』第一八章。

先生がたも、私自身が望むように平等を望んでくださいますように。われわれの祖国の永遠の幸福のために先生がたが平等の布教者、伝令者になられ、私が貴アカデミーの最後の奨学生となりますように！ これこそ私が抱くことのできる願いのうち、最も先生がたにふさわしく、私にとって最も名誉なことであります。

最も深い尊敬と、最も厚い感謝を込めて、

貴アカデミー奨学生
P＝J・プルードン

第一章　本書が従う方法論――革命という観念

「奴隷制とは何か」という問いに答えなければならないとしたら、私は一言で答えるだろう。「それは殺人である」と。この考えは、すぐに理解されるだろう。思考、意志、人格性を奪うほどの力は生殺与奪権であり、人を奴隷にするのは殺すに等しいこと、これを明らかにするのに長話は必要ないだろう。すると、「所有とは何か」という別の問いに「それは盗みである」と同じように答えてはいけないとしたら、なぜなのか。この第二の命題は先の命題を変形させただけのものなのに、きっと納得されまいと思うことなしに、そうは答えられないのだ。

私は現代の統治や社会体制の原理そのものである所有について論じるつもりであり、そうしてよいと考えている。研究が導く結論で私は誤るかもしれないが、それでも論じたい。本書の最終的な考えをはじめに書いてしまいたいが、それも含めて、そうしてよいと考えているのだ。

ある著者は、所有とは先占から生まれ、法によって承認される民法上の権利だと教える。またある著者は、労働に起源をもつ自然権だと主張する。正反対に見える両論とも支持され、賞賛されている。私は、労働も先占も法も所有を生み出すことはできないと主張する。それは原因を欠いた結果なのだと主張したい。非難されるべきだろうか。

不平の声があちこちから湧き起こっている！

——「所有とは盗みである」だって！　一七九三年の煽動文句そのものだ！　革命の準備だ！……

——読者よ、安心してほしい。私は不和の煽動者でも、暴動の火付け役でもない。歴史を少しだけ先取りし、阻《はば》もうとしても現れ出てくる真理を説明して、未来の憲法の前文を書いているだけなのだ。「所有とは盗みである」という定義は暴言めいたものに見えるが、先入観にとらわれずに理解できるなら、避雷針のようになるだろう。だが、なんと多くの利害関心や偏見がこの定義に反対することか！……残念ながら、哲学は情勢の推移を少しも変えはしない。運命は、予言とは無関係に自ら成就する。だからといって、正義が確立してはいけないとか、われわれ人間の教育が完成してはいけないということになるだろうか。

——「所有とは盗みである」だって！……人間らしい考え方をひっくり返している！　いつの時代にも所有者と盗人は反対語だったし、それらの言葉が指す存在同士も対立するものだった。あらゆる言語がこの対立関係を認めてきたのだ。いったいどんな権限で普遍的な同意に挑み、人類に反証を提示できるというのか。あらゆる時代のあらゆる人々の道理を否定するあなたは、いったい何者なのか。

——読者よ、取るに足らない私個人のことなど重要だろうか。あなたと同じく私も理性が事実と証拠にのみ従う時代の者だ。名乗るとすれば、あなたと同じく真理の探究者[1]である。私の使命は「憎むことなく恐れることなく語れ。知っていることを説くのだ」という聖書の教えのうちにある〔新約聖書『マタイによる福音書』一〇・二六―三三、『ルカによる福音書』一二・二―九〕。人類の仕事は科学の殿堂を築くことであり、その科学は人間と自然を包括するものである。ところで、真理は万人に知られる。今日はニュートンやパスカル、明日は谷間の牧人や作業場の職人というぐあいである。各々が石を持ち寄って建物を作るが、任務が終わるや、いなくなる。われわれの前にも後にも悠久の時がある。二つの無限のはざまで一時代の情報源である一個人の立場に、どれほどの意味があるだろう。

（1）　ギリシア語の skeptikos すなわち「検査官」であり、真なるものの探究を専門とする哲学者のこと。

だから、読者よ、私の資格や性格はさておき、私の理屈に集中してほしい。私は普遍的同意に従ってこそ、普遍的誤謬を正すつもりである。人類を信頼するからこそ、人類の意見に異議を唱えるのだ。勇気をもって、ついてきてほしい。率直な意志、自由な良心、そして二つの命題を結びつけて第三の命題を引き出せる思考能力をもっているなら、あなたも間違いなく私と同じ考えをもつことになる。はじめから最終結論を投げつけてしまったが、挑戦状を叩きつけたかったのではなく、注意を引きたかったのだ。読めば賛成してくれるという確信があって、そうしたのだ。あなたに語ろうとしていることはあまりに単純で明白なことばかりなので、これまで気づかなかったことに驚くだろうし、「考えてみたこともなかった」とひとりごとを言ってしまうだろう。他の著者は、自然の秘密をこじ開けたり、高尚なご神託を広めたりと、天才的な演出を見せる。それに対して、本書には公正と権利に関する一連の実験、あなたの良心のいわば重さと大きさを計る検査しか見出せないだろう。実験はあなたの目前でなされる。結果を評価するのは、あなた自身である。

さらに言えば、私は体系を作らない。私が求めるのは、特権の終止、奴隷制の廃止、諸権利の平等、法の支配である。正義、ただ正義のみ。これが私の議論の要約である。世の中の統御の仕事は、他の著者たちに任せよう。

ある日、私は心に思った。「なぜ社会には、これほどたくさんの苦しみや悲惨さがあふれているのか。人間は永遠に不幸でなければならないのか」と。そのとき、改革屋たちの万能気取りの説明では満足できなかった。困窮が広がっていることについて政権の怠惰や無能を非難する者もいれば、陰謀家や暴動を非難する者もおり、さらには無知や腐敗全般を非難する者もいる、といったぐあいなのだ。論壇やジャーナリズムの果てしない喧嘩にもうんざりで、自分自身で問題を掘り下げようと思った。そこで、学問の大家の意見を求め、哲学、法学、政治経済学、歴史学の書物を読みあさった。たくさん読んでも無意味な時代に生まれればよかったと思うほどに！　正確な知識を得るために最大限の努力をした。学説同士を比較し、反論には再反論を対置し、絶えず方程式を作って議論の簡略化をおこない、無数の三段論法をこのうえなく綿密な論理の天秤にかけたりもした。そうしたきつい道すがら、時間ができたらすぐにでも友人や世に知らせたいと思ういくつもの興味深い事実を収集した。だが、言わねばならない。まず次のことを認めなければならないのだ、と。われわれが正義、衡平、自由といった実にありふれていながら神聖視されてもいる言葉の意味をけっして理解していないこと。これらのそれぞれについての考えも[*1]、ひどく曖昧であること。結局、そうした無知こそが、われわれを食い尽くしている貧困や人類を苦しめてきたあらゆる災禍の唯一の原因だということである。

この奇妙な研究結果に私も驚愕した。自分の理性を疑いもした。私は言ったものだ。何だって！　目で見たわけでも、耳で聞いたわけでも、知性によって理解したわけでもないものを発見したというのか！　困ったものだ、おかしな頭で捉えた幻影を科学の真理と取り違えるとは恐ろしい！　偉大な哲学者たちが、実践道徳に関しては普遍的誤謬〔という言い方〕が矛盾表現だと述べたのを知らないのか、と。

そこで、私は自分の見解を反証することに決め、その新たな作業にあたって次の問いを自分自身への条件として課した。「道徳原理の適用に関して人類がこんなにも長期的かつ普遍的に誤ることがありうるのか。どのようにして、またなぜ誤るのか。誤謬が普遍的であるのなら、どのようにして論破可能になりうるのか」。

私の観察の確かさは、これらの問いへの解答にかかっていたが、分析に長い時間は要さなかった。本書の第五章で次のことが確認される。道徳においても、他のあらゆる認識対象と同じく、われわれにとって最も重大な過失は科学の〔現状未発達な〕段階にあること。正義を扱う著作においてさえ、誤ることが人間を気高くする特権のようになっていること。そして、私に帰せられうる哲学的功績はといえば、それが限りなく小さいということである。事物に名前をつけるのは何でもないことだ。事物が出現する前にそれを認識することこそが素晴らしい。最終段階に達した観念、あらゆる知性がもつ観念、今日私が知らせなくても明日には誰かが声高に叫ぶような観念を表現したところで、私には定式化したという優位性しかない。最初に日の出を見た人が賞賛されるだろうか。

そう、誰もが条件の平等と権利の平等は同一だと思い、繰り返しそう述べている。所有と盗みは同義語である、と。才能や職務の優越性を口実にして認められた、正確に言えば、それを口実にして横領された社会的優位はすべて不公平であり略奪である、と。誰もが心の中では、これらの真理を証言している。あとはそれに気づかせるだけでよいのだ。

本題に入る前に、これからたどる道筋について少し述べておく必要がある。パスカルが幾何学の問題に取りかかったとき、彼は自ら解決方法を作り出した。哲学の問題を解決するためにも方法論が必要である。しかも！　哲学が検討する問題で、帰結の重大性が幾何学の問題に劣るものなど、いくつあるだろうか！　それゆえ、問題解決のためには、いやおうなく深遠で厳密な分析が必要になるのだ！

現代の心理学者たちは、次のことは今や疑いえない事実だと述べている。精神が受け取るあらゆる知覚が精神自体のある一般法則に従って決定されること。われわれの悟性にあらかじめ存在し、悟性の形式的条件である特定の類型にいわばはまるということである。心理学者たちは続ける。したがって、精神がいかなる生得観念も有さないとしても、少なくとも生得の形式は有するのだ、と。そうして例えば、あらゆる現象は必然的に時間と空間においてわれわれに認識されるとか、現象の原因と想定されるものすべて、存在するものすべては実体、様態、数、関係などの観念をともなうとか、要するに理性の一般原理のいずれにも関わらずにわれわれが思考を形成することはありえず、それらの原理を超えたところには何も存在しない、といったことが言われる。

心理学者たちは付け加える。われわれのあらゆる判断や観念の宿命的帰着先であり、感覚によっては明るみに出すことしかできないこれら悟性の公理、基本的諸類型は、学派内においてカテゴリーという名で知られている。それらが精神に本源的にそなわっていることは、今や証明済みである。問題は、もはや諸カテゴリーを体系化し、数え上げることのみである。アリストテレスはその数を一〇とし、カントは一五とした。ヴィクトール・クザン[*2]は三つ、二つ、そして一つにまで減らした。クザン教授の議論の余地なき栄誉は、カテゴリーについての真の理論を発見したのではないとしても、少なくとも心理学全体の中で最大の、いや、おそらく唯一の問題の重要性を誰よりも深く理解したことにあるだろう、と。

告白すれば、私は観念の生得性のみならず、われわれの悟性の形式や法則の生得性も存在しないと考えている。そのため、リード[*3]やカントの心理学はアリストテレスの形而上学よりずっと真理から遠いとみなしている。しかしながら、膨大な作業を要するばかりで一般読者の望まない理性批判をここでおこなおうとは思わないので、最も一般的で最も必然的な諸観念、すなわち時間や空間、実体や原因の観念は精神に本源的にそなわるもの、少なくとも精神の構成から直接由来するものである、と仮に捉えておく。

だが、劣らず真実でありながら、哲学者たちがおそらくあまりに研究を怠ってきた心理学的事実がある。それは、第二の本性としての習慣が悟性に新しいカテゴリー的形式を刻み込む力をもつことである。そうした形式は、際立った現れが削がれているため、たいてい客観的な実在性にも欠ける。だが、われわれの判断への影響は、第一の諸カテゴリーに劣らず決定的である。したがって、われわれが推論するとき、理性の永遠的で絶対的な諸法則に従うと同時に、概して誤っていて事物の不完全な観察によって示唆される副次的な諸規則にも従うのだ。これこそが誤った偏見の最大の源泉であり、数多くの誤謬のいつも変わらぬ原因、しばしば克服しがたい原因である。それらの偏見から生じるわれわれの先入観は、あまりに強力であるため、精神が誤りと判断し、理性が却下し、良心が拒絶する原理に抵抗するときでさえ、しばしば気づかぬままその原理を擁護したり、それに従って推論したり、非難しつつも従ったりしてしまうほどである。われわれの精神は、円環の中に閉じ込められたかのように自身の上を旋回する。それは、新しい観察によってわれわれの中に新しい考えが呼び起こされることで円環外の原理が発見され、想像力につきまとっていた幻影からの解放がなされるまで続くのだ。

こうして、今日われわれは、その原因こそ不明のままだが、万有引力の法則によって、いかなる障害物にも邪魔されない二つの物体が重力と呼ばれる加速的な推進力により一所に集まろうとすることを知っている。支えのない物体が地面に落下するのも、物体の重さを天秤で測ることができるのも、われわれが住んでいる地面につなぎとめられているのも、重力による。古代人は、こうした原因を知らず、それだけを理由に対蹠地は存在しないと考えた。〔古代のキリスト教著述家〕ラクタンティウスに倣って、聖アウグスティヌスは「どうしてあなたには、われわれの足の下に人間がいるとしたら、頭のほうが下になって空に落ちてしまう、ということが分からないのか」と述べた〔『神の国』第一六巻〕。そう見えたがために地面は平らだと考えたこのヒッポの司教は、その結果、天頂から天底に至る直線をどこに何本引いてもそれらの直線は互いに平行であり、上から下に向かうあらゆる運動はこれらの直線の向きに従うと考えた。そこから、当然のこととして、星は回転する松明《たいまつ》のように天蓋につなぎとめられているとか、星が自らに身を委ねるなら火の雨のように地上に降るだろうとか、地面は世界の下部をなす巨大な台である、と結論しなければならなかった。地面自体が何に支えられているかを彼に問うたら、自分には分からないが、神においては何事も不可能ではない、と答えただろう。空間や運動に関する聖アウグスティヌスの考えは、このようなものである。見た目によって彼にもたらされた偏見が押しつけた考えだが、彼にとっては判断の一般的で定言的な規準となったのだ。物体の落下そのものの原因に関しては、彼の考えは何もなかった。物体は落下するがゆえに落下するということ以外、彼は何も言えなかったのだ。

われわれにとって、落下の観念はより複雑である。われわれは、落下の観念に含まれる空間や運動といった一般観念に引力あるいは中心に向かう方向性の観念を加える。それは原因という上位観念に属するものである。だが、物理学がこの点についてわれわれの判断を完全に修正済みだとしても、聖アウグスティヌスの偏見は今なお現役のものである。それゆえ、ある物が「落ちた」と言うとき、われわれは単に一般的なこととして重力の結果が生起したと理解するだけでなく、特有の個別的なこととして地面に向かう「上から下への」運動が起きたと理解する。われわれの理性がいくら啓蒙されても想像力が優位に立つし、言葉づかいはいつまでも矯正されえない。「空から降りる」という表現は「空へ上る」と同じく正しい表現ではない。にもかかわらず、人間が言葉を使うかぎり、この表現はなくならないだろう。

「上から下へ」、「空から降りる」、「雲から落ちる」等々の言い方に今や危険はない。実際の場面では修正して理解できるからだ。だが、それらの言い方がいかに科学の進歩を遅らせたか、少し考えてもみてほしい。統計学、力学、流体力学、弾道学にとっては、物体落下の真の原因が知られるかとか、空間の一般的方向性についての観念が正確かということの重要性はきわめて小さいとしても、宇宙の体系、潮の満干の原因、地球の形状、諸天体における地球の位置について説明することが問題になるや、そうはいかなくなる。これらの事柄のどれを説明するためにも、見た目の円環から脱け出さなければならない。器用な機械技師、優れた建築家、熟達した砲兵は、太古の昔からいた。地球の丸さや重力に関して彼らがどんな誤解をしていたとしても、その技術の発展は妨げられず、建物の堅牢さや射撃の正確さは少しも損なわれなかった。だが、やがて地表から引かれたすべての垂線が平行だという想定では説明できない現象が姿を現すのは必然だった。また、そのとき、数世紀にわたって日々の実践にはそれで十分だった偏見と、見た目が証言することとは正反対に見える驚くべき見解とのあいだに戦いが始まるのも必然だった。

そうして、一方では、孤立した諸事実や見た目だけを基礎とする完全に誤った判断がいつも現実の総体に及ぶ。その領域は一定の広さをもっており、一定数の帰納には十分だが、その範囲を超えると不合理におちいることになる。例えば、聖アウグスティヌスの考えのうち、物体が地面に落ちるとか、その落下が直線を描くとか、太陽または地球が動くとか、空または地面が回転するといったことは正しい考えだった。そうした一般的事実はつねに真であったし、現代の科学もそれに何も付け加えなかった。だが、他方で、すべてを説明する必要性から、われわれはより包括的な諸原理を探究しなければならなくなった。それゆえ、まずは地面が平らであるという見解を放棄し、次いで地面が宇宙の中心に据えられた不動のものだとする説を放棄し、といったぐあいに次々と放棄しなければならなくなった。

いま物理的自然から精神界に目を移すなら、そこでもわれわれは同じように見た目の裏切りや自発性と習慣の影響に従属していることが分かる。だが、われわれの認識体系におけるこの第二の部分だけを特徴づけるものがある。それは、一方でわれわれ自身の見解から生じるわれわれにとっての善悪であり、他方でわれわれを苛《さいな》み、死に至らしめさえする偏見を守ろうとする頑固さである。

われわれが重力の原因や地球の形状についてどんな体系で理解しようと、それで地球の物理が損なわれたりはしない。人間に関しても、それで社会経済が利益を得たり損害をこうむったりはしない。だが、人間の道徳的本性の諸法則が具現化するのは、人間においてであり、人間によってである。しかるに、それらの法則は、人間の反省的関与なしには、それゆえ法則を認識することなしには実行されえない。したがって、道徳法則についての科学が誤りだとしたら、人間が善を欲しながら悪をなすことは明らかである。その科学がいまだ不完全でも、短期的にはわれわれの社会的進歩にとって十分だろうが、長期的にはそのことで人間は道を誤り、やがては災禍の深みに投げ落とされることになるだろう。

そのとき、より高度の知識が不可欠になる。人間の名誉のために言っておかなくてはならないが、これまでも知識に欠けたという前例はない。だが、このとき同時に、古い偏見と新しい考えのあいだで激しい戦いが始まるのである。激突と苦悩の日々！　誰もが同じことを信じ、同じ社会制度のもとで生きていて、誰もが幸福に見えた時代が参照される。なぜそうした信念を非難し、そうした制度を放逐しなければならないのか〔と問われる〕。人はその幸福な時代こそが社会に秘められた悪の原理を発展させるのに用いられたことを理解しようとはしない。人間と神々、地上の権力者たちと自然の諸力が非難される。人間は悪の原因を自らの理性と心のうちに探ろうとはせず、支配者、競争相手、隣人、そして自分自身〔の存在そのもの〕のせいにする。諸国民は互いに武装し、殺し合い、殲滅し合う。広範な人口減少によって均衡が回復させられ、戦士の遺灰から平和が再生するまで、それが続く。人類は、それほどまでに先祖伝来の慣習に手をつけること、国家の創設者によって与えられ、長く忠実に守られてきた法を変えることを嫌悪するのだ。〔古代ローマの歴史家〕ティトゥス・リウィウスは、《古きより変えられたるものは信ずるに能《あた》わず》、すなわち「あらゆる変革を疑え」と書いた。確かに、人間にとって変えるべきものが何もないにこしたことはないだろう。しかし、だ！　無知で生まれ、徐々に学ぶのが人間の境遇であるからといって、真実を否認し、理性を捨て、運命に身を委ねるべきだろうか。完璧な健康は、病気からの回復にまさる。だが、それが病気からの回復を拒む理由になるだろうか。かつて洗礼者ヨハネも、イエス・キリストも「改革、改革！」と叫んだ。われわれの父たちも、五〇年前、同じように「改革、改革！」と叫んだ。そして、われわれも長いこと叫んでいる。「改革、改革！」と。

現代の苦しみの証人として私は考えた。社会が立脚している諸原理の中に、社会が理解していない原理、その無知によって汚染された原理が一つあり、それがあらゆる悪の原因になっているのだ、と。その原理は、あらゆる原理の中で最も古い。なぜなら、革命の本質は最も現代的な諸原理を押しやり、古い諸原理を尊重することにあるけれども、われわれを苛む悪は、あらゆる革命に先立つからだ。われわれの無知が作り上げたこの原理は、尊ばれ、欲されたものだ。なぜなら、欲されるのでなければ、誰をも惑わさず、影響力もないだろうからだ。

だが、目的においては正しく、われわれの理解の仕方に誤りのあるその原理、人類と同じだけ古いその原理とは何か。宗教だろうか。

人はみな神を信じる。その教説は、まったく同時に人々の良心と理性に属している。人類にとっての神は、悟性にとっての原因、実体、時間、空間といったカテゴリー的観念がそうであるのと同じく、原初的な事実であり、宿命的な観念であり、必然的な原理である。神はわれわれの精神のあらゆる帰納に先立ち、良心によって確証される。それは太陽の存在が物理学のあらゆる推論に先立ち、感官の証言からして明らかなのと同じである。われわれは観察と経験によって現象および法則を発見するが、内的感官のみがその現存を明らかにする。人類は神が存在すると信じる。だが、神を信じることにおいて何を信じているのか。要するに、神とは何か。

神性という概念、人類において原初的で全員一致の生得的な概念を人間理性はいまだ明確化するに至っていない。われわれが自然や諸原因についての知識を深めるたびに、神の観念は広がり高まる。つまり、われわれの科学が進歩すれば、それだけ神は大きくなり、遠のいていくように見える。神人同形論と偶像崇拝は、精神の未熟さの必然的帰結であり、子供と詩人の神学だった。それを行動原理にしようとせず、意見の自由を尊重できていたなら、無邪気な誤りで済んだ。だが、人間は自らの姿に似せて神を作ったのち、それを専有しようともした。神を醜悪な姿にするだけでは満足せず、自らの資産、財産、物として扱った。怪物のような姿で描かれた神は、至る所で人間と国家の所有物になったのだ。宗教による習俗の紊乱の起源、敬神ゆえの憎しみや聖戦の源泉は、このようなものだった。幸いにも、われわれは各人に信仰を委ねることを学んだ。そして、われわれは習俗の規則を宗教の外に求めている。神の本性と属性、神学の教説、自らの魂の宿命について裁定するために、何を拒絶し、何を信じるべきか、科学が教えてくれるのをおとなしく待っているのだ。神、魂、宗教は、われわれの飽くなき熟考と最も重大な過ちの永遠の対象であり、手に負えない問題である。絶えず問題解決が試みられるが、つねに不完全にとどまるのだ。これらすべてについてわれわれはなおも誤りうるが、少なくともその誤謬の影響力はなくなっている。信教の自由および教権と世上権の分離によって、宗教的考え方が社会の歩みに対してもつ影響はもっぱら消極的なものとなり、いかなる法、政治制度、市民的制度も宗教に依存することはなくなっている。宗教の課す義務が忘れられると社会全般の頽廃が助長されうるが、それは必然性をそなえた原因ではなく、副次的原因または帰結にすぎない。われわれが取り組む問題において、とりわけこの考えは決定的である。人々の条件の不平等、貧困、社会全体の苦しみ、統治の苦境の原因は、もはや宗教とは結びつきえない。もっと遡って、問題を掘り下げなければならない。

だが、人間において宗教的感情より古いもの、根を張ったものはあるか。

それは人間自身、つまり永続的な対立関係のうちで相対する意志と良心、自由意志と法則である。人間は自身との戦争状態にある。なぜだろうか。

神学者たちは述べる。「人間はそもそものはじめに罪を犯した。人類は太古の不正の責めを負っているのだ。その罪のために人類は堕落した。誤謬と無知が人間の特性となったのだ。歴史をひもとけば、諸国民の絶え間なき不幸の至る所にそうした悪の必然性の証拠を見出すことだろう。人間は今も苦しんでおり、今後もずっと苦しむだろう。この病いは代々受け継がれ、体質的なものになっている。対症療法を用いても、緩和薬を飲んでも、治癒することはないのだ」。

こうした言い方は神学者だけのものではない。限りない完成可能性を信奉する唯物論哲学者の著作でも、こうしたことが同じような表現で述べられているのが分かる。デステュット・ド・トラシ*4は、貧困、犯罪、戦争が人間の社会状態の不可避的条件、必然的悪であって、それに反抗するのは馬鹿げている、とはっきり教えている。こうして、悪の必然性や原初の背徳は根本において同じ哲学なのだ。

「最初の人間が罪を犯した」。聖書の信徒が忠実に解釈したなら、こう言っただろう。「人間は、はじめに罪を犯す。つまり、間違いを犯す。なぜなら、罪を犯すこと、過ちを犯すこと、間違いを犯すことは同じだからである」。

「アダムの罪に連なるものが人類において継承される。それは第一に、無知である」。確かに、無知は個人と同じく人類という種においても原初的である。だが、多くの問題、道徳や政治の領域の問題に関してさえ、人類は無知から解放されたのだ。無知がまるごとなくなることはないと誰が言えようか。人類は真理に向けて不断に進歩しており、蒙昧に対する光の絶え間なき勝利がある。それゆえ、われわれの悪は絶対的に不治のものではなく、神学者たちの説明は不十分どころか不合理である。その説明は「人間は間違いを犯す。なぜなら間違いを犯すからだ」という同語反復に帰着するからだ。本当は「人間は学ぶがゆえに間違いを犯す」と言うべきである。しかるに、知りたいことすべてを知るに至れば、人間はもう間違いを犯さないのだから、苦しむこともないと考えてよいのだ。

　人間の心に刻み込まれているとされる法則について学者たちに尋ねると、すぐに次のことが分かる。それが何であるかも知らずに彼らが議論していること。最も主要な問題についても、ほとんど論者の数だけ見解があること。すなわち、統治の最良の形態、権威の原理、権利の本性について、同意見の人を二人と見つけられないこと。誰もが私的感覚による思いつきに身を委ね、それを控えめに真っ当な理屈だとみなしつつ、無限の海原をあてどなく漂っていることである。さて、反対し合う雑然としたもろもろの見解を前に、こう言おう。「われわれの研究対象は法則であり、社会原理の確定である。しかるに、政治学者、すなわち社会科学に携わる人々は、互いを理解していない。したがって、誤謬は彼らのうちにある。あらゆる誤謬は現実を対象としているのだから、真理は彼らの書物にこそ見出されるはずである。彼らの知らぬうちに、そこに真理が書き込まれているのだ」。

　ところで、法律家や政治評論家たちは何について議論をしているのか。正義、衡平、自由、自然法、民法などについてである。だが、正義とは何か。その原理、特質、定式は何か。それらの問いに対して、現代の学者たちが何も答えていないのは明らかである。なぜなら、そうでなければ、彼らの学問は明晰で確実な原理から出発し、いつまでも続く蓋然論を脱して、あらゆる論議に終止符が打たれたはずだからだ。

正義とは何か。神学者たちは「あらゆる正義は神に由来する」と答える。そのとおりだが、この答えは何も教えはしない。

哲学者たちはもっと学識が深いはずだ。彼らは公正と不公正について、こんなにも論じてきたのだから！　調べてみると、残念ながら彼らの学知も無に帰し、太陽に向かってただ祈り、「おお」と言った未開人と同じだと分かる。「おお」とは賞賛、愛、熱狂の叫びである。だが、太陽が何であるかを知りたい人は、この間投詞「おお」からほとんど何の知識も得られない。正義に関してわれわれと哲学者は、まさにそうした立場関係にある。彼らは述べる。正義とは「天の娘」、「この世に生まれたあらゆる人を導く光」、「人間本性の最も美しい特性」、「人間を動物から区別して神に似せるもの」、その他無数の類似表現である、と。私は問いたい。こうした敬神の連禱は、つまり何なのか、と。未開人の祈り「おお」である。

正義に関して最も道理にかなった仕方で人間の叡智が教えたことは、次の有名な格言に凝縮されている。「他人にしてもらいたいことを他人にし、他人にされたくないことは他人にもするな」〔新約聖書『マタイによる福音書』七・一二、『ルカによる福音書』六・三一、旧約聖書『トビト記』四・一五〕。だが、この実践道徳の規則は、科学に対しては無力だ。私は、人が自分になすよう欲したり、なさないよう欲したりする権利をもつだろうか。その権利がどのようなものかを同時に説明しなければ、私の義務は私の権利と等しいと言っても意味がないのだ。

もっと明確で、もっと実証的な何かに到達するべく努めよう。

正義とは、もろもろの社会を統《す》べる太陽であり、政治の世界がまわるための極であり、あらゆる商取引の原理であり規準である。人々のあいだでは、権利の名においてしか何もなされないし、正義を拠り所にしてしか何もなされない。正義は法から作られるのではまったくない。反対に、法とは人々が利害関係をもちうる状況すべてにおける公正の宣言および適用にほかならない。それゆえ、われわれが公正や権利について抱く観念が不明確だったり、不完全あるいは誤ってさえいたりしたら、あらゆる立法実践は不適当であり、諸制度は欠陥あるものであり、政治は誤ったものであることは明らかだ。それゆえに無秩序と社会悪がはびこることになるだろう。

われわれの悟性における正義の頽落、その必然的帰結としての行為における正義の頽落という仮説は、正義の概念とその適用に関する人々の見解が一定でなく、時代に応じて変様してきたのなら、つまり考え方に進歩があったのなら、証明済みの事実ということになるだろう。しかるに、それこそ歴史がきわめて明白な証拠をもってわれわれに証言していることである。

一八〇〇年前、世界はカエサルの後ろ盾のもと、奴隷制、迷信、逸楽のうちで衰弱していた。人々は延々と続く酒宴に酔い痴れ、権利と義務の概念までをも失った。戦争と乱痴気騒ぎが、かわるがわる多くの人々の命を奪った。高利と機械的労働、すなわち奴隷的労働が、人々から生計を立てる手段を奪ったことで、子孫を残すことが妨げられた。そうした途方もない頽廃から忌まわしい野蛮が再生し、病毒の激しさで過疎の村々にまで広がった。賢人たちは帝国の終焉を予見したが、いかなる打ち手もなかった。だが、実際、彼らに何が考案できただろう。そうした古びた社会を救うには、敬意と公的崇拝の対象を変え、一〇〇〇年来の正義によって神聖化された諸権利を廃さねばならなかったのだ。だが、次のように言われた。「ローマはその政治と神々によって勝利したのだ。宗教や公共精神の形を変えることはすべて、狂気の沙汰であり、不敬である。被征服民族に寛大なローマは、彼らを鎖につなぎながらも命は恵んでいるのだ。奴隷は富の最も豊かな源泉である。諸民族を解放することは、ローマの諸権利の否定、財政の崩壊に等しい。要するに、ローマは悦楽に浸り、世界中からの戦利品に満たされて、勝利と統治を利用する。贅沢や快楽は征服の報賞である。それを捨てたり手放したりすることなどありえない」。こうして、ローマは事実も権利も味方につけていた。ローマの主張は慣習すべてと万民法によって正当化されていたのだ。宗教における偶像崇拝、国家における奴隷制、私生活における快楽主義がローマの社会体制の基盤をなしていた。それらに手をつけることは、社会を根底から揺るがすこと、現代風の表現で言えば、革命の深淵を開くことだった。それゆえ、そうした考えは誰にも思い浮かばなかった。そうしているうちに、流血と邪淫にまみれて人類は死に絶えつつあった。

突然一人の男が現れ、〈神の言葉〉を語ると称した。いまなお彼が誰で、どこの出身で、誰がそうした考えを彼に示唆することができたのかは分かっていない。彼は至る所で次のように告げてまわった。この社会は役目を終え、世の中が一新されようとしている、と。聖職者は悪党、弁護者は無知、哲学者は偽善者であり嘘つきである、と。主人と奴隷は対等である、と。高利やそれに類するものはみな盗みである、と。所有者や道楽者はいつか焼け死に、それに対して心の貧しい者や清い者は平安の地に住まうことになる、と。彼はほかにもたくさんの驚くべきことを語った。

〈神の言葉〉を語ったこの男は、公敵として聖職者や律法家に告発され、逮捕された。彼らは人々が死刑を求めるようになる秘訣をよく知っていたのだ。だが、彼らの犯罪の中でも度を越えたこの法的殺人も、〈神の言葉〉が種を蒔いた教説を押し殺しはしなかった。彼の死後、最初の信徒たちが四方にちらばり、彼らが福音と呼んだものを説き、数百万人もの伝道師を生み出すことになった。そして、任務が完了したように思われたとき、彼らはローマ法の裁きの剣に没した。そうした粘り強い布教活動、死刑執行人と殉教者の戦いが三〇〇年近くも続いたのち、世の人々は改宗した。偶像崇拝はなくなり、奴隷制は廃止され、放埒が禁欲的な習俗に代わり、富への軽蔑がときに財産没収にまで推し進められた。社会は自らの諸原理の否定、宗教の転覆、最も神聖とされた諸権利の侵犯によって救われたのだ。この革命において、公正の観念は、それまで誰も予測せず、その後もけっして取り戻せなかった広がりを獲得した。正義は主人のためにしか存在してこなかった(2)が、そのときから従僕のために存在し始めたのだ。

（2）　宗教、法、結婚は、自由民の特権、最初のうちは貴族だけの特権であった。《より偉大な氏族の神々》とは世襲貴族の氏の神々のこと、《万民法》とはつまり諸氏族あるいは貴族たちの国際公法である。奴隷と平民は氏族を形成しなかった。彼らが子をなすことは動物の繁殖のように捉えられた。彼らは動物として生まれ、動物として生きねばならなかったのだ。

しかしながら、新しい宗教は、その実をすべて結ぶには程遠かった。確かに、公衆の習俗はいくらか改善し、抑圧もいくらか和らいだ。だが、そもそも〈人の子〉が蒔いた種が偶像崇拝者たちの心に落ちると、詩まがいの無数の不和に満ちた神話しか生み出さなかった。〈神の言葉〉が提示した道徳や統治の諸原理が導く実践的帰結には関心が示されず、彼の出自、家柄、人格、行動についての思弁にばかり人は執着した。彼の喩《たと》え話に長々と注釈が加えられ、解決不能の問題や理解できない文言についての完全に常軌を逸した諸見解の対立から、「どこまでも馬鹿げた学問」と定義されうる神学が生まれたのだ。

キリスト教の真理は、ほぼ使徒の時代までしか生き延びなかった。『福音書』はギリシアおよびラテンの人々によって注釈され、象徴化され、異教の神話をも詰め込まれて、文字どおり矛盾の徴《しるし》となった。そして、今日まで無謬の教会の君臨は、ひたすら続く闇を呈するのみだった。いつまでも地獄の門が支配するのではなく、〈神の言葉〉が戻り、ついに人々は真実と正義を知るのだと言われている。だが、そのとき、科学の光で世論の幻影が霧散するのと同じように、ギリシア・ローマのカトリシズムは終わるのだ。

使徒の後継者たちが退治する使命をもっていた怪物たちは、一瞬たじろぎはしたが、愚かな狂信主義やときに聖職者と神学者の熟慮のうえでの共謀に力を得て、少しずつまた姿を現した。フランスにおける自治都市解放の歴史は、王、貴族、聖職者による共謀の努力にもかかわらず、正義と自由が絶えず人民のうちで確立されてきたことを示している。キリスト生誕から一七八九年、身分制によって隔てられ、貧しく、圧政に苦しんでいたフランス国民は、絶対主義王政、領主や高等法院の横暴、聖職者の不寛容という三重の網をかけられ、苦闘していた。王の権利、聖職者の権利、貴族の権利、平民の権利があり、出自、地方、自治都市、同業組合、職人の特権が存在していた。これらすべての根底には、暴力、不道徳、貧困があった。いつからか改革が語られるようになる。見かけ上、最も改革を望んでいた人々は自分たちの利益のためにそれを必要としたにすぎず、改革からすべてを得るはずの人々は多くを期待せずに口をつぐんでいたのだが。こうした貧しい人々は、長いあいだ、疑念、不信、絶望によって、自らの権利について口ごもっていた。仕えるという習慣によって、中世にはあれほど誇り高かった旧自治都市から勇気が奪われてしまった、と人は言ったものだ。

　ついにある書物が出版されたが、その全体は二つの命題に要約される。「第三身分とは何か。無である」。そして、「第三身分とは何であるべきか。すべてである」。誰かが注釈の形で「王とは何か。人民の代理人である」と付け加えた。

　それは突然の天啓のようだった。巨大なヴェールが裂け、厚い目隠しがいっせいに落ちた。人民は次のように推論し始めた。

　王がわれわれの代理人であるなら、王には報告義務がある。

　報告義務があるなら、王は監督されなければならない。

監督されるなら、王には責任があるということだ。責任があるなら、王が処罰を受けることもありうる。処罰を受けるなら、その功罪に応じた形で、である。功罪に応じて処罰されるべきなら、王は死刑にもなりうる。

シィエスの小冊子〔『第三身分とは何か』〕が刊行されて五年、第三身分はすべてになった。王も貴族も聖職者も、もはや存在しない。一七九三年、人民は主権者の不可侵性という憲法上の虚構に足を止めず、ルイ一六世を死刑台に引き立てた。一八三〇年には〔ドーバー海峡に面した〕シェルブールまでシャルル一〇世に同行した。どちらの場合も罪の評定の面で誤りがあったかもしれないが、それは事実に関する誤りだろう。だが、権利に関することとして、人民を行動させた論理に反駁の余地はない。人民は主権者を罰することで、ストラスブール一揆を起こしたルイ・ボナパルトの身にいかなる処罰も与えず、大いに非難された七月王政がしなかったまさにそのことをしたのだ。人民は真犯人をつかまえた。それは一般法の適用であり、刑罰に関する正義の正式な決定である。(3)

(3)　執行権力の長に責任があるなら、代議士にも責任があってしかるべきだ。誰もこうした考えを思いつかなかったのが驚きである。これは興味深い論文テーマとなろう。だが、私は断じてそうした論文の公開審査を受けたいのではない。人民はきわめて強固に論理的なので、彼らが結論を引き出すための材料を提供する必要がないほどだからである。

一七八九年の運動を生んだ精神は、矛盾の精神である。それは次のことを明らかにするのに十分なものだ。旧体制に取って代わった現有秩序が、それ自体、まったく体系的なものでも熟慮のうえのものでもなかったこと。怒りと憎しみから生まれたその秩序は、観察と研究に基づく科学がもたらすような結果を生み出しえなかったこと。要するに、秩序の基盤は自然法則や社会法則についての深い知識から導き出されたものではなかったことである。それゆえ、いわゆる新体制において、共和国がまさにそれに対して戦ったはずの原理を自らの原理とし、放逐しようと意図した偏見すべての影響を受けていることが分かる。栄光のフランス革命について、一七八九年の再生について、遂行された大改革について、社会体制の変化について、ほとんど何も考えずに熱狂をもって語られている。それらはすべて誇張である。

物理的・知的・社会的な事実に関して、自らおこなった観察の結果として、われわれの考え方がまるごとすっかり変わったとき、そうした精神の運動を私は革命と呼ぶ。単に考え方が広がったり形を変えたりしただけなら、それは進歩である。そうして、プトレマイオスの学説は天文学上の進歩であるが、コペルニクスの学説は革命だった。同様に、一七八九年には戦いと進歩があったが、革命はといえば、それはなかった。試みられたもろもろの改革を精査すれば、そのことは証明される。

あまりに長く君主制のエゴイズムの犠牲者だった人民は、自分たちだけが主権者だと宣言することで、そこから永遠に解放されると信じた。だが、君主制とは何だったか。それは一人の人間の主権《スヴランテ》だった。民主制とは何か。それは人民、より正確に言えば、国民の多数派の主権である。だが、どちらにおいても、法の至高性《スヴランテ》であるべきところに人間の至高性が、理性の至高性であるべきところに意志の至高性が、要するに権利であるべきところに情念が置かれているのだ。なるほど、ある人民が君主制国家から民主制国家に移行するとき、そこに進歩はある。なぜなら、主権者の数を増やすことで、理性が意志に取って代わる可能性を増大させているからだ。だが、結局そこに統治の革命はない。原理が同じままだからだ。しかるに、最も完全な民主政においても、人間が自由とは限らないという同時代的証拠がある(4)。

(4)〔アレクシ・ド・〕トクヴィル〔Alexis de Tocqueville〕の『アメリカのデモクラシー〔*De la démocratie aux Etats-Unis*〕』およびミシェル・シュヴァリエ〔Michel Chevalier〕の『北アメリカに関する手紙〔*Lettres sur l'Amérique du Nord*〕』を参照せよ。プルタルコスの『ペリクレスの生涯〔*Vie de Périclès*〕』を読むと、〔古代〕アテナイのまともな人々は、僭主政治を熱望しているように見えるのを恐れて、学問するのに身を隠さなければならなかったのが分かる。

それだけではない。人民＝王は、自身の力では主権を行使できない。代理人に委任せざるをえないのだ。これは、人民の愛顧を得ようと努める人々がせっせと繰り返し言うように心がけていることだ。代理人が五人、一〇人、一〇〇人、一〇〇〇人だろうと数は問題ではないし、名称も問題ではない。それは、つねに人間による統治であり、意志の君臨、専制支配である。革命と言われているものが何を革命したのか、と私は問いたい。

それに、こうした主権がまず国民公会、次いで総裁政府によって、どのように行使され、やがて執政に独占されたかは周知のとおりである。人民に大いに崇《あが》められ哀惜された皇帝という強者は、けっして国民に従属しようとは思わなかった。むしろ、まるで人民の主権をあざ笑うつもりであるかのように、彼はあえて人民に選挙、すなわち放棄、つまり譲渡不能な主権の放棄を求め、主権を手に入れたのだった。

だが、結局、主権とは何か。それは法を制定する権力だと言われる。(5) これもまた馬鹿げた考えであり、更新された専制主義である。人民は王たちが「かくのごときが朕の意志なり」という決まり文句で勅令を動機づけるのを見てきた。今度は自分たちが法を制定する快楽を味わってみたいのだ。人民は五〇年来、無数の法を生み出してきたが、もちろんのこと、それはつねに代表者たちによっておこなわれてきた。楽しみはまだまだ終わりそうにない。

（5）　トゥーリエ[*5]によると「主権とは人間的全能である」。唯物論的な定義だ。主権が何ものかであるなら、それは権利であって、力や権能ではない。それに、人間的全能とは何だろうか。

そもそも、主権の定義自体が法の定義に由来する。法とは主権者の意志の表現だと言われる。それゆえ、君主政のもとでの法とは、王の意志の表現であり、共和政においての法とは、人民の意志の表現である。意志の数に違いがあることを除けば、この二つの政体は完全に同一のものである。両者の誤りは同じで、法とは事実の表現でなければならないのに意志の表現だとしている点である。けれども、人はよき道案内につき従った。かのジュネーヴ市民〔ルソー〕が預言者とみなされ、『社会契約論』がコーランとみなされたのだ。

新しい立法者たちのレトリックには、随所に先入観と偏見がかいま見える。人民は数多くの排除と特権に苦しんでおり、彼らの代表者たちは彼らのために宣言した。「人はみな生まれながらに法のもとで平等である」と。曖昧かつ冗長な宣言だ。「人はみな生まれながらに平等である」とはつまり、誰もが同じ身長、同じ美貌、同じ特質、同じ徳性をもっているということか。そうではない。ということは、政治的・市民的平等という意味で述べたいのだろう。それならば、「人はみな法のもとで平等である」と言えば十分だった。

だが、法のもとの平等とは何か。一七九〇年の憲法も、九三年の憲法も、〔一八一四年の〕欽定憲章も、〔一八三〇年の〕受諾された憲章も、それを定義づけられなかった。いずれも財産と地位の不平等を前提としており、そのそばには諸権利の平等の気配すら見出せない。その点、フランスの憲法は、すべて民衆の意志の忠実な表現だったと言うことができる。その証拠を挙げよう。

かつて人民は行政職と軍事職から排除されていた。次のような大げさな条文を〔一七九三年の〕〈〔人間と市民の〕権利の宣言〉に挿入することで驚くべき効果があがると信じられたのだ。「すべての市民は等しく職に就くことができる。自由な人民は選考される際、徳性と才能以外の選好理由を認めない」というものだ。

確かに、これは実に素晴らしいことであり、賞賛されねばならなかった。愚かさを賞賛することになるのだが。なんだと！　主権者、立法者、改革者である人民は、公職を特別手当、はっきり言えば儲けものとしか捉えていないのだ！　公職を利得の源泉と捉えるからこそ、市民が公職に就けると規定するのだ！　なぜそう言えるのかといえば、得るものが何もないなら、〔条文に書き込んでおくという〕用心をしても何もいいことはないからだ。天文学者や地理学者でないと水先案内人になれないとあえて命じたり、どもる人は悲劇やオペラに出演してはならないとあえて禁じたりしようとは、あまり思わないだろう。ここでも人民は王たちの猿真似をしているのだ。王たちのように、友人やおべっか使いのために金になる地位を整えようとしているのだ。残念ながら、この最後の特徴によって類似は完全なものとなるが、それは利益の明細書を保持するのが人民ではなくその代理人、代表者であることだ。彼らもお人好しの主権者の意志に反することのないよう細心の注意を払ったのだった。

こうした人権宣言のご立派な条文は、一八一四年と一八三〇年の憲章でも維持されたが、いくつもの市民的不平等を前提としており、それは結局のところ、法のもとの不平等を意味する。まず、地位の不平等。公的職能が、それによって得られる尊敬と報酬のためにしか求められないからだ。次に、財産の不平等。財産が平等であることが望まれたのなら、公職は褒賞ではなく義務であっただろうからだ。そして、処遇の不平等。法が「才能」や「徳性」とはどういう意味なのかを定義していないからだ。帝政のもとでは、徳性や才能は、ほぼ軍人的な勇気と皇帝への献身にほかならなかった。このことは、ナポレオンが新たな貴族制を創設し、旧来の貴族制と結びつけようとしたとき明らかだった。今日では二〇〇フランの税金を払う人が有徳の人であり、熟達した人とは真正のスリのことである。こうしたことは、もはやありふれた真実だ。

　最後に、人民は所有を神聖化した……。神よ、彼らを許したまえ。自分が何をしたか、分かっていなかったのだから。人民は、五〇年来、憐れなまでの曖昧さの報いを受けている。だが、神の声と言われる声をもち、過ちを犯さぬ良心をもつはずの人民が、なぜ誤ったのか。自由と平等を求めたのに、なぜ特権と隷属にふたたびおちいったのか。それも、やはり旧体制の模倣によってであった。

　かつて貴族と聖職者は、善意の救援や無償の贈与という名目でしか国税を負担しなかった。彼らの財産は負債に対する差し押さえもできなかった。他方、平民は人頭税と賦役に苦しみ、王の収税吏に悩まされたかと思えば、領主や聖職者の収税吏に悩まされる、という絶え間なさだった。物と同列に置かれた財産遺贈不能の農奴は、遺言を作成することも相続人になることもできなかった。彼らは家畜と同じ扱いで、奉仕をしても、子を生んでも、従物取得権によって主人のものとなった。〔そこで〕人民は所有者の条件が誰にとっても同じであるよう望んだ。各人が自らの財産、所得、労働と勤勉の成果を自由に享受し処分できるよう望んだのだ。人民が所有権を発明したのではなく、貴族や聖職者と同じ資格の所有権が彼らには存在しなかったので、その権利は一様であるべきだ、と宣言したのである。所有権の苛酷な諸形態である賦役、財産遺贈不能、支配、職からの排除は姿を消した。用益法が変わったのだ。つまり、物事の根本は同じままである。それは権利の割り当てにおける進歩であって、革命ではなかったのだ。

それゆえ、一七八九年の運動、次いで一八三〇年の運動が神聖化した現代社会の三つの基本原理とは、次のようなものである。⑴人間の意志の至高性、つまりは専制。⑵財産と地位の不平等。⑶所有権である。所有権は正義の上に置かれ、主権者、貴族、所有者の守護神として、いつも万人に加護を祈られた。だが、その正義こそ社会全体の一般的・原初的・定言的な法なのである。

問題は、専制、市民的不平等、所有の概念が公正という根本概念に適合するかどうかを知ること、それらの概念が状況、場所、人間関係に応じて多様な表れをもつものとして、公正の概念から必然的に導き出されたものなのか、それとも異なる事物の混同や宿命的な観念連合から不当に生まれたものなのかを知ることである。そして、正義はとりわけ統治、人間の境遇、物の占有において確定されるのだから、万人の同意と人間精神の進歩に従って次のことを探究しなければならない。どのような条件で統治は公正になるのか。市民の境遇は公正になるのか。物の占有は公正になるのか、である。次いで条件を満たさないものいっさいを取り除けば、その結果は次のことを同時に示すだろう。正当な統治とは何か。市民の正当な境遇とは何か。物の正当な占有とは何か。つまり、究極的に要約して表現すれば、〈正義〉とは何か、である。

人間の人間に対する権威は公正か。

誰もが「否」と答える。人間の権威は法の権威にほかならず、その法とは正義と真理であるべきだ、と。私的意志は統治においては物の数に入らない。統治とは、一方で法を作るために真なるもの、公正なるものを発見することに帰着し、他方でその法の執行を監視することに帰着する。――ここで私は現在の立憲的統治の形態がこれらの条件を満たしているかどうかは考察しない。例えば、大臣たちの意志が法の布告や解釈に混入していないかとか、代議士たちの論議において数より理屈で勝つことに関心が注がれているか、という話である。よい統治についての公言された考えが私の定義どおりであれば十分だ。この考えは厳密なものである。しかしながら、われわれは次のようなことを認める。東方の諸民族において、主権者の専制より公正なものはないと思われていること。古代人において、哲学者たちの見解も含め、奴隷制は公正なものだったこと。中世において、貴族、神父、司教は農奴を有するのを公正と捉えていたこと。ルイ一四世が「朕は国家なり」と述べたとき、真実を言っていると考えたこと。ナポレオンが彼の意志に従わないことを国事犯とみなしたことである。このように、主権者や統治に適用される公正の観念は、現代のそれとずっと同じだったわけではない。それは絶えず発展し、次第に明確化され、ついにわれわれがいま見る地点に止まったのである。だが、それは最終局面に到達したのか。私はそうではないと考える。打ち破るべき最後の障害だけは残っている。それは、われわれが保ち続けてきた所有権の制度にもっぱら由来するものであり、統治の改革を成し遂げて革命を完遂するためには、この制度そのものに挑まなければならないのだ。

政治的・市民的不平等は公正か。

公正と答える人も、不公正と答える人もいるだろう。前者に対して私は、人民が出生および階級による特権すべてを廃したとき、それがよいことに見えたのは、おそらく人民に利益をもたらすという理由だったことを思い出させたい。すると、なぜ人民は地位や家系による特権と同じく財産による特権の消滅をも望まないのか。彼らは、政治的不平等は所有に内属しており、所有なしにはいかなる社会も存在しえないからだ、と言う。こうして、いま提起した問いは所有の問題に帰着する。――不公正と答える人に対しては、次のように言うだけでよい。「政治的平等を享受したいのなら、所有を廃せよ。そうでなかったら、何に不平を言っているのか」と。

所有は公正か。

誰もがためらうことなく答える。「そのとおり、所有は公正だ」と。私は万人に対して「否」と言う。万人というのは、これまでのところ誰一人、十分な知識とともに答えた人はいないと思われるからだ。根拠ある答えでさえ、簡単なことではなかった。ただ時間と経験が解決をもたらすことができたのだ。いまや、その解決が与えられている。それを理解するのは、われわれである。論証しよう。

これから進める論証の手順は、以下のとおりである。

I　われわれは論争せず、誰をも反駁せず、なんら異議申し立てもしない。所有を擁護するのに持ち出されたあらゆる理屈をもっともなこととして受け入れて、その原理を探究するにとどめ、そうすることで、次に、その原理が所有によって忠実に表現されているかどうかを検証する。実際、所有は公正なものとしてしか擁護されえないのだから、所有擁護のためになされたあらゆる議論の根底には、正義の観念か、少なくとも正義への志向が必然的に見出されるはずである。他方、所有は物質として感知可能なものにしか発揮されないゆえ、正義はいわば秘密裡に自身を客体化するのだから、それは完全な代数式として姿を見せるはずである。この検証方法によって、われわれは、所有を擁護するために思いつかれたすべての理屈は、どのようなものであれ、つねに必然的に平等、すなわち所有の否定を結論する、とすぐに認めることになる。

この第一の部分に二つの章があてられる。一つは、われわれの権利の基礎としての先占についての章〔第二章〕である。もう一つは、所有の原因、社会的不平等の原因とみなされる労働および才能についての章〔第三章〕である。

これら二章の結論は次のようになる。一方で、先占の権利は所有を妨げること。他方で、労働の権利は所有を消滅させることである。

II　すると、所有は必然的に平等へと必ず行き着く理路のもとで理解されるのだから、われわれは、なぜそうした論理的必然性に反して平等が存在していないのかを探究しなければならない。この新しい研究にも二章があてられる。はじめの章〔第四章〕では、所有の事実それ自体を考察し、その事実が実在的であるか、存在するか、可能であるかを探究する。というのは、二つの相反する社会主義形態[*6]である平等と不平等がいずれも可能だというのは矛盾だからである。ここでわれわれは奇妙な事実を発見するだろう。確かに所有は偶発事としては姿を現すが、制度および原理としては数学的に不可能だ、という事実である。したがって、スコラ学派の《現実から可能への連続的推論は有効である》、すなわち事実から可能性に向かう首尾一貫性は有効であるという原則が所有に関しては否定されることになる。

そして、最終章〔第五章〕において、心理学の助けを借りて人間本性の深奥に入り込み、公正の原理、定式、特質を説明する。社会の有機的法則を明確化する。所有の起源、それが確立された原因、長く続いた原因、それがまもなく消滅する原因について説明する。所有と盗みの決定的同一性を立証する。そして、人間の至高性、条件の不平等、所有という三つの偏見が一つのものでしかなく、どれをどれと捉えることもできる互換可能なものであることを明らかにしたのち、そこから矛盾の原理によって統治と法の基礎を難なく導き出せることだろう。われわれの研究はそこで足を止め、続きは新たな論文に譲ることにする。

われわれが取り組む主題の重要性は誰もが認めるところである。

パリ弁護士会の最も雄弁なメンバーの一人は、少し前に述べた。「所有は市民社会を創造し保守する原理である……。所有は新しいと主張する解釈がそうすぐには生まれない基本的命題の一つである。なぜなら、それはけっして無視してはならないものであり、政治評論家や政治家が所有について強く確信していることが重要だからだ。所有は社会秩序の原理なのか帰結なのか、原因と捉えるべきなのか結果と捉えるべきなのか、という問題にこそ、道徳性の全体、したがってまた人間の諸制度の権威全体が依拠しているのである」（アンヌカン[*7]『法律学概論』）と。

この言葉は、希望と信念をもつ人すべてに対する挑戦状である[(6)]。だが、平等の大義は美しいけれども、まだ誰も所有の弁護者から叩きつけられた挑戦状に応じていないし、決闘を受けるほど断固とした心の持ち主もいなかった。傲慢な法律学の誤った知識や所有が作り出した政治経済学の馬鹿げた格言によって、最も高邁な知性でさえ狼狽させられたのだ。人民の自由や利益に関して最も影響力をもった味方のあいだでさえ、「平等など幻想だ！」という言葉がある種のお決まりの合言葉になっている。非常に多くの完全に誤った説、実に無意味な類比が、他の点では優秀だが、知らぬうちに通俗的な偏見にとらえられた精神に対して支配力を発揮しているのだ。平等は日々進展する。《平等が生じる》。自由の闘士たちよ、勝利を目前にして、われわれの旗を放棄するのか。

（6）公教育大臣V・クザン氏は、大臣就任に際しての王への所信表明の一つで、「七月王政は、どのような理論が示されても恐れませんし、調査もしません」と述べた。この文章が大臣に知られたとして、彼が正しくも保障しようとした寛容に乗じていると思われないことを願う。

平等の擁護者である私は、憎むことなく、怒ることなく、哲学者にふさわしい独立心、自由な人間がもつ冷静さと断固たる姿勢で語るつもりだ。この厳粛なる戦いにおいて、私を満たす光をすべての人の心に届けたい。論証の成功によって、平等が剣では勝てなくとも言葉では勝つに違いないことを明らかにできるだろう！

訳注

＊1　「貧困」の原語は paupérisme である。一九世紀前半の新語で、産業革命の進展にともなって現れた新しい社会構造が生み出した新しいタイプの貧困（都市大衆の貧困）を指す語である。

＊2　ヴィクトール・クザン（Victor Cousin）（一七九二―一八六七年）は、エクレクティスム哲学の学派創始者であり、一八四〇年三月一日から一〇月二八日まで公教育大臣を務めた［以上、C］。なお、かつて「折衷主義」とも訳されたクザンのエクレクティスム（éclectisme）は、一九世紀前半のフランス哲学界で影響力をもっていた。プルードンもたびたび言及している。

＊3　トマス・リード（Thomas Reid）（一七一〇―九六年）は、スコットランドの哲学者で、「常識」学派の創始者である。プルードンは、フランシュ＝コンテ地方のエクレクティスム哲学者テオドール・ジュフロワ（Théodore Jouffroy）（一七九六―一八四二年）が翻訳したリードの全集のほぼすべてを読んでいた［C］。

＊4　アントワーヌ＝ルイ＝クロード・デステュット・ド・トラシ伯爵（Antoine-Louis-Claude, comte Destutt de Tracy）（一七五四―一八三六年）は、観念学派（イデオロジー）の哲学者で、特にプルードンが本書を準備しながら読んだ『政治経済学概論（*Traité d'économie politique*）』（一八二二年）の著者である［C］。

＊5　シャルル＝ボナヴァンチュール＝マリー・トゥーリエ（Charles-Bonaventure-Marie Toullier）（一七五二―一八三五年）は、法律学者であり、〔ここでも引用されている〕『法典の順序に従ったフランス民

法（*Le droit civil français, suivant l'ordre du Code*）』の著者である。同書の初版は一八一一—一八年、のち多数の版で増補された［以上、C］。なお、トゥーリエはプルードンによる引用箇所に続いて、「主権とはあらゆる権力の集合である」とも述べ、権力の内実として立法権力だけでなく執行権力を挙げて、具体例も掲げている。

＊6　「社会主義形態」の原語はformes socialistesである。「社会形態（formes sociales）」の誤記である可能性がある。

＊7　アントワーヌ＝ルイ＝マリー・アンヌカン（Antoine-Louis-Marie Hennequin）（一七八六—一八四〇年）は、弁護士・政治家である。プルードンは、民法典第二巻を対象としたアンヌカンの著作『法律学および法解釈概論（*Traité de législation et de jurisprudence*）』（一八三八—四一年）を読んだ［C］。

第二章　自然権とみなされる所有について

——所有権の始動因としての先占と民法について

定　義

ローマ法は、所有権を《法理の許すかぎりにおいて自らの物を使用し濫用する権利》〔『学説彙纂』第四巻〕、法理が許容する範囲内で物を使用し濫用する権利と定義した。「濫用する」とは無分別な濫用や不道徳な濫用ではなく単に絶対的な権限を表すと述べられ、この語の正当化が試みられた。これは所有権を聖化するために考案された無意味な区別であり、享受への熱狂に対して無力で、それを予防することも抑制することもない。所有者は思いどおりに自分の果実を立ち木のまま腐らせ、自分の畑に塩を撒き、自分の牛の乳を砂の上に搾《しぼ》り、ぶどう畑を砂漠に変え、菜園を物置場に変えることができる。これらすべては濫用なのか、そうでないのか。所有に関しては、使用と濫用が必然的に混じり合っているのだ。

一七九三年憲法の冒頭に書かれた〈権利の宣言〉によれば、所有権とは「自らの財産、所得、労働と勤勉の成果を思いのままに享受し処分する権利」である。

ナポレオン法典第五五四条によれば、「所有権とは法律および諸規則で禁じられた使用でないかぎり、最も絶対的な仕方で物を享受し処分できる権利である」。

これら二つの定義は、ローマ法の定義に帰着する。いずれも所有者に物への絶対的な権利を認めているのだ。また、ナポレオン法典が持ち出した留保である「法律および諸規則で禁じられた使用でないかぎり」の目的は、所有権の制限ではなく、ある所有者の権限《ドメーヌ》が他の所有者の権限の障害になるのを避けることにある。つまり、原理の確認であって制限ではない。

所有は次の二つに区別される。⑴純粋にして単純な所有、物に対する支配権や領主権、言い換えれば、いわゆるむきだしの所有。⑵占有。デュラントン[*1]は「占有は事実上の事柄であって、権利上の事柄ではない」と述べた。トゥーリエによれば、「所有は権利、法律的権能であり、占有は事実である」。借家人、小作人、業務担当社員、用益権者は占有者である。賃貸借や使用貸借の貸主、享受するために用益権者の死を待つだけでよい相続人は所有者である。あえて喩えるなら、愛人は占有者で、夫は所有者だ。

所有のこうした二重の定義、所有の権限としての定義と占有としての定義は、このうえなく重要である。これから述べようとしていることを理解したければ、このことを深く理解しておく必要がある。

占有と所有の区別から、二種の権利が生まれる。一つは《物権》、物における権利、どのような手法で得たにせよ獲得した物の所有を主張できる権利であり、もう一つは《対物権》、物への権利、所有者になるべく要求する権利である。そうして、配偶者の互いの人格に対する権利は《物権》である。婚約者の二人の権利は、まだ《対物権》にすぎない。《物権》においては、占有と所有が結びついている。《対物権》には、むきだしの所有しか含まれていない。私は労働者としての資格で自然および勤勉に由来する財の占有権をもっているが、無産者という境遇によって何も享受しておらず、《対物権》によって《物権》への参入を要求するのだ。

《物権》と《対物権》のこうした区別は、よく知られた占有保全訴訟と所有権確認訴訟の区分の基礎であり、これらの訴訟は広大な領域のうちにすべてを包括する法律学の真のカテゴリーである。所有権確認訴訟は所有に関するいっさいについてのもので、占有保全訴訟は占有に関するものだ。私は所有に対する訴訟事実覚書たる本書を書くことで、社会全体に対して所有権確認訴訟を起こす。そして、現在占有していない人々が占有している人々と同じ資格で所有者であることを証明する。だが、所有はすべての人に分配されるべきだと結論づけるのではなく、全員の安全のためにすべての人の所有が廃されるべきだと要求する。私がこの所有権返還要求で敗れるなら、あなたがた無産者全員と私は、もはや喉をかき切るほかない。諸国民の正義を要求する手段は、もはやいっさいなくなるのだ。なぜなら、訴訟手続法第二六条が力強い文体で教示しているように、所有権確認訴訟の事由が却下された原告には「もはや占有保全訴訟を起こすことも認められない」からだ。反対に、私がこの訴訟に勝つとしよう。そのときは占有保全訴訟をやり直す必要があるだろう。所有権の存在によってわれわれから奪われていた財の享受に復帰することが目的である。そうしたことを余儀なくされるのは本望ではない。だが、これら二つの訴訟は同時には処理されえないのだ。同じく訴訟手続法によれば、「占有保全訴訟と所有権確認訴訟は、けっして併合されえない」からだ。

訴訟の核心に入る前に、ここでいくらか先決問題についての所見を示すのも無益ではあるまい。

第一節　自然権としての所有について

〈権利の宣言〉は、所有を時効によって消滅することのない人間の四つの自然権のうちの一つと位置づけた。すなわち、自由、平等、所有、安全である。九三年の立法者たちは、どんな方法論に従って、こうした列挙をしたのか。方法論などなかった。彼らは主権や法について論じたのと同じように、漠然とした観点から、自らの見解に従って原理を定めたのだ。彼らは万事を手探りで、あるいは速断でおこなった。

トゥーリエの議論を信じるなら、「絶対的な権利は、安全、自由、所有の三つに還元されうる」。このレンヌの教授は平等を除外したが、それはなぜなのか。自由が平等を含むからなのか、それとも所有が平等を許容しないからなのか。『民法解説』の筆者は口をつぐむ。そこに議論すべき題材があるとすら思わなかったのだ。

しかしながら、この三つないし四つの権利を比較すれば、所有が他のどれともまったく似ていないことが分かる。大多数の市民にとって、所有権は潜在的で、休眠中の行使されない権能としてしか存在しないこと。所有権を享受する少数の市民にとって、それは自然権の理念に反し、〔自然権であれば認められないはずの〕ある種の妥協や修正の余地があるものだということ。そして、実際には政府も裁判所も法も所有権を尊重していないこと。結局、自然発生的な全員一致の意見として誰もが所有権を幻想とみなしていることが分かるのだ。

自由は不可侵である。私は自分の自由を売ることも譲渡することもできない。自由の譲渡や停止を目的とする契約および契約条件はいっさい無効である。自由の地に足を踏み入れた奴隷は、その瞬間、自由になる。社会が犯罪者を捕えて自由を奪うときは、正当防衛の要件を満たしている。犯罪によって社会契約を破る者は誰であれ、自らを公の敵だと宣言しているのだ。他の人の自由を攻撃することによって、他の人が彼の自由を奪うよう強いているのである。自由は人間らしくあるための第一条件である。自由を放棄することは人間の資格を放棄することだろう。自由を放棄したのちに人間らしい行為をすることなど、いかにして可能だろうか。

同じように、法のもとの平等も制限や例外を許容しないものである。すべてのフランス人は等しく職に就くことができる。それゆえ、こうした平等が存在するところでは、多くの場合、めぐりあわせや年功が職業選択の問題を解決する。最も貧しい市民が最も地位の高い人物を法廷に召喚し、償いを得ることもできる。大富豪のアハブが〔隣接する〕ナボテのぶどう畑に宮殿を建てたことに対して〔旧約聖書『列王記』上、二一・一―一六。なお、実際は、宮殿の庭園にするために対価とひきかえに畑を譲るようにと迫った話〕、裁判所は場合によっては莫大な建設費がかかった宮殿の取り壊しを命じ、ぶどう畑を元どおりの状態にさせ、さらにはこの横領者に損害賠償金の支払いを命じることもできただろう〔実際には、抵抗したナボテに死刑が宣告された〕。法は合法的に獲得されたあらゆる所有物が価値の区別なしに、また人による特別扱いなしに尊重されることを求めるのだ。

確かに、〔一八三〇年の〕憲章は一定の政治的権利の行使のために財産と能力に関する一定の条件を要求する。[*2]だが、政治評論家であれば誰でも知っているとおり、立法者の意図は特権を確立することではなく、担保を得ることにあった。法の定める条件が満たされるや、あらゆる市民は有権者になれるし、有権者は被選挙資格者になれる。ひとたび獲得された権利は、すべての人にとって平等である。法は人にも票にも差を認めない。いま私はその体制が最善かどうかは考察しない。憲章の精神においても、誰の目から見ても、法のもとの平等が絶対的で、自由と同じく、いかなる妥協の余地もありえない、ということだけで十分である。

安全の権利についても同様である。社会が成員に対して半保護や準防衛を約束することなどない。成員が社会に対して責務を負うように、社会は成員に対して全面的な責務を負う。社会は成員に対して、「費用がまったくかからないなら保障しよう」とか、「危険を冒さずに済むなら保護しよう」などと言うことはない。社会は「万難を排して、あなたがたを防衛しよう」と言うし、「あなたがたを救い、あなたがたの仇討ちをするのでなければ、自死しよう」と言うのだ。国家はすべての力を各市民のために使う。国家と市民を結びつける責務は絶対的なのだ。

所有においては、なんと違うことだろう！　誰もがそれを崇《あが》めるが、誰もそれを認めはしない。法、習俗、慣習、公的および私的な良心、これらすべてが所有の死と破滅に向けて結託しているのだ。

軍隊の維持、土木事業の実施、公務員への給与支払いといった政府の出費をまかなうには租税が必要である。誰もが費用の分担金を払うのが最善である。だが、なぜ豊かな人は貧しい人より多く負担するのか。――より多く占有しているのだから、それが公正だと言われる。――そのような正義を私は理解できない、と告白しておこう。

なぜ租税を納めるのか。各人が自然権である自由、平等、安全、所有の権利を行使することを保証するため、国家における秩序を維持するため、実用または娯楽用の公共設備を作るためである。

しかるに、豊かな人の生命と自由を守るには、貧しい人のそれを守るより費用がかかるだろうか。敵の襲来、飢饉、疫病に際し、国家の救助を待たずに危険を逃れる有力な所有者と、あらゆる災禍に対して無防備な藁葺家屋にとどまるしかない耕作者とでは、どちらがより多くの苦境を引き起こすだろうか。

秩序は、職人や親方見習いよりも善良なブルジョワによって脅かされるだろうか。いや、警察は二〇万人の有権者よりも数百人の失業者に労力をより多く使っているのだ。

最後に、巨額の金利生活者は貧しい人よりも国民的祝祭、道路の清潔さ、記念建造物の美しさを享受しているだろうか……。いや、金利生活者は大衆向けのどんな華麗さよりも自らの別荘を好む。楽しみたいと思えば、わざわざ〔祭りで供される〕宝の棒を待ったりはしないのだ。

二つに一つである。累進課税が高額納税者に特権を保証してその特権を神聖化するか、累進課税そのものを不公平とするかだ。なぜなら、一七九三年の宣言が主張するように所有が自然権であるなら、その権利の名のもとで私に帰属するものすべては私の人格と同様に神聖だからである。それは私の血、私の命、私そのものなのだ。それに手をつける者は、私の瞳を傷つける者に等しい。私の一〇万フランの収入も女工の一五スーの日給も同じように不可侵であり、私の大邸宅も彼女の屋根裏部屋も同じように不可侵である。税金は力や身長や才能に応じて割り振られるのではない。ましてや、所有に応じて割り振られることなどありえない。

それゆえ、国家がより多く私からとるなら、より多く私に返すか、諸権利の平等を私に語るのをやめるかである。そうでないなら、社会は所有を守るためではなく、むしろ所有の破壊を組織化するために設立されていることになるからだ。累進課税によって国家は盗賊団長となり、定期的に金を巻き上げる強奪の手本となるのだ。国家こそ、同業者の妬《ねた》みによって人殺しをさせている忌まわしい強盗、憎むべき悪党の筆頭格として重罪院の被告席に引き立てられなければならない。

だが、まさにそのような悪党を抑えるために裁判所や軍隊が必要なのだと言われる。政府は団体だが、保障するのではないから、正確には保険団体ではなく、報復および抑圧の団体なのだ、と。そうした団体が支払いをさせる権利である租税は、所有に比例して、つまり政府から賃金を受け取る報復者・抑圧者にそれぞれの所有がもたらす労力に応じて割り振られるのだ、と。

こうなると、絶対的で譲渡不能な所有権から遠く離れている。こうして、貧しい人と豊かな人は相互不信の状態、戦争状態にあるのだ！　だが、なぜ戦うのか。所有のためだ。したがって、所有は所有に対する戦いと必然的相関関係をもつ！……豊かな人の自由や安全が貧しい人の自由や安全によって害されることはない。それどころか、両者は相互に強め合い、支え合うことができる。けれども、反対に豊かな人の所有権は絶えず貧しい人の所有本能から守られることを欲するのだ。なんという矛盾！

イギリスには救貧税がある。私もその税を納めるよう望まれる。だが、時効によって消滅することのない自然権である私の所有権と一〇〇〇万の憐れな人々を苛《さいな》む飢餓に何の関係があるのか。宗教がわれわれに同胞を助けるよう命じるときには、法律の原理ではなく、愛徳の戒律[*3]を定めているのだ。キリスト教道徳が私に課す慈善の責務は、私の意に反して誰かのための政治的権利に、ましてや物乞いの制度に基盤を与えるものではありえない。自分がしたいと思うなら、私も施しをしよう。また、他人の苦痛に対して哲学者たちが語った共感を感じるなら、私も施しをしよう。私自身は、その共感をあまり信じていないのだが。つまり、私は強制されたくないのだ。「自らの権利を、他人の権利を害することのない範囲で享受せよ」という自由の定義そのものである格言を超えてまで公正であるべき責務など、誰も課されていない。しかるに、私の財産は私のものであり、誰にも何の借りもない。私は三つめの対神徳〔慈善〕が流行することに反対する。

フランスでは、誰もが五％の金利引き下げを要求している。ある種の所有全体の犠牲が要求されているのだ。[*4] 公的な必要性があれば、そうしてもよい。だが、〔一八三〇年の〕憲章が約束する公正さと事前の補償金は、いったいどこにあるのか。いや、それは存在しないだけでなく、可能ですらないのだ。なぜなら、補償金と犠牲にされる所有とが同等であるなら、金利引き下げは無意味だからである。

今日の国家は金利生活者に対して、エドワード三世に包囲された〔ドーバー海峡に面する〕カレー市が地元の有力者に対してそうだったのと同じ立場にある。イギリスの征服者は、最有力の有産階級を無条件で引き渡すのとひきかえに一般住民たちを生かしておくことに同意した。ユスターシュほか数名が身を献じたのは立派なことである。現在の大臣たちは、金利生活者にこれを手本とするよう提案するべきではないか。だが、カレー市は彼らを引き渡す権利を有していただろうか。もちろん、そんなことはない。安全への権利は絶対である。祖国は、どのようなものであれ、誰にも犠牲を要求できない。敵の射程内で歩哨に立たされる兵士も、この原則の例外ではない。市民が歩哨に立つところでは、祖国も身をさらしているのだ。今日はある人、明日は別の人、という形で。危難と献身が共通なら、逃亡は反逆である。誰も危険を免れる権利をもたないし、誰も身代わりの犠牲の役を務めることはできない。〔イエス処刑時の大祭司〕カイアファの「一人の人が人民全体に代わって死ぬのがよい」〔新約聖書『ヨハネによる福音書』一八・一四〕という格言は、社会的頽廃の二つの極にいる下層民と暴君が用いる類いのものである。

永久債権はすべて本質上、買い戻し可能だと言われる。民法のこの基準を国家に適用することは、労働と財産の自然的平等に回帰したい人々にとっては、よいことである。だが、所有の見地からすれば、また金利引き下げ論者の言によれば、それは破産者の用いる言い方である。国家は、単なる借り手ではなく、所有の保証人、番人でもある。国家は、可能なかぎり高水準の安全を提供するのと同じく、最も確実で不可侵の享受をあてにできるようにするのである。すると、国家のことを信頼する貸し手にまず強制し、次いで彼らに公的秩序や所有の保証を語るということが、どうして可能だろうか。そのような操作をするとき、国家は弁済する債務者ではない。それは株式会社であり、株主を罠におびき寄せ、正式な約束に反して資本の利子を二〇、三〇、さらには四〇％も失うよう強いているのである。

それだけではない。国家とは社会行為によって一般法のもとに集まった市民の総体でもある。その社会行為が全員に所有を保証する。ある者には畑、別の者にはぶどう畑、また別の者には小作地、自ら不動産を買うこともできるのに国庫に援助を求めたがる金利生活者には金利、という形で。国家は公正な補償なしに畑の一アークルやぶどう畑の一角を犠牲にするよう要求することはできないし、ましてや小作料を下げさせる権力などもたない。どうして国債の利子を引き下げる権利をもつだろうか。その権利が不正でないようにするためには、金利生活者が同程度に有利な資金の投資先をほかに見つけられるのでなければならない。だが、どこにそうした投資先を見つけられるだろうか。というのも、彼は国家から離れることはできないし、金利引き下げの原因、つまり優位な市場で借りる権能も国家のうちにしかないのだから。これこそが、所有の原理に基礎を置いた政府が金利生活者の意志なくしてけっして国債を買い戻せない理由だ。共和国に投資された資金は、他の所有が尊重されているあいだは誰にも手をつける権利のない所有である。償還を強制することは、金利生活者に対して社会契約を破ることであり、彼らを法の外に置くことである。

国債の金利引き下げに関する論争は、次のことに帰着する。

問い。一〇〇フラン以下の国債証書をもつ四万五〇〇〇世帯を貧困におとしいれることは公正か。

答え。三フラン納めればよい七〇〇万〜八〇〇万人の納税者に五フランの税金を納めさせるのは公正か。

まず、この答えが問いに答えていないのは明らかである。だが、いっそう欠陥を明らかにするために、次のように言い換えよう。「一〇〇人の首を敵に差し出せば助けられる一〇万人の命を危険にさらすのは公正か」。読者よ、自分で決めてほしい。

現状の擁護者はこれらすべてを完璧に感じ取っているが、早晩金利の引き下げはおこなわれるだろうし、所有は侵害されるだろう。それよりほかないからだ。所有は権利と捉えられているが、権利ではないので、権利によって滅びる運命にあるからだ。事物の力、良心の法則、物理的・数学的必然性が、やがてわれわれの判断力の幻想を破壊するはずだからである。

要約しよう。自由は絶対的権利である。なぜなら、人間にとっての自由は、物質にとっての不可入性と同じく、存在するための必須条件だからだ。平等も絶対的権利である。なぜなら、平等なくして社会は存在しないからだ。そして、安全も絶対的権利である。なぜなら、誰の目にも明らかなように、自分の自由と生命は他人のそれと等しく価値あるものだからだ。これら三つの権利は絶対的である。つまり、増えもしなければ減りもしない。なぜなら、社会における結合者《アソシエ》は各々与えたのと同じだけ受け取るからだ。自由には自由を、平等には平等を、安全には安全を、身体には身体を、魂には魂を。これは生涯変わらない。

だが、所有は語源学上の根拠からしても、法律学の定義からしても社会外の権利である。なぜなら、各人の財が社会的財だとしたら条件が全員にとって平等なのは明らかで、「所有権とは一人の人間が最も絶対的な仕方で社会の所有物を処分する権利である」という言い方は矛盾だろうからだ。それゆえ、われわれが自由、平等、安全のために結合するとしても、所有のために結合することはない。所有が自然権であるとしても、そうした「自然」権は社会的ではまったくなく、反社会的である。所有と社会は克服不能なまでに相矛盾している。二人の所有者を結合させることは、二つの磁石を同極同士でつなげるのと同様に不可能である。社会が消え去るか、社会が所有を死滅させるかのどちらかしかありえない。

所有が自然的、絶対的で、時効によって消滅することのない譲渡不能の権利だとしたら、なぜいつもその起源にきわめて強い関心が注がれてきたのか。所有を際立たせる特質の一つが、やはりそこにあるからだ。自然権の起源とはなんたることか！　いったい誰が自由、安全、平等の権利の起源について問うだろうか。それらの権利によってこそ、われわれは存在しているのに、である。それらの権利は、われわれとともに生まれ、生き、そして死ぬ。だが、所有となると、真にまったく別の話だ。所有は、法によって、所有者がいなくても、なお主体なき権能として存在する。所有は、まだ胎児にすらなっていない人間的存在にも、もう生きていない八〇歳にも存在するのだ。永遠性と無限性をもつように見えるという驚くべき特権をもつにもかかわらず、所有が何に由来するかを誰も言い当てることができなかった。学者たちはいまだ反論し合っている。だが、一点に関してのみ、彼らも一致しているようだ。所有権の確実性は起源の真正性によって決まる、という点である。だが、この一致によってこそ、彼らは全員有罪となる。なぜ彼らは起源についての問いを解決する前に権利を受け入れてしまったのか。

ある人々は、所有権という権利もどきが埃をたてること、その奇想天外でおそらくスキャンダラスな歴史を探究することを好まない。彼らはただ「所有は事実である。これまでも、これからも、ずっとそうである」と言うにとどめようとする。博識のプルードン[*5]が『用益権論〔*Traité des droits d'usufruit*〕』の冒頭で所有の起源についての問いをスコラ学的無駄話の一つに数えているのは、そのためである。私も平和への賞賛すべき愛に導かれて考えたいので、私の同類たちがみな十分な所有を享受しているのを見たら、こうした欲望におそらく同調したことだろう。だが……そうではない……。私は同調できなかったのだ。

所有権を基礎づけようとする際の名目は、次の二つに帰着する。先占と労働である。私は、この二つを順に、あらゆる側面、あらゆる詳細にわたって検討する。読者には注意を促しておきたい。どちらの説が援用されようとも、所有が公正で存在可能なものとなるには平等を必要条件とすること、そのことの証明を反論不能な形で提示するつもりだ、と。

第二節　所有権の基礎としての先占について

〔ナポレオン〕法典について審議する国務院での会議において、所有権の起源や原理をめぐる論争がいっさいなかったことは注目に値する。所有権および従物取得権に関する第二編第二巻の全条文は、反対も修正もなしに承認された。別の問題では法律学者にずいぶん骨を折らせたボナパルトも、所有権については何も言うべきことを見出さなかった。驚くことではない。史上最も身勝手でわがままなこの男から見れば、権威への服従が最も神聖な義務であるのと同じく、所有権が最も重要な権利であって当然なのだ。

先占の権利、あるいは先占者の権利とは、事物の現実的・物理的・実効的な占有から生じる権利である。私がある土地を先占すると、そうでないことが立証されないかぎり、私はその土地の所有者だとみなされる。元来そのような権利は相互的でなければ正当ではありえないと思われており、その点で法律家たちの意見は一致している。〔共和政ローマ末期の哲学者・政治家〕キケロは、土地を巨大な劇場に喩えて《全員の共有である劇場において、まさにそれにもかかわらず、各人が先占した席は彼のものとして占有されると言われうる》と述べた。[*6] 古代がわれわれに残した所有権の起源についての〔法律家の議論と比べて〕より哲学的な議論はこれに尽きる。

キケロは述べる。劇場は全員の共有である。にもかかわらず、そこで各人が先占する座席は「彼のもの」と言われるのだ、と。つまり、明らかにそれは占有された座席であって、専有された座席ではない。この喩えは所有権をなきものにする。さらに、平等を含意する。劇場において、平土間席に一席、ボックス席にも一席、天井桟敷にまた一席を同時に先占することができるだろうか。〔ギリシア神話の怪物〕ゲリュオンのように三つの体をもっていたり、〔古代ギリシアの哲学者でティアナ出身の〕魔法使いアポロニウスの逸話のように同時に異なる場所に現れたりできるのでもないかぎり無理である。

キケロによれば、誰であれ自分にとって十分なだけのものにしか権利はない。これが彼の有名な格言《各人のものは各人自身のもの》〔『善と悪の究極について』〕、「各人に各人自身のものを」の忠実な解釈である。この格言はまったく違ったふうに適用されているのだが。各人のものというのは、各人が占有できるものではなく、各人が占有する権利をもつものである。しかるに、われわれが占有する権利をもつものとは何か。自分の労働と消費に十分なだけのものである。キケロが土地を劇場に喩えたことが、そのことを明らかにしている。そこれによれば、各人が好みの座席に身を置くこと、可能ならば美しく飾り、改良することと、これらは認められている。だが、そうした活動は、他人の座席と隔てる境界をけっして越えてはならない。キケロの教説は平等への権利を結論づける。なぜなら、先占とは単なる黙認である以上、その黙認が相互的であり、相互的でしかありえないなら、占有は平等だということになるからである。

〔一七世紀になると〕グロティウスが歴史の舞台に身を乗り出す。だが、まず、自然権と言われる権利の起源を自然とは別の場所に探るというのは、いかなる推論法なのか。実に古代人風の方法論である。すなわち、事実が存在する、ゆえにそれは必然で、ゆえに公正で、ゆえにその条件もまた公正である、というものだ。ともあれ、見てみよう。

「そもそも万物は共有にして不分割だった。万物は全員の資産だった……」〔『戦争と平和の法』第二巻第二章〕。引用はこれにとどめよう。〔続いて〕グロティウスは、どのようにしてそうした原始共同体が野心と強欲のうちに終わりを迎えたか、どのようにして黄金時代が終わって鉄の時代がそれに続いたか、等々について語る。それで、所有ははじめ戦争や征服を源泉とし、次いで条約や契約を根拠とするようになったと言う。だが、次のいずれかだ。まず、条約や契約が分け前を平等にした場合。それは始原的共同性に従ったものである。そうした共同性は、原始の人々が知りえた唯一の配分規準であり、構想しえた唯一の正義の形態である。そのとき、起源についての問いが再登場する。どのようにしてその少しあとに平等は消えたのか、と。あるいは、次に、条約や契約が力によって強制され、弱者によって受け入れられた場合。その場合、それらは無効であり、のちの時代における暗黙の同意がそれを有効にすることもなく、われわれは永遠に不公平と欺瞞の状態を生きることになる。

なぜ条件の平等がはじめは自然において存在したのに、やがて自然外の状態になったのか、誰も理解できない。どのようにして、そうした堕落が起きたのか。動物における本能は、種の区分と同じく不変である。人間社会において自然的で原初的な平等を仮定することは、暗黙のうちに現在の不平等がそうした社会の本性に対する違反だと認めることであり、それは所有権の擁護者には説明不能のことなのである。だが、私としては、ここから次のように結論したい。神が原始の人々を平等な条件のうちに置いたとしたら、それは神自身が人間に与えた指示、別の局面に際しても人間が実現するべく望まれた手本なのだ、と。このことは、神が人間の魂のうちに据えた宗教的感情を人間があらゆる形で発展させ、表現したと考えられるのと同様である。人間は恒常にして不変の一つの本性だけをもつ。人間は本能によってそれに従い、反省によって遠ざかり、理性によってまたそこに戻る。われわれがそうした帰途上にいないと言いきれる人がいるだろうか。私の考えによれば、人間は平等から離れた。私の考えによれば、人間は平等に戻るだろう。グロティウスによれば、人間は平等から離れたのか、どのようにして平等に戻るのか。これについては、のちほど〔第五章で〕論じる。

リードは、全集第六巻〔『人間精神の諸機能についての試論』〕、ジュフロワ氏訳、三六三頁で次のように述べている。

「所有権は自然権などではなく既得権である。それは人間の体質に由来するのではなく、行為に由来する。法律家たちは、その起源について常識をもった人が満足するような仕方で説明してきた。――土地は、神の慈愛によって日常的使用のために人間に与えられた共有財である。だが、土地やそこでの生産物の分割は人間によってなされる。各人は神から誰をも害することなく一部分をわがものにするのに必要なあらゆる力能と知性を授かったのだ」。「古代の道徳学者たちは、的確にも、土地が先占されて他人の所有物になる前に、その土地の生産物に対して全員がもつ共通の権利を劇場において享受される権利に喩えた。各人は劇場に着くと空いた座席を占めることができ、そのことによって上演中ずっとその席に座っていられる権利を獲得できる。だが、すでに席についている観客から座席を奪う権利は誰ももたない。――土地とは、全能の神が無限の叡智と慈愛によって人類全体の喜びと労働のために配した巨大な劇場である。各人はそこに観客として座る権利や俳優として役を演じる権利をもつが、他人を妨害することはできない」。

リードの学説の帰結。1　各人がわがものにできる一部分によって誰も損害をこうむらないようにするためには、その一部分が、分割される財の総量を共有者の数で割った商と等しくなければならない。

2　座席の数がつねに観客の数と等しくなければならないのだから、一人の観客が二つの座席を先占することはできず、一人の俳優が複数の役を演じることもできない。

3　観客が入退場するのに応じて、座席は全員にとって同じ比率で狭くなったり広くなったりする。リードは「なぜなら所有権は自然権などではなく既得権だからだ」と述べている。それゆえ、そこに絶対的なものはなんら存在せず、したがって所有権を構成する占有取得は偶然的事実であるから、それは所有権に対して自らが有していない不変性を伝え渡すことはできない。このエディンバラの教授が次のように付け加えるときには、このことを理解していたものと思われる。

「生きる権利には、その手段を手に入れる権利も含まれる。罪なき人の生命が尊重されることを望む正義の規準が、同じくその人から生命の維持手段が奪われないよう望むのである。それら二つのことは等しく神聖である……。他人の労働を妨げることは、その人に鉄鎖を負わせたり監獄に投じたりするのと同じ性質の不正を犯すことである。その結果も同種のものであり、同じ恨みを抱かせることになる」。

こうして、スコットランド〔常識〕学派の主領は、才能や勤勉さの不平等についていっさい考慮に入れることなくア・プリオリに労働手段の平等を措定し、次いで「よくなす者はよく得るだろう」というお決まりの格言に従って個人の充足に関する配慮を労働者の各々に委ねるのである。

哲学者リードに欠けているのは、原理の認識ではなく、その帰結に従おうとする勇気である。生きる権利が平等なら、労働する権利も平等であり、先占する権利もまた平等である。島の住民たちが所有権を口実にして、不幸にも難破して接岸しようとしている人たちを鉤竿で追い払っても罪にならないことなどありうるだろうか。このような蛮行は考えただけでも腹立たしい。所有者は、孤島のロビンソン〔・クルーソー〕のように、文明化の波によって沈没させられ、なんとか所有者の岩礁に引っかかろうとしている無産者を槍や銃で追い払うのだ。彼らは所有者に向かって全力で叫ぶ。仕事をください。追い払わないでください。あなたの望む賃金で働きます、と。所有者は槍先や銃身を見せて答える。――お前の働きなどいらない。――せめて家賃を下げてください。――私も生きるために収入が必要なのだ。――仕事がないのに、どうやって払えばいいんですか。――それはお前の問題だ。そうして、不幸な無産者は奔流に押し流されるか、所有地に侵入しようとして所有者に銃を突きつけられて殺されるかになる。

ここまで唯心論の考えを聞いてきたので、今度は唯物論、次いでエクレクティスムに問うことにしよう。哲学の議論をひととおり聞いたら、法律学の議論に向かおう。

デステュット・ド・トラシによれば、所有権はわれわれの本性に由来する必然である。その必然が不都合な帰結を導くことを否認するには、分別をなくすほかない。そうした帰結は不可避の悪であって、なんら原理を反証するものではないのだから。したがって、所有権に由来する濫用ゆえにそれに反抗することは、生の最も確実な結果が死であるからといって生に不平を言うのと同様に、ほとんど道理にかなわない〔『政治経済学概論』〕。この粗暴で無情な哲学は、少なくとも純粋で厳密な論理を約束している。その約束が果たされるか、見てみよう。

「所有権についての訴訟事件は厳粛に予審に付された……。まるで所有権がこの世に存在するか否かが、われわれの手にかかっているかのように……。ある哲学者や立法者たちによれば、人は特定の時点において自然発生的に理由もなしに「君のもの」とか「私のもの」という言い方を思いついたが、それなしで済ませることもできたし、そうするべきだったとさえ思われるのだという。だが、「君のもの」や「私のもの」は、けっして考案されたものではない」。

君という哲学者は、あまりに現実主義的だ。「君のもの」とか「私のもの」は、必ずしも同定を示すばかりではない。例えば「君の」哲学とか「私の」平等と言うときは同定である。なぜなら、「君の」哲学とは哲学している君のことであり、「私の」平等とは平等を主張する私のことだからである。〔だが〕もっと多くの場合、「君のもの」とか「私のもの」は関係を示す。すなわち、「君の」国、「君の」小教区、「君の」仕立屋、「君の」乳牛、あるいは、ホテルの「私の」部屋、演劇の「私の」座席、「私の」仲間、国民軍の「私の」大隊、といった場合である。「私の」労働、「私の」才能、「私の」徳性は、ときとして同定の意味で言うことができるが、「私の」偉大さとか「私の」威厳については、けっして言えない。関係の意味でのみ言えるのが「私の」畑、「私の」家、「私の」ぶどう畑、「私の」資本であり、これは銀行職員が「私の」現金箱と言うのと完全に同じである。要するに、「君のもの」とか「私のもの」は個人的だが平等な権利の徴や表現である。われわれの外部の事物に適用される場合には、占有、職能、使用を示すのであって、所有を示すのではない。

われわれの著者の理論全体はこうした憐れなまでの曖昧さに基づいているが、それが最もはっきり分かるテクストを通じて示さないなら、そう信じてはもらえないだろう。

「あらゆる協約が成り立つ前の人々は、正確に言えば、ホッブズが述べたような敵対状態にあったのではなく、無縁状態にあった。その状態において、文字どおりの公正や不公正はなかった。ある人の権利が他の人の権利に影響を及ぼすということがなかったのだ。各人はみな欲求と同じだけの権利をもち、赤の他人へのいっさいの配慮なく欲求を満たす漠然とした義務を負っていた」。

真偽は問題でないので、この学説を受け入れてみよう。すると、デステュット・ド・トラシも平等から逃れられないことになる。この仮説によれば、人々は無縁状態にあるかぎり、互いに何も負わない。誰もが他の人の権利を気づかうことなく自分の欲求を満たすいっさいの権利、したがって各々の力と能力の範囲内で自然に対して自らの力能を行使する権利をもつ。このことの必然的な帰結として、人々のあいだの財産の不平等は最大化するだろう。それゆえ、この仮説において、条件の不平等は無縁性あるいは非社交性に固有の性質ということになる。これはルソーの学説の正反対である。続きを読もう。

「権利や義務に対する制約は、暗黙または明示的な協約が確立されるときになって存在し始める。正義と不正、つまりある人の権利と他の人の権利のあいだの釣り合い《バランス》は、そこでのみ生まれた。それまで両者の権利は必然的に等しかったのだ」。

「権利は等しかった」と言われている。これは、各々が他の人の欲求へのいっさいの配慮なく自分の欲求を満たす権利をもっていたという意味である。言い換えれば、誰もが等しく互いを害する権利をもっていたという意味であり、策略や力のほかに権利なるものは存在しなかったという意味である。さらに、戦争や強奪のみならず、先取りや専有によっても互いに害し合った。しかるに、力や策略を用いる等しい権利、悪をなす等しい権利、すなわち善悪をめぐる不平等の唯一の源泉たるものを廃するためにこそ、「暗黙または明示的な協約」が結ばれることとなり、釣り合いが確立された。したがって、この協約や釣り合いは、万人に充足の平等を保証するためのものだったのだ。すると、矛盾律によって、無縁が不平等の原理であるなら、その必然的な帰結として社会は平等ということになる。社会的釣り合いとは、強者と弱者の均等化である。なぜなら、両者が平等でないかぎり、両者は部外者同士であり、同盟関係になく、敵のままにとどまるからである。それゆえ、条件の不平等が必要悪だとしたら、それは無縁においてである。社会と不平等は矛盾するからだ。したがって、人間が社会に向けて作られているとしたら、平等に向けて作られているのである。この厳然たる帰結は論破できないものだ。

　そうであるとして、釣り合いの確立以降、なぜ不平等が絶えず増大することになったのか。なぜ正義の支配は、いつも無縁の支配だったのか。デステュット・ド・トラシは、どう答えるだろうか。

「欲求と手段、権利と義務は欲する能力に由来する。人間が何も欲しないとしたら、それらすべてはなかっただろう。だが、〔実際にはそうではなく、現に人間がそうしているように〕欲求と手段、権利と義務をもつこととは、何かをもつこと、占有することである。その何かとは、最も広い一般性において語を捉えるなら、多くの種類の所有物である。つまり、われわれに属する物である」。

一般化しようという欲求によって、ひどい曖昧さが正当化されることはない。propriété〔所有〕という語には、二つの意味がある。(1)ある物をまさにそのものとしている性質、その物に固有《プロプル》で、まさにそのものであることを際立たせる効力を示す場合。「三角形の特性《プロプリエテ》」、「数の特性」、「磁石の特性」等々は、この意味である。(2)知的で自由な存在者の物に対する支配権を表す場合。法律家は、こちらの意味でこの語を捉える。こうして、「鉄が磁石の特性を獲得する」という文における「特性《プロプリエテ》」という語は、「私はその磁石の所有権を獲得した」という文における「所有権《プロプリエテ》」と同じ観念を呼び起こすことはない。不幸な人に向けて、腕と手をもっているのだから所有物をもっていると言ったり、その人を苦しめる飢えも戸外で寝る能力も所有物だと言ったりするのは、言葉を弄《もてあそ》んでおり、非人間性に愚弄を加える物言いである。

「所有の観念は人格性の観念に基礎を置く以外にありえない。所有の観念が生まれるときには、もう必然的、不可避的に完全な観念として生まれている。ある個人が自らの自我、道徳的人格、享受し苦しみ行動する能力を知るときには、もう必然的にその自我が自ら賦活する身体、諸器官、その力や機能などについての排他的所有者であることも理解している。人為的・協約的な所有が存在するのだから、自然的・必然的所有も存在しなければならない。なぜなら、人為のうちには自然のうちにその原理をもたないものは一つとしてありえないからである」。

哲学者たちの善意と理性を称えよう。人間はもろもろの特性《プロプリエテ》をもつ。つまり、第一の意味での権能《ファキュルテ》をもつ。そして、その権能の所有権《プロプリエテ》をもつ。つまり、第二の意味での権限《ドメーヌ》をもつ。それゆえ、人間は所有者であるという特性の所有権〔la propriété de la propriété d'être propriétaire〕をもつ。ここでデステュット・ド・トラシの権威にだけ注目するなら、こんな愚かなことを指摘して、どれだけ恥ずかしい思いをしなければならないことだろう！　だが、こうした子供じみた混乱は、社会と言語の始源においては人類全体にとっての事実だったのだ。最初の観念や言葉とともに形而上学と弁証法が誕生したときのことである。人間が私のものと呼びえたものはすべて、彼の精神のうちで人格へと同定された。人間は、それを自らの所有物、財産、自分自身の一部、身体の要素、魂の一機能と考えたことだろう。物の占有は身体や精神の資質の所有と同一視されたのだ。そして、こうした誤った類比にこそ、所有権の基礎が、デステュット・ド・トラシの実に上品な表現を借りれば、人為による自然の模倣の基礎が置かれたのだ。

だが、こんなにも鋭敏なイデオローグが、なぜ人間が自らの権能の所有者ですらないということに気づかなかったのだろうか。人間はもろもろの力能、徳性、能力をもつ。だが、それらは生き、知り、愛するために自然から託されたものであって、人間はそれらに対する絶対的な権限はもっていない。用益権者であるにすぎないのだ。その用益権は自然の掟に適合する形でしか行使されえない。人間がその権能の主権者的な主人であるとしたら、飢えや凍えを避け、際限なく食べ、炎の中を歩くことさえできるだろう。山を持ち上げ、一瞬ではるか遠くまで行き、薬なしに意志の力だけで治癒し、不死になることもできるだろう。人間が「作り出したい」と言えば、作られたものは彼の理想に等しく、完璧なものになるだろう。「知りたい」と言えば知るだろうし、「愛する」と言えば愛を享受するだろう。いったい何だ！　人間は少しも自分の主人ではないのに、自分に属さないものの主人であるとは！　人間は自然のものを使用するという条件でしか生きられないのだから、それを使用するのはよい。だが、人間は所有者の野望を捨て、所有者という名は隠喩によってしか与えられていないことを心に留めておくべきだ。

要約しよう。デステュット・ド・トラシは、自然・人為の外的財と人間の力能や権能とをいずれも「所有物」と呼ぶ共通表現ゆえに混同した。彼はこの曖昧さを利用することによって揺るぎない仕方で所有権を確立できると期待したのだ。だが、全所有物のうちには、記憶力、想像力、力、美のように生得的なものもあれば、畑、水、森のように獲得されるものもある。自然状態または無縁状態において、最も器用で最も強い人間、つまり生得的な所有物に関して最も有利な人たちは、獲得される所有物を排他的な仕方で得るための機会が最も多い。しかるに、侵略やそれに続く戦いを予防するためにこそ、釣り合いや正義が発明され、暗黙または明示的な協約が結ばれた。したがって、それは生得的な所有物の不平等を獲得される所有物の平等によって可能なかぎり補正するためのものなのだ。分け前が等しくないかぎり、共同分割者たちは敵のままであり、協約はやり直されるべきものである。こうして、一方に無縁、不平等、敵対、戦争、強奪、殺戮があり、他方に社会、平等、友愛、平和、愛があるのだ。どちらかを選ぼう。

ジョゼフ・デュタン氏[*7]は、物理学者、技術者、幾何学者であるが、ほとんど法学者ではないし、哲学者ではまったくない。けれども、『政治経済学の哲学』を著し、同書で所有権擁護のための論陣を張らねばならないと考えた。彼の形而上学は、デステュット・ド・トラシから借り受けられたように見える。彼は〔モリエールの喜劇の登場人物〕スガナレル役にふさわしく、次のような所有の定義から始める。「所有権とは、ある物が誰かに固有のものとして属するための権利である」。直訳すれば、「所有権とは所有の権利である」となるだろう。

ジョゼフ・デュタン氏は、意志、自由、人格性に関するいくらかもってまわった表現に次いで、「自然的・非物質的な」所有物と「自然的・物質的な」所有物を区別するが、これはデステュット・ド・トラシの生得的な所有物と獲得される所有物の区別に帰着する。この区別に次いで、彼は次の二つの一般的命題を結論とする。(1)所有は、あらゆる人間において自然的で譲渡不能の権利である。(2)所有物の不平等は、自然の必然的結果である。これら二つの命題は、より単純な別の命題、すなわち「あらゆる人間は、不平等な所有物に対する等しい権利をもつ」に変換される。

彼は、ド・シスモンディ氏が土地の所有権について、それは法と協約以外の基礎をいっさいもたないと書いたことを非難する。そして、彼自身は人民による所有の尊重に言及し、「人民の良識によって、社会と所有者たちのあいだに結ばれた原始契約の本性が明らかになる」と述べる。

彼は所有と占有、共同体と平等、公正なことと自然的なこと、自然的なことと可能なことを混同している。あるときはそれらの異なる観念を同等のものと捉え、またあるときはそれらを区別しているように見える。このような議論に対しては、理解するより反駁するほうがはるかに容易な作業だろう。はじめは『政治経済学の哲学』という表題に惹かれたが、著者の蒙昧の中には通俗的な考えしか見出せなかった。そういうわけで、同書についてはもう語らない。

ヴィクトール・クザンは『道徳哲学』〔『一八世紀道徳哲学史講義（*Cours d'histoire de la philosophie morale au XVIIIe siècle*）』（一八三九年）〕の一五頁〔正しくは一七頁〕で、あらゆる道徳、法、権利は「自由であれ、自由なままであれ」という教えのうちに示されている、と説いている。さすがは大先生！　できることなら、私も自由のままでいたいものだ。彼は続けて述べる。

「われわれの原理は、真であり、善であり、社会的である。この原理から、恐れることなくあらゆる帰結を導こう」。

「(1)人間の人格が神聖であるなら、その本性全体、とりわけ内的行為、感情、思考、意志的決定において、それは神聖である。そこから、哲学、宗教、芸術、工業、商業など、自由から生まれたすべてに対して払われるべき敬意が生まれる。私が述べているのは、単なる黙認ではなく、敬意である。というのは、権利に対して払われるのは、黙認ではなく敬意だからである」。

私も哲学を前に頭《こうべ》を垂れよう。

「(2)神聖である私の自由は、外で行動するために身体と呼ばれる道具を必要とする。それゆえ、身体も自由の神聖性に与《あずか》る。したがって、身体それ自身も不可侵のものである。そこから、個人的自由の原理が生まれる」。

「(3)私の自由は、外で行動するために、舞台なり材料なりを、言い換えれば地所《プロプリエテ》や物を必要とする。それゆえ、そうした物や地所も、当然ながら私の人格の不可侵性に与る。例えば、私の自由の外的展開に必要・有用な道具となった物体をつかみ、私は「これは誰のものでもないから私のものだ」と言う。このときから私はそれを合法的に占有する。こうして、占有の合法性は二つの条件に立脚する。まず、私は自由であるという条件でしか占有しない。私の自由な活動力を消去してみよ。すると、あなたは私の内なる労働の原理を破壊することになる。しかるに、労働によってしか地所や物を私のものにすることはできず、私のものにすることによってしか占有することはできない。したがって、自由な活動力は所有権の原理である。だが、それだけでは占有を正当化するのに十分ではない。すべての人間が自由であり、誰もが労働によって地所を自分のものにすることができる。これはつまり、誰もがあらゆる地所に対する権利をもつということになるだろうか。そんなはずはない。合法的に占有するためには、単に私が自由であるという資格によって労働し、生産できるだけでなく、その地所を最初に占有することが必要である。要約すると、労働と生産が所有権の原理であるなら、最初に占有したという事実が、その不可欠の条件である」。「(4)私は、合法的に占有するがゆえに、自分の所有物を好きなように使用する権利をもつ。したがって、それを人に与える権利を有する。さらに、それを人に譲渡する権利をも有する。なぜなら、自由の行為が私の贈与を神聖化するや、それは生前のみならず、死後も神聖であり続けるからだ」。

結局のところ、ヴィクトール・クザンによると、所有者になるためには先占と労働によって占有を獲得しなければならない、ということだ。さらに時宜にかなうことも必要だ、と付け加えておこう。なぜなら、初期の先占者たちがすべてを先占してしまったなら、後発の人々は何を先占するのか〔という問題があるからだ〕。〔また〕外で行動するための道具はもっていても材料をもっていない場合、彼らの自由はどうなるのか。情け容赦なく戦い合うしかないのか。大天才は小事をおろそかにするがために、哲学的な慎重さが予見してくれることのなかったような、ひどく極端なことが起きてしまうのだ。

ヴィクトール・クザンが、別々に捉えた場合の先占と労働に所有権を生み出す効力を認めなかったこと、所有権は両者が結婚のごとく結びついて生まれるとしたことにも注目しよう。ここにヴィクトール・クザンおなじみのエクレクティスムらしさが表れているが、彼は誰にもまして、それを断つべきである。彼はもろもろの思考の形態や見解の独創性を通じて真理を発見する唯一の方法である分析、比較、消去法、単純化といった手法によって事を進めるのではなく、あらゆる学説から寄せ集めを作ったうえで、それぞれ同時に誤りでもあれば正しくもあるとして、「ここに真理がある」と述べるのだ(1)。

(1) ある民族では、富豪が結婚すると、自分は処女に近づくのにふさわしくないとみなして、初夜には妻と奴隷を同衾させる。別の国では、夫たちは嫉妬ゆえに妻たちの貞節を確証しようと思いつき、錠を使ってその鍵を自分で保管した。二つの慣習のうち、どちらのほうがよいものか。エクレクティスムの学者は、重々しく答えるだろう。「これらの慣習は、夫婦愛が姿を現す各種の形態である。しかるに、真の哲学は人間性のあらゆる要素を受け入れ、そのどれをも拒絶しない。誤謬は排除に存するのだ。あなたの花嫁の処女を奪わせよ。そして、妻に錠をせよ」。——これがヴィクトール・クザンのエクレクティスムである。

だが、〔第一章末で〕告げたように反駁はせず、反対に、所有を擁護するために考案されたあらゆる仮説から所有を死滅させる平等の原理を生じさせよう。すでに述べたように、私の議論全体はそのことにのみ存するのだ。つまり、あらゆる推論の根本にある不可避の大前提たる平等を明らかにする、ということである。それは、所有の原理が経済学、法学、政治学の諸要素を汚染し、道を誤らせているということをいまに明らかにしたいと私が望むがゆえである。

さて！　ヴィクトール・クザンの観点からすると、次のことは真ではないのか。人間の自由が神聖であるなら、それはあらゆる個人において同じ資格で神聖であること。外で行動するため、つまり生きるために、自由にとって地所が必要なのだったら、材料のそうした専有は誰にも等しく必要であること。自分の専有の権利を尊重してほしいなら、他の人の専有の権利を尊重しなければならないこと。結果として、無限の領域では、自由がそなえる専有の力能がそれ自体のうちでしか限界に突き当たらないということがありえたとしても、有限の領域では、その同じ力能が自由の数とそれが先占する空間との数学的比率によって制限されることである。すると、ある人の自由によって同時代に生きる他の人が同等の仕方で材料を専有する自由が妨げられえないのなら、未来の人の自由のそうした権能を奪うことはなおさら不可能だということにならないだろうか。個人は死ぬけれども、人類全体は存続するからであり、永遠的な全体の法則がその現象としての部分に依存することはありえないからだ。そして、これらすべてから、次のことが結論されるはずではないか。自由をそなえた人格が生まれるたびに、他の人々は互いに身を寄せ合わなければならないこと。また、責務の相互性によって、新しく生まれた人がのちに相続人に指定されるとして、相続権はその人に合併所得の権利を生まず、ただ選択の権利を生むこと〔といった結論である〕。

私はヴィクトール・クザンを文体に至るまで模倣したが、恥ずかしいかぎりである。こんなにも単純なことを言うために、こんなにも仰々しい言葉づかいと大げさな文章が必要だろうか。人間は生きるために労働する必要がある。したがって、生産の用具と材料を必要とする。その生産の必要が彼の権利を生む。しかるに、その権利は同胞によって保証され、彼も同胞たちに同様の約束をする。フランスのような大きさで、人の住んでいない国に一〇万人が居を定めるとする。すると、各人の土地資産への権利は一〇万分の一ずつである。占有者の数が増えれば、各人の分け前は増加率に応じて減少する。したがって、住民の数が三四〇〇万人に増えれば、各人の権利は三四〇〇万分の一になる。いま、行政と統治、労働、交換、相続、等々を、労働手段が変わらず平等で、各人が自由であるような仕方で整えてみよ。すると、社会は完璧なものになるだろう。

所有の弁護者のうちでそれを最も深く根拠づけたのは、ヴィクトール・クザンである。彼は経済学者に反対し、先占が先立たないかぎり労働が所有権を生み出すことはない、と主張した。また、法学者に反対して、民法は確かに自然権を明確化したり適用したりすることはできるが、自然権を生み出すことはできない、と主張した。なるほど、「所有権は、所有物が存在するということだけからも明らかだ。その観点からすると、民法は単なる宣言である」と述べるだけでは不十分である。これでは、事実そのものの合法性に異議申し立てをする人々に対して何も答えられないと認めているようなものだ。あらゆる権利は、それ自身か先立つ権利によって正当化されなければならない。所有権も、この二者択一から逃れることはできない。それゆえにこそ、ヴィクトール・クザンは、所有権の基礎を人間の人格の「神聖性」と彼が呼ぶもののうちに、また物を自分のものにしようとする意志による行為のうちに求めたのだ。ヴィクトール・クザンの弟子の一人は[*8]、「ひとたび人間の手に触れられると、物は自らの形を変える性質、自らを人間化させる性質を受け取る」と述べている。私としては、そうした魔力をいささかも信じないし、人間の意志よりも神聖でないものなど何も知らない、と告白したい。だが、こうした説は、心理学としても法学としても実に脆弱な理論ではあるが、それでも労働や法の権威にのみ立脚している他の諸説に比べれば哲学的で深遠な性格のものではある。ところで、見てきたように、いま問題にしている説がどこに到達するかといえば、平等である。この説のすべての記述は平等を含意しているのだ。

だが、おそらく哲学は、あまりに高所から物事を見ており、実践的でなさすぎる。また、おそらく思弁の最高頂からすると人間はあまりに小さく見え、形而上学者には人間同士の違いが考慮に入らない。要するに、条件の平等は彼らの高尚な一般論としてはおそらく真なる格言の一つであるが、生活上のありふれた慣習や社会的取引にまで厳密に適用しようとすると、滑稽であるばかりか、危険ですらあるだろう。おそらく、これは極端に走らぬよう、あらゆる定義づけに注意するようわれわれに警告する道徳家や法律家たちの思慮深い慎重さを真似るべき場合なのだろう。彼らが言うように、そこから惨憺たる結果を生じさせることで、すっかり崩壊させてしまうことがありえないような定義など存在しないからである。《市民法において、すべての定義は危険をともなう。なぜなら、覆《くつがえ》されえないということはあまりに少ないからである》〔『学説彙纂』第五〇巻〕。条件の平等は所有者が聞くと恐れる教義、瀕死の床に伏す貧しい人には慰めとなる真実、解剖学者のメスの下ではぞっとするような現実である。この条件の平等は、政治的・市民的・産業的領域に移されるや、人を欺《あざむ》く不可能事、もっともらしい餌、悪魔の嘘でしかなくなるのだ。

私はけっして読者を驚かせたい主義ではない。だが、まわりくどい言い方とやり方が死ぬほど嫌いなのだ。私は本書の最初の頁から、はっきり断固として自分の考えを述べ、誰もがはじめから私の考えと希望に通じることができるようにしたので、これよりも率直かつ大胆に論証するのは難しいと認めてくれるだろう。それゆえ、さらに進んで、次のように断言することも厭《いと》わない。哲学者たちの大いに賞賛されている慎重さや道徳科学と政治学の博士たちがこんなにも強く勧める中庸主義が、もはや原理なき科学のもつ恥ずべき性格としかみなされない日も近いということ。そして、それらが〔学問から〕排斥されるべきだということを表す印としかみなされない日も近いということである。法律学や道徳学においても、幾何学におけるのと同じく、公理は絶対、定義は確実であり、どんなに極端な帰結であっても、厳密に演繹されたものであれば法則なのである。ひどい思い上がり！　われわれは自らの本性について何も知らず、自らの矛盾を本性のせいにし、素朴な無知が昂じて、「真理は懐疑のうちにある。最良の定義は何も定義しないことだ」と厚かましくも叫ぶのだ。われわれは、法律学のこうした嘆かわしい不確かさが、その対象に由来するのか、それともわれわれの偏見に由来するのかを、やがて知ることだろう。社会的な事実を説明するために、コペルニクスがプトレマイオスの学説を逆転させたときのような仮説の変更では不十分なのかどうかを、いつか知るだろう。

けれど、所有権を正当化しようとする法律学が、そうすることによって絶えず平等を論証していることをいますぐ私が明らかにしたら、何と言われるだろうか。どう言い返さなければならなくなるだろうか。

第三節　所有権の基礎および承認としての民法について

ポティエ[*9]は、所有権を王権とまったく同じように神授権と考えたようだ。彼はその起源を神自身にまで遡らせるのだ。《はじめにユッピテルあり》〔ウェルギリウス『アエネイス』ほか〕。その議論は次のように始まる。

「神は宇宙とそこに含まれる万物の至高の所有権《ドメーヌ》をもつ。《大地と万物、全世界とそこに住まう者すべては主のものなり》。――神は人類のためにこそ、大地とそこに含まれるすべての被造物を生み出し、自らの所有権に従属する所有権を人類に授けた。〔旧約聖書〕『詩編』〔八〕によれば、「人をしてあなたのみわざを支配させ、その足もとにすべてのものを置き給うた」。神は言葉によって人類へのそうした授与をおこない、創造後、われわれの最初の祖先に「生めよ、殖やせよ、地に満ちよ」等々と言葉をかけたのだ」。

このような壮麗な導入部を読んだあとで、人類が一つの大家族のようであり、敬愛すべき父の庇護のもとで友愛的結びつきのうちに生きていると信じない者がいようか。だが、神よ！　敵意の隣人はどうだろう！　非道な父や放蕩息子は！

「神は大地を人類に授けた」と言うが、ではなぜ私は何も受け取っていないのか。「その足もとにすべてのものを置き給うた」と言うが、私の頭を置く場所がない！　神は解釈者ポティエを代弁者として「殖やせよ」と言う。ああ！　博識のポティエよ、おこなうは言うと同じく易し、ということか。だが、それならば、巣を作るのに使う苔《こけ》を鳥にやるべきだ。

「人類の数が増えると、人々は大地や地上の大部分の物を分かち合った。各人の手に落ちたものは、ほかの全員に対して排他的な形でその人に帰属し始めた。これが所有権の起源である」。

いや、占有の権利と言うべきだ。積極的共同体か消極的共同体かはともかく、人間たちは共同体のうちで生活した。そのとき、所有権などありはしなかった。というのは、私的占有さえなかったからだ。人口増加のため徐々に労働によって生活の糧《かて》を増やさねばならなくなったので、正式にか暗黙のうちにか、いずれにしても、労働者が自分の労働による生産物の唯一の所有者であるということへの合意がなされた。つまり、その後は誰も働かずに生きることはできないという事実をただ宣言する協約が結ばれたのだ。すると、必然的に、生活の糧の平等を得るためには労働の平等が成し遂げられねばならないことになった。そして、労働が平等であるためには働くための手段が平等でなければならないことになった。誰であれ、働かずに他人の生活の糧を強奪したり詐取したりする者は、平等を破って、自らを法の上、法の外に置く者となった。誰であれ、より多く活動するという口実で生産手段を独占する者もまた、平等を破壊する者となった。そのとき平等は権利の表現になったので、誰であれ、平等を侵害する者は不公正だということになった。

こうして、労働とともに私的占有、物における権利、《物権》が生まれたが、どのような物における権利だったか。明らかに生産物における権利であって、土地における権利ではない。アラブ人たちはつねにこのように理解してきたし、カエサルやタキトゥスの報告によれば、かつてゲルマン人たちもこのように考えていた。ド・シスモンディ氏は、次のように述べている。「育てた動物の群れに対する人間の所有権を認めるアラブ人たちは、畑に種を蒔いた人と収穫物を争ったりもしない。だが、彼らは、なぜ別の対等な人が種を蒔く権利をもつということにならないのか、ということについては考えていない。いわゆる先占者の権利から生じる不平等は、彼らからすれば、いかなる正義の原理にも基づいていないように見えるのだ。そして、空間が一定数の住民に完全に分割されると、残りの国民全体に対する彼らの独占が生じる。彼らはその国民たちに服従しようとは思わないのだ[*10]……」。

他の場所では、土地が分割された。私は、そのことから労働者のより強い組織化が生じたこと、固定的で持続的な分配手段がより多くの富をもたらしたことを認める。だが、どのようにして、その分割は各人に対して物の性質を変えうる所有権を確立したのか。その物に対して誰もが譲渡不能な占有の権利をもっていたのに、である[*11]。法律学の用語で言えば、そうした占有者から所有者への変身は、法律上、不可能なのだ。それは、最初期の裁判においては、占有保全訴訟と所有権確認訴訟の併合を意味した。また、共同分割者のあいだで相互的だったと想定される委譲においては、自然権に関する和解を意味した。最初の法の創造者でもあった最初期の農耕者たちが現代の法律学者ほど博識でなかったことは私も認める。また、彼らが現代の法律家並みだったら、いま以上まずくはしえなかっただろう。だが、彼らは私的占有の権利が絶対的所有権に変形することの帰結を予見しなかった。だが、なぜのちの時代に《物権》と《対物権》の区別を設けた人々は、その区別を所有の原理そのものに適用しなかったのか。

私は法律家に彼ら自身の規準を思い出させることにする。

所有権が仮に原因をもちうるとすれば、一つの原因しかもつことはできない。《所有権は唯一の原因からしか生じない》〔『学説彙纂』第四一巻〕。私は複数の資格で占有できるが、一つの資格でしか所有者になれない。《いな、多くの原因で同じものをわれわれが負うようになりうるのだから、多くの原因で同じものがわれわれのものになりうる》。私が開墾し、耕し、その上に家を建てた畑、私と家族と家畜に糧を与える畑、私はそれを占有できる。⑴先占者として、⑵労働者として、⑶その土地を分け前として私に割り当てる社会契約の名において。だが、どの資格も私に所有権をもたらしはしない。なぜなら、私が先占の権利を引き合いに出せば、社会は私に対して「君より先に私が先占していた」と答えることができるし、私が自分の労働を強調すれば、社会は「〔確かに〕君が占有するのは、その条件をおいてほかにない〔けれども、それは所有することにはつながらない〕」と言うだろうし、私が協約に言及すれば、社会は「その協約は、まさしく〔所有者ではなく〕用益権者の資格を確立するのだ」と言い返すだろうからだ。だが、所有者たちが前面に出す資格とは、このようなものでしかない。彼らはけっして他の資格を見出すことができないのだ。確かに、ポティエが教えるように、あらゆる権利は、享受する人格のうちにそれを生み出す原因が想定される。だが、生まれ、死にゆく人間、影のように消え去る大地の子らにおいて、外的事物に対するものとして存在するのは、占有の資格でしかなく、所有の資格ではない。すると、どのようにして、それを生み出した原因がないところで社会は自らに反する権利を認めるのだろうか。どのようにして、社会は占有を認めておきながら所有を認可できたのか。どのようにして、法は権力のそうした濫用を承認したのか。

ドイツのアンシヨン[*12]は、次のように答えている。

「ある哲学者たちは、畑や木といった自然の対象に力を加えることで、人間は自らがもたらした変化、対象に付与した形態への権利のみを獲得するのであって、対象そのものへの権利を獲得するのではない、と主張する。無意味な区別だ！　対象から形態だけを切り離せるなら、おそらく異議申し立ても可能だろう。だが、実際にはほとんどつねに不可能だから、可視的世界のさまざまな部分に人間の力を加えることは、所有権の第一の基礎であり、財産の最初の起源なのである」。

無意味な口実だ！　対象から形態を、占有から所有を切り離すことができないなら、占有を分割しなければならない。いずれにしても、社会が所有の条件を課す権利をもち続けるのだ。総収入で一万フランを生産する専有された地所があり、実に稀なことだろうが、その地所が細分化されえないとしよう。さらに、経済学上の計算によれば、各世帯の年間消費の平均が三〇〇〇フランだとしよう。その地所の占有者は、社会に対して一万フランに等しい報酬、ただし開拓費用全体と世帯維持に必要な三〇〇〇フランとを控除した額を納めることで、善良な家父長に値するとみなされるに違いない。その報酬は、小作料などではない。補償金である。

すると、次のような判定を下す司法とは何だろうか。

「労働によって物の形態が変わり、その結果、対象が破壊されないかぎり形態と素材はもはや切り離せないのだから、必然的に、社会が相続権を奪われるか、労働者が自分の労働の成果を失うかのいずれかになる」。

「損害賠償訴訟を除く他のあらゆる訴訟において、材料の所有権は従物取得によってそれに結びつくものの所有権をもたらすが、本訴訟においては、付属物の所有権こそが本体の所有権をもたらさなければならないのであるから」、

「労働による専有の権利は、個別者たちに反するものとしては、いささかも認められない。それは社会に反するものとしてしか起こりえない」。

法律家は、所有権に関して、いつもこのようなやり方で推論する。法は人間たちのあいだでの権利、つまり各人の各人に対する権利と各人の全体に対する権利を定めるために確立された。だが、あたかも四項が揃わなくても比例が保たれるかのように、法律家は全体という最後の項をけっして考慮に入れないのだ。人間と人間の対立であるかぎり、所有と所有の釣り合いがとれ、二つの力は均衡する。だが、人間が孤立するや、つまり自身が代表している社会と対立するや、法律学は誤る。〔ギリシア神話の法の女神〕テミスは天秤《バランス》の秤皿を失ったのだ。

レンヌの教授である博識のトゥーリエの言葉を聞こう。

「先占によって獲得される先取特権が、どのようにして安定的で恒久的な所有権になりえたのか。それはずっと存続し、先占者が占有をやめたのちにも権利を主張しうるものなのだ」。「農業は人口増加の当然の帰結だが、農業のほうも人口増加を促進し、恒久的な所有権の確立を必要とした。なぜなら、確実に収穫できるのでなければ、誰も苦労して耕したり種を蒔いたりしようとは思わないだろうからだ」。

耕作者を安心させるには、収穫物の占有を保証すれば十分だった。自身で耕したものであるかぎり、土地の先占が保たれたことも認めよう。耕作者が期待しえたことはそれに尽きるのであり、文明の進歩が要求したこともそれに尽きる。それなのに、所有権！　所有権とは！　先占したのでも耕したのでもない土地に対する他国者遺産没収権だ。[*13]いったい誰がこの権利を授ける権限をもっていたのか。誰がこの権利を主張できたのか。

「恒久的な所有権を確立するには、農業だけでは十分ではなかった。実定法とそれを執行する行政官が必要だった。要するに、社会状態が必要だったのだ」。

「人口増加は農業を必要とした。耕作者に労働の成果を保証する必要が、恒久的な所有権とそれを保護する法の必要性を感じさせた。こうして、所有権のおかげで、われわれは社会状態を設立したのだ」。

そのとおり。あなたがたが作り上げた社会状態が、はじめ専政、次いで君主政、そして貴族政、現代では民主政という変わることなき暴政の状態だという意味ならば。

「所有権による紐帯がなかったら、人々を法という有益な軛《くびき》に従わせることはけっしてできなかっただろう。また、恒久的な所有権がなかったら、大地は広大な森であり続けただろう。それゆえ、正確このうえない著者たちとともに言おう。一時的な所有権、あるいは先占がもたらす先取特権は、市民社会の設立以前のものであり、現在われわれが認めている恒久的所有権は民法の所産である、と。――民法こそが次の規準を確立したのだ。一度獲得された所有権は所有者がそうしないかぎり失われはしないこと。所有権は所有者が物の占有や保持をやめたあとでさえ保たれること。そして、物のほうは第三者の手中に収まること、である」。

「こうして、原始の状態においては混じり合っていた所有と占有が、民法によって別々の独立した二つのものになった。法律用語に従えば、もはやなんら共通のものをもたない二者になったのだ。このことから、どんな驚くべき変化が所有のうちで起きたのか、また、どれだけ民法が所有の本性を変えたのかが分かる」。

このように、法が所有権を構成したとき、それは心理学的事実の表現でも、自然法からの発展でも、道徳原理の適用でもなかった。それは、言葉の十全たる意味において、職権外の権利を生み出した。抽象、隠喩、虚構を現実化したのだ。しかも、次いで何が起こるかを予見してくれることもなく、難点を気にとめることもなく、よいことか悪いことかを探究することもなく、現実化したのだ。法はエゴイズムを承認した。途方もない要求に同調した。底なしの穴を埋めることも、地獄を堪能させることも思いのままであるかのように、冒瀆的な願いを受け入れた。無分別な法、無知なる人間の法、法でない法。不和の言葉、虚偽の言葉、血塗られた言葉。それこそが社会の守護神であるかのように、絶えず蘇らされ、復権され、若返らされ、復元され、増強されて、人々の良心を濁らせ、支配者たちの精神を曇らせ、国民のあらゆる破局を引き起こしたものなのだ。キリスト教はまさにそれを非難したが、聖書を読む力もなければ人間本性を研究する好奇心もない無知な聖職者たちはそれを神格化したのである。

だが、結局、法は所有権を生み出すにあたって、どのような指針に従ったのだろうか。どのような原理が法を導いたのか。その規準は何だったのか。

それは、あらゆる予想を超えている。平等だったのだ。

農業は土地占有の基礎であり、所有の機会原因だった。それは、同時に生産手段を保証するのでなければ、耕作者に労働の成果をなんら保証しなかっただろう。強者の侵略から弱者を守るため、強奪や詐欺をなくすために占有者たちのあいだに恒久的な境界線を引き、越えがたい障壁を設ける必要性が感じられたのだ。毎年人々の数が増え、貪婪な入植者たちも増加した。すると、人は野心を砕く境界標を打ち込むことで、それを抑制しようと考えた。こうして、公的な安全と各人の平和的享受に必要な平等への欲求によって、土地は専有されたのだ。おそらく、分け前が地図上において平等ということはなかった。一方で、自然に基づく権利だが、解釈が過たれ、適用においてさらに過たれた相続、贈与、交換といった一群の権利、他方で、出生や地位による特権のように無知や暴力によって不当に創造されたもの、それら両方が絶対的平等を妨げる原因となったのだ。だが、それでも原理は同じままだった。平等が占有を神聖化し、平等が所有を神聖化しようとしたのだ。

耕作者には毎年種を蒔く畑が必要だった。未開人にとって、毎年争いや戦いを繰り返したり、絶えず土地から土地へと家屋、家具、家族を運んだりする代わりに、各人に一定の譲渡不能な資産を割り当ててしまうこと、それよりも便利で簡単な方策があっただろうか。

遠征から帰った軍人が、なしてきたばかりの祖国への奉仕によって占有物を奪われてしまうことなく地所を取り戻せることが必要だった。それゆえ、所有がただ意図のみによって、《意図それのみで》保たれること、合意や所有者がそうすることによってしか失われないことが慣習となった。

家族の一員が死亡するたびに土地の配分を一新するということを要さずに、分け前の平等が世代を通じて保たれることが必要だった。それゆえ、子と親が、死者との血族関係あるいは姻戚関係の度合いに応じて彼らを生み出した人から相続することは、自然で公正なことに見えた。そのことから、まず、一人の相続人しか認めない封建的で家父長的な慣習が生まれ、次いで平等の原理の正反対の適用によって子供全員が父からの相続を認められるようになり、そしてごく最近〔一八〇四年〕、とはいってもフランスにおいての話だが、長子相続権の撤廃に至った。

だが、こうした本能的組織化の粗描と真の社会科学のあいだに共通点はあるだろうか。統計、土地台帳、政治経済学について最低限の観念さえもたなかった人々が、どのようにしてわれわれに法学の諸原理をもたらしえたのだろうか。

現代の法律家は、法とは社会的必要の表現であり、事実の宣言である、と述べる。立法者は法を作るのではなく、法を記述するのだ、と。この定義はまったく正確ではない。法とは、それによって社会的必要が満たされるべき規準である。人民が可決するのでも立法者が表現するのでもなく、学者が発見し、定式化するものなのだ。だが、結局、Ch・コント[*14]がそれを定義するのに一冊の半分を割いたように、法はもともと必要の表現および、それを補助する手段の指示でしかありえなかった。そして、それより前には別物だったということもない。法律学者たちは機械のように正確で、頑固の塊、あらゆる哲学の敵であり、字義どおりの意味に押し込められているが、彼らはいつも善意はあっても先見の明に乏しい人々の非反省的な願いでしかなかったものを学問の最終結論とみなしてしまったのだ。

所有権の古き創設者である彼らは、自分の資産を永続的かつ絶対的に保持する権利、共通であるがゆえに彼らには公平と思われた権利が、譲渡、売却、贈与、取得、喪失の権利を引き連れるとは予見しなかった。したがって、彼らが平等のために確立した所有権が、まさにその平等の破壊に向かう強い傾向をもつことも予見しなかった。また、それを予見できたであろうときも考慮に入れなかった。当座の必要が優先されたし、こうした場合によくあるように、はじめのうち難点はきわめて微弱で、注意を引かないままだったのだ。

無邪気な立法者たちは、所有権がただ意図のみによって、《意図それのみで》保たれるなら、その所有権が、他の場所にいながら意図によって自らに留保される権利、すなわち賃貸、農地賃貸、利付貸付、交換による利益享受、金利設定、畑への課税といった権利を引き連れることを予見しなかった。

われわれの法律学の祖たちは、相続権が分け前の平等を保つために自然が与えた手法と別物であるなら、すぐさま家族がすさまじい排除の犠牲となること、そして社会は最も神聖化された原理の一つによって心臓を撃たれ、〔一方の〕豪奢と〔他方の〕奴隷状態によって自滅するだろうことを予見しなかったのだ(2)。

(2) とりわけこの点に、われわれの祖先たちの粗野なまでの単純さが全面的に姿を現している。彼らは、嫡出子がいない場合、本いとこを相続者とするとしたが、そののち、二つに枝分かれした家系の分け前を均衡させるべく、そのいとこを活用しようというところまでは進まなかった。つまり、同じ家族において極端な富と貧窮が見られないようにするための活用である。例を挙げよう。

ジャックは、自らの財産の相続人であるピエールとジャンという二人の息子を残して死んだ。ジャックの財産の分配は、二人のあいだで等しい割り当てでなされる。だが、ピエールには一人の娘しかいないのに対して、その弟ジャンには六人の子供がいる。平等の原理と相続の原理に同時に忠実であるためには、ピエールとジャンの子供たちが二人の遺産を七等分に分配するべきなのは明らかである。なぜなら、そうしないと、よそ者がピエールの娘と結婚するかもしれず、その縁組によって祖父ジャックの財産の半分がよその家族に移転することとなり、遺産の原理に反するからだ。さらに、一人っ子であるがゆえに従姉妹が富むのに対して、ジャンの子供たちは兄弟の多さゆえに貧しいことになる。これは平等にも反する。見た目のうえでは相反する二つの原理を組み合わせて適用を広げてみよ。すると、現在あまりに貧弱な知性をもって反対されている相続権が平等の維持にとって少しも障害にならないことが納得されるだろう。

どのような形態の統治のもとに生きようと、「死者は生者をして財産を占有させる」という言明はつねに真であろう。つまり、認められる相続人が誰であろうと、遺産と相続はつねに存在し続けるだろう。だが、サン＝シモン主義者は、相続人が司法官によって指名されるよう望む。また別の人々は、故人によって選択されるか、法によってそう推定されることを望む。事の本質は、平等の法は別として、自然の要望がかなうようにすることである。今日、相続の真の調停者は、偶然ないし気まぐれだと言える。しかるに、法律学に関しては、偶然や気まぐれは規準として受け入れられえない。偶然が引き連れる無限の混乱を払いのけるためにこそ、自然はわれわれを平等にしたあとで、相続の原理を思いつかせたのである。それは、われわれが任務を完了したのち、兄弟全員の中で誰が最も有能かを判定するべく投票を求める社会の声のようなものである。

彼らは予見しなかった……。だが、私が力説する必要があるだろうか。これらの帰結はそもそも自明であり、いまさら〔民〕法典全体を批判することもない。

それゆえ、古代の諸民族における所有の歴史は、われわれにとって、もはや学識や好奇心に関わることでしかない。事実は権利を生み出さない、というのが法律学の原則である。しかるに、所有もこの原則を免れることはできない。したがって、所有権への普遍的承認が所有権を正当化することはない。人間は流星の原因や天体の運行について思い違いをしたように、社会の構成、権利の本性、公正の適用においても思い違いをしたのだ。古い時代の見解を固く信じるなど、ありえないことだ。インド人が四つのカーストに分けられたことが、われわれにとって重要だろうか。ナイル川やガンジス川の沿岸では、かつて土地の配分が血統と職能の高貴さに応じたものだったこと、ギリシア人やローマ人が所有物を神々の保護下に位置づけたこと、彼らのあいだで境界画定や土地台帳に関する作業に宗教的儀式がともなわれたこと、これらがわれわれにとって重要だろうか。特権の形態が多様だからといって、不正であることを免れるわけではない。所有者ユッピテル(3)への崇拝が市民の平等に反する何かを証明するわけではないのは、淫蕩なウェヌスの神秘が夫婦の貞操に反する何かを証明するわけではないのと同様である。

（3）〔ギリシア語の〕《所有者ゼウス》。

所有権を証拠立てようとする人類の権威は無効である。必然的に平等に従属する所有権は自らの原理と矛盾しているからだ。所有権を神聖化してきたもろもろの宗教の賛同も無効である。どの時代にも司祭は君主に仕え、神々はつねに政治が望むことを語ってきたからだ。所有に帰せられる社会的利点も、その弁護のために引き合いに出すことはできない。そうした利点はすべて、それと切り離せない平等な占有の原理から生じるからだ。

すると、所有に対する熱狂的賛辞は何を意味するだろうか。

「所有権の構成は人間の社会体制において最も重要である……」。

よろしい。君主制が人間の社会体制において最も輝かしいように。

「所有は地上における人間の繁栄の第一原因であり」、

それは原理として正義が想定されるからだ。

「……所有は人間の野心の正当な目標、生存の希望、家族の安住の地、つまり住居、都市、国家の礎石となった」。

占有だけが、これらすべてを作り出したのだ。[*15]

「永遠の原理である」。

所有は、あらゆる否定がそうであるように、永遠である。

「……あらゆる社会制度と政治制度の」〔一つ前の「永遠の原理である」にかかる言葉〕、

所有に基づくあらゆる制度とあらゆる法が滅びる理由が、ここにある。

「……それは自由と同じくらい価値のある善なのだ」。

富んだ所有者にとっては。

「実際、住むことのできる土地を耕すことは」、

耕作者が小作人でなくなることによって、土地の耕し方が悪くなるだろうか。

「……労働の保証と道徳性は」、

所有によって、労働は条件ではなく特権となる。

「……正義の適用は」、

財産の平等なき正義とは何か。誤った分銅の天秤だ。

「……あらゆる道徳は」、

空腹の道徳知らずだ。

「……あらゆる公的秩序は」、

そうだ、所有物の保全は。
「……所有権に立脚している」。(4)
そうであるものすべての隅石、そうであるべきものすべての躓《つまず》きの石、それが所有である。

(4) ジロー[*16]『ローマ人における所有権についての研究〔*Recherches sur le droit de propriété chez les Romains*〕』。

要約して、次のように結論づけよう。

先占は、平等に通じるだけでなく、所有を妨げる。なぜなら、〔一方で〕あらゆる人間は、生存すること、生きるためには開拓と労働の材料が欠かせないことだけからして、先占の権利をもつからである。また、他方で、先占者の数は出生と死亡によって絶えず変わることから、各労働者が要求できる材料の割合部分も先占者の数とともに変わることになり、したがって先占はいつも人口に従属することになるからだ。つまり、権利上のこととして占有は一定のままであり続けることができないので、事実上のこととしてそれが所有になることは不可能だからである。

それゆえ、あらゆる先占者は必然的に占有者または用益権者であり、その身分は所有者という身分とは相容れない。ところで、用益権者の権利は次のようなものである。彼には託された物への責任がある。彼はその物の保全と発展の観点における一般的な効用に従ってそれを使用しなければならない。自由に変形させたり、小さくしたり、変質させたりすることなどできない。用益権を分割して、自分もそこから生産物を得ながら、別の人がその物を利用するようにはできない。要するに、用益権者は社会の監視下に置かれ、労働の条件と平等の法に従うのだ。

このことによって、「使用し濫用する権利」というローマ法の所有権の定義はなきものにされる。それは暴力から生まれた背徳であり、民法が承認したもののうち最も途方もない野望なのである。人間は社会の手から用益権を受け取るが、社会だけが恒久的に占有する。個人は死ぬが、社会はけっして死なないのだ。

このような陳腐な真実について論じると、なんとも深い嫌悪感で心がいっぱいになる！　今日われわれが疑っているのは、このようなことなのか。もう一度、こうした陳腐な真実の勝利のために武器をとらねばならないのか。そして、理性の不在ゆえ、力だけが、こうした真実をわれわれの法に招き入れられるのか。

先占する権利は万人に平等である。

先占の尺度は意志のうちにはなく、空間と数という可変的条件のうちに存するのだから、所有権は形成されえない。

これこそ、法典がけっして表現しなかったことであり、憲法が認められなかったことなのだ！　これこそ、民法と国際公法が却下した公理なのだ！……

だが、別の学説の支持者たちの主張が聞こえてくる。「労働だ！　所有権を作り出すのは労働だ！」

読者よ、これに騙《だま》されてはいけない。所有権のこの新しい基礎は、第一のものより悪いのだ。私は、いますぐあなたがたに許しを乞うて、事態をより明確な形で明らかにし、あなたがたがこれまで見てきたどんな主張よりも不公正な主張を反駁しなければならない。

訳注

＊1　アレクサンドル・デュラントン（Alexandre Duranton）（一七八二―一八六六年）は、法学者である。プルードンは、おそらくこの引用をアンヌカンの『法律学および法解釈概論』から得た［以上、C］。なお、デュラントンの原典は『民法典に従ったフランス法講義（*Cours de droit français suivant le Code Civil*）』（一八二五―三七年）である。

＊2　一八三一年四月一九日の法律による選挙制度では、被選挙資格者になるためには最低五〇〇フラン、有権者になるためには最低二〇〇フランの直接税を納める必要があった。退役役人およびフランス学士院会員の場合、有権者になるための納税額は一〇〇フランに引き下げられていた［A］。

＊3　原語は prétexte（口実）であるが、リヴィエール版全集に従って précepte として訳した。

＊4　一八三〇年代を通じて、より低い利率への公債切り替えによる政府債の利子低減および国家の年間負担の軽減の正当性に関して議会で激しい論議がおこなわれていた［C］。

＊5　プルードンはここで、彼の従兄でありディジョン大学法学部長を務めた法学者ジャン＝バティスト＝ヴィクトール・プルードン（Jean-Baptiste-Victor Proudhon）（一七五八―一八三八年）のことを述べている［C］。

＊6　『善と悪の究極について』の有名な一節であり、全体は次のとおりである。「だが、全員の共有の場所である劇場において、それにもかかわらず、それぞれの席はそれを先占した者に属すると言うことが許されているのと同様に、〔人類に〕共通の国家、言い換えれば世界において、法はそれぞれの物が誰かに固有のものとして属することを妨げない」［C］。

＊7　ジョゼフ゠ミシェル・デュタン（Joseph-Michel Dutens）（一七六五―一八四八年）は、ネオ・フィジオクラットで、『政治経済学の哲学（*Philosophie de l'économie politique*）』（一八三五年）の著者である［C］。

＊8　自由主義法学者のジャン゠ルイ゠ウジェーヌ・レルミニエ（Jean-Louis-Eugène Lerminier）（一八〇三―五七年）のこと。この文は、『法史学入門（*Introduction générale à l'histoire du droit*）』（一八二九年）からの引用である。クザンとレルミニエを結びつけることは、レルミニエに対してやや不当である。レルミニエは、『法史学入門』において、確かにクザンの哲学の影響を受けているが、一八三〇年以降はエクレクティスムおよびドクトリネールへの批判者になったからだ［C］。

＊9　ロベール゠ジョゼフ・ポティエ（Robert-Joseph Pothier）（一六九九―一七七二年）は、旧体制の著名な法律家である。プルードンは、ポティエの『所有権概論（*Traité du droit de domaine de propriété*）』（一七六二年）を引用している［C］。

＊10　当時政治経済学に通じていなかったプルードンは、実際にはスイスの経済学者シモンド・ド・シスモンディ（Simonde de Sismondi）（一七七三―一八四二年）の著作をまだまったく読んでいなかった。引用は、デュタンの『政治経済学の哲学』からの孫引きである［以上、C］。なお、ド・シスモンディの原典は『経済学新原理（*Nouveaux principes d'économie politique*）』（一八一九年）である。

＊11　「性質を変えうる」の原語は transmutable である。物を「占有される」という性質から「所有される」という性質に変えることのできる所有権と解釈した。他方、既訳では、これを transmissible（譲渡

可能な）の意味で訳している。譲渡不能な占有の権利と譲渡可能な所有権の対比を意識した解釈である。

＊12　ジャン＝ピエール＝フレデリック・アンシヨン（Jean-Pierre-Frédéric Ancillon）（一七六七―一八三七年）は、ドイツの著述家・政治家であり、ドクトリネール（とりわけ彼の著作のフランス語訳もした〔フランソワ・〕ギゾー（François Guizot）（一七八七―一八七四年））に高く評価された。プルードンは、その『政治学および道徳哲学論叢（*Mélanges de politique et de philosophie morale*）』（一八〇一年）を引用している［C］。

＊13　本書で頻出する「他国者遺産没収権」という表現は、フランスの法権利の歴史において、さまざまな方面で非常に重要な意味をもっていた。他国者遺産没収権は、あらゆる外国人の財産をその死に際して没収するものである。はじめは外国で生まれた個人が定住していた土地を領主が没収する権利だった。やがて王の権威が領主から特権を奪うに足るほどになると、王国の権利となった。フランス革命の最中にこの権利の廃止が宣言されたが、完全に廃止されたのは一八一九年になってからである［C］。

＊14　フランソワ＝シャルル＝ルイ・コント（François-Charles-Louis Comte）（一七八二―一八三七年）のこと。彼は功利主義法学者であり、ジャン＝バティスト・セイ（第三章訳注＊1参照）の娘婿でもあった。シャルル・デュノワイエ（Charles Dunoyer）とともに、復古王政時代の初期から自由派（リベラル）の有名な週刊誌『ル・センスール（*Le Censeur*）』などの編集者を務めた。プルードンは、ここで『法学概論（*Traité de législation*）』（一八二六年）のことを述べている［C］。

＊15　のちの版では「生産（production）」に改められている。

＊16　シャルル＝ジョゼフ＝バーテルミー・ジロー（Charles-Joseph-Barthélemy Giraud）（一八〇二―一八八一年）は、法学者、ローマ法についての歴史家であり、ドイツ歴史法学派の方法論、思想、解釈をフランスに伝えた人物である［C］。

第三章　所有権の始動因としての労働について

現代の法律家たちのほとんどは、経済学者たちの考えを根拠に、原初的先占の学説はあまりに破綻の色合いが濃いとして放棄し、労働から所有が生まれるという説にひたすら執着している。そもそも、先占説は幻想を抱いて悪循環におちいるようなものだったのだ。ヴィクトール・クザンは、労働するためには先占しなければならない、と述べる。そこで私は言った。したがって、先占する権利は万人に平等であるからして、労働するためには平等に従わなければならない、と。ジャン＝ジャック〔・ルソー〕は、「豊かな人が「この塀を立てたのは私であり、自分の労働によってこの土地を得たのだ」と言っても無駄である。われわれは「誰が境界線を定めたのか。いったいなぜ、われわれが押しつけたわけでもない労働の対価を払えと主張するのか」と返答できる」〔『人間不平等起源論』第二部〕と書いた。この理屈を前に、あらゆる詭弁は打ち砕かれる。

だが、労働説の支持者は、自らの学説が〔民〕法典と完全に矛盾していることに気づいていない。〔民〕法典のあらゆる条文と規定において、所有権は原初的先占に基礎を置くと想定されているのだ。労働がその帰結である専有によって単独で所有権を生み出すとしたら、民法典は嘘つきで、憲章は反真理、われわれの社会体系全体は権利の侵犯ということになる。そのことは、本章と次章で専念するつもりの労働の権利と所有の事実そのものについての議論から得られる最高度の明証性をもって浮き彫りにされるだろう。われわれは、そこで同時に二つのことを理解するだろう。一方で、現代の法律学がそれ自身と対立していること。他方で、新しい法解釈がそれ自身の原則とも法律学とも対立していることである。

私は、労働によって所有権を基礎づける学説は、先占によって所有権を基礎づける学説と同じく財産の平等を含意する、と述べた。すると、読者は、どのようにして私が才能や能力の不平等からこの平等の法則を引き出すかを早く見たいと思っているに違いない。まもなく、その思いは満たされるだろう。だが、ひととき読者の注意を係争中の注目すべき事件、つまり所有権の原理が先占から労働に置き換えられたことに引き止め、次いですばやく、いくつかの偏見の検討に向かうのがよいだろう。その偏見は、所有者がいつも援用し、法律学が神聖化し、労働説がすっかり崩壊させるものなのだ。

読者よ、被告人尋問を傍聴したことがあるだろうか。被告人の策略、手練手管、責任回避、切り離し、曖昧な陳述に注意したことはあるだろうか。あらゆる主張において打ちのめされ、やり込められて、野獣がそうされるように峻厳な裁判官に追いつめられ、推測の網に包囲されて、被告人は断言し、言い直し、翻《ひるがえ》し、矛盾したことを言う。被告人は三段論法の七二の形式を考案した人物の一〇〇〇倍も繊細かつ巧妙に弁証法の計略の限りを尽くすのだ。所有者もそのようにして自らの権利を正当化するよう命じられた。はじめ所有者は返答を拒み、抗議し、脅し、刃向かう。次いで議論を受け入れざるをえなくなると、揚げ足取りで身を守り、巨大な大砲を自らのまわりに配し、戦火を交えて次々と、そしてまた同時に先占、占有、時効、協約、太古からの慣習、普遍的同意と相対する。そうした戦場で敗れると、所有者は傷を負った猪のように体の向きを変え、すさまじい情動とともに叫ぶのだ。「私は先占以上のことをした。労働し、生産し、改良し、形を変え、生み出したのだ。この家、この畑、この木は、私の手による作品だ。私が茨《いばら》をぶどう畑に変え、藪《やぶ》をいちじく畑に変えたのだ。飢餓の土地だったところで、いま収穫しているのは私だ。私は自らの汗で土地を肥沃にし、私から得る日当なしには餓死するであろう人々に日当を払ったのだ。誰も労苦と出費に関して私と競えなかったのだから、誰も私と〔利益を〕分かち合えないだろう」。

所有者よ、君は労働した！　だが、君は原初的先占についてどう語ったのか。何だと！　君は自分の権利に確信がもてなかったのか、それとも人々を騙《だま》し、司法を欺《あざむ》こうと望んだのか。君の抗弁手段を急いで知らせたまえ。上訴不能な判決が下され、知ってのとおり返還こそが問題になるからだ。

君は労働した！　だが、君が義務を負う労働と共有物の専有には、どんな共通点があるのか。君は土地の所有権《ドメーヌ》が空気や光の所有権と同じく時効によって消滅しえないのを知らなかったのか。

君は労働した！　君はけっして他の人を働かせなかったのか。働かせたのなら、どうして君が彼らのために働かずに得られたものを、彼らは君のために働いて失ったのか。

君は労働した！　結構だ。だが、君の仕事を見てみよう。数え、計量し、測定しよう。それは〔イェルサレムの神殿から略奪された金銀の器で酒宴を開いた夜に殺されたというバビロニア王〕ベルシャザルへの裁きとなろう〔旧約聖書『ダニエル書』五〕。なぜなら私は、もし君がどんな手段であれ他人の労働をわがものとしていたなら、天秤、水準器、定規で測って最後のひと握りに至るまで返させようと心に決めているからだ。

こうして、先占の原理は放棄される。もはや「土地は最初に占領した人のものだ」とは言われなくなる。最初の砦まで追いつめられた所有は、その古い格言を捨てる。恥じ入った正義は自らの金言〔本書三八頁〕に立ち戻り、苦悩ゆえにその目隠しを赤らんだ頬へと下げる。なんと、社会哲学のこうした進歩が始まったのは、つい昨日のことなのだ。嘘の一掃に五〇世紀かかったのだ！　その情けない時代に、どれだけの横領が承認され、侵略が賛美され、征服が祝福されたことだろう！　どれだけの不在者が占有物を奪われ、貧しい人が追い払われ、飢えた人々がすばやくて図々しい富によって排除されたことか！　どれだけの嫉妬と戦争があったことか！　民族間でどれだけの戦火と殺戮があったことか！　ついに、時と理性のおかげをもって、今後は土地が競争の賞品ではないということが認められた。他の障害がないかぎり、誰もが人並みに陽のあたる場所で生きるのだ。各人は自分の山羊を生垣につなぎとめ、自分の雌牛を平原に連れていき、畑の片隅に種を蒔き、自分の炉の火でパンを焼くことができるのだ。

だがしかし、誰でもそれができるわけではない。至る所から叫び声が聞こえる。「労働と産業に栄光あれ！　能力に応じて各人に、仕事に応じて各能力に」〔サン＝シモン〕。そして、私が見るところ、人類の四分の三が新たに無一文になっている。ある人々の労働が別の人々の労働に雨あられを降らせている、と言うこともできるだろう。

アンヌカン夫人は述べる。「問題は解決した。労働の娘である所有権は、法の後ろ盾のもとでしか現在と未来を享受しないのだ。その起源は自然権に、その力能は民法に由来する。もろもろの実定法は、労働と保護という二つの観念の結合から生じる……」〔『法律学概論』〕。

ああ！「問題は解決した」と！「所有権は労働の娘である」と！　単純な先占によって所有者になる権利でないのだとしたら、従物取得権、相続権、贈与権、等々は、いったい何なのか。すでに労働者である人が先占する権利、すなわち所有権を得たり失ったりすることのさまざまな条件でないとしたら、成年、親権解除、後見、禁治産についてのあなたがたの法律は何なのか……。

ここでは〔民〕法典についての詳細な議論に専念することはできないので、所有権を正当化するために持ち出される最もありふれた三つの偏見を検討することで満足しよう。(1)専有、あるいは占有による所有権の形成、(2)人々の同意、(3)時効である。次いで、労働者それぞれの境遇に関するものであれ、所有権に関するものであれ、労働の効果がどのようなものであるかを探究しよう。

第一節　土地は専有されえない

「耕作可能な土地は、自然の富の一つとして捉えるべきものに見えるだろう。人間が生み出したのではなく、自然が無償で人間に与えたものだからだ。だが、その富は空気や水とは違って流れゆくものではなく、畑は不動の境界づけられた空間であるから、ある人々は他のすべての人を排してそれをわがものにすることができた。排された人々もその専有に同意を与えたので、自然で無償の財だった土地は社会的富となり、使用には支払いが必要なものとなった」（セイ『政治経済学』[*1]）。

本章のはじめで、経済学者たちが法律学と哲学に関しては最悪の部類の権威だと述べたのは間違いだっただろうか。「自然の財、神によって生み出された富が、どのようにして私的所有物になりうるのか」という問いをはっきり措定したのは、この学派の始祖なのだ。だが、彼はこの問いに対して実に粗雑な両義的表現によって答えたので、それが著者の知性の欠如によるのか、それとも悪意によるのか、結局どう考えてよいのか分からなくなっている。不動で固形であるという土地の本性から専有の権利を作るものは何なのかを問いたい。土地がそうであるように「境界づけられ」、「流れゆくのではない」ものが水や光に比べて専有のきっかけを与えやすいこと、所有権が大気に対してよりも土に対して行使しやすいことは非常によく理解できる。だが、何がより容易で、何がそうでないかは問題ではない。セイは可能性を権利として捉えてしまっているのだ。なぜ海や空よりも大地が専有されたのかは問われていない。人が知りたいのは、人間がどのような権利によって「自ら生み出したのではなく」、「自然が無償で与えた」富をわがものにしたのか、ということだ。

それゆえ、セイは自分が出した問題をまったく解いていない。だが、彼がそれを解いていたとしても、また彼の与える説明が論理性に乏しいなりに満足いくものだったとしても、人間が作り出したわけではない土地という富の使用に対して誰が支払わせる権利をもつのかは分からないままだろう。誰に土地の小作料を支払わなければならないのか。おそらく土地の生産者に、だ。では、誰が土地を作ったのか。神だ。そうであるなら、所有者よ、引き下がれ〔ということになるはずだ〕。

だが、大地の創造者は、それを売るのではなく与え、しかもその際、人による差別をいっさいしなかった。すると、どのようにして創造者のすべての子らのうち、ある者たちは長子として、またある者たちは非嫡出子として遇されるのか。分け前の平等が生来の権利だったのなら、どうして条件の不平等が死後の〔遺産をめぐる〕権利であるのか。

セイは、空気や水が「流れゆく」本性でなかったら専有されただろうということを納得させようとする。ついでのことながら、これは仮説以上のもの、現実である、と指摘しておこう。空気や水も、しばしば専有された。それが可能だったときにではなく、その許しが得られたときに、という意味であるが。

喜望峰経由のインド航路を発見したポルトガル人は、自分たちだけがその航路の所有権を有する、と主張した。そのときオランダ人たちに意見を求められたグロティウスは、その権利を認めることを拒み、海が専有されることなどないということを証明するため、わざわざ『海洋の自由について』という論を著したのである。*2

狩猟や漁業の権利は、いつの時代にも領主や所有者に割り当てられてきた。今日では政府や自治体が賃貸しするものとなり、猟銃所持許可や漁業委託の金を支払える人なら誰でもそれを請け負えるようになっている。漁業や狩猟を規則に従ったものにすることは、もちろんよいことだ。だが、競売でそれを分配することは、空気や水に対する独占を生み出すことに等しい。

旅券とは何か。旅行者の人格全体についての推薦書であり、旅行者とその所持品の安全についての保証書である。どんなに優れた事物の本性でも損なってしまう精神をもつ税務官庁は、旅券をスパイ行為や間接税の手段とした。これでは歩きまわる権利を売ることになってしまうではないか。

最後に、所有者の許可なく土地に囲まれた泉から水を汲むことは認められない。それに反する占有がないかぎり、その源泉は従物取得権によって土地の占有者に帰属するからである。また、税を納めずにそこに住み始めることも、所有者の同意なしに中庭、庭園、果樹園を眺めることも、持ち主の意に反して大庭園や囲い地の中を散歩することも認められない。だが、各人が囲いの中に閉じこもることは認められている。これらの禁止はすべて、土地だけでなく空気や水についての秘蹟的な禁止令でもある。われわれが無産者であるかぎり、誰もが所有から放逐されているのだ。《土も空気も水も火も禁止》。

他の三つの元素の専有なしには、〔基本四元素のうち〕最も堅固なもの〔土〕の専有はなされえなかった。というのも、フランス法およびローマ法によれば、地表の所有権には地上と地下の所有権がともなうからである。《土地にあるものは、天までも》。しかるに、水、空気、火の使用が所有権を排除するなら、土地の使用についても同じでなければならない。Ch・コントは、『所有権概論〔*Traité de la propriété*〕』第五章において、その諸帰結の連関を見抜いていたように思われる。

「空気を数分間奪われると人間は生存できなくなるし、部分的に奪われても激しい苦しみが引き起こされるだろう。食物を部分的あるいは完全に奪われる場合も、空気を奪われるときほどすぐにではないにしても、似たような結果が生み出されるだろう。少なくとも、ある気候のもとでは、あらゆる種類の衣類や寝ぐらを奪われる場合も同じことになろう……。それゆえ、人間は自己保存のために多様な種類の事物を絶えずわがものにする必要がある。だが、これらの事物は同じ割合では存在していない。星の光、大気、海水といったものは、きわめて大量に存在するので、人間はその増減をまったく実感できない。各人は、他の人の享受をなんら妨げることなく、いかなる損害も引き起こすことなしに、必要とする分だけ、わがものにできるのだ。こうした種類のものは、言ってみれば人類共有の所有物である。これに関して各人に課される唯一の義務は、他の人の享受をけっして邪魔しない、ということである」。

Ch・コントが始めた列挙を仕上げよう。街道を通行すること、野原で足を止めること、洞窟に避難すること、火を灯《とも》すこと、野生の実を集めること、草を摘《つ》んで焼き物の欠片《かけら》で煮ること、これらを禁止された人間は生きられないだろう。このように、水、空気、光と同じく土地も、他の人の享受を妨げないかぎり各人が自由に利用すべき基本的必要の対象である。ならば、なぜ土地は専有されるのか。Ch・コントの答えは奇妙である。セイは少し前に、それが流れゆくものではないからだと主張した。Ch・コントは、それが無限ではないからだと断言する。土地は限りあるものである。ゆえに、Ch・コントに従えば、土地は専有されるものでなければならない。だが、反対にこう言うべきだと思われる。ゆえに、土地は専有されるものであってはならない、と。それは次の理由による。なんらかの量の空気や光が専有されても、それが誰かに損害をもたらすことはありえない。変わらず十分な量があるからだ。土地に関しては話が別である。太陽の光線、風のそよぎ、海の波を奪おうとする人、あるいは奪える人に対して、私はそれを許可するし、その悪い意志を許す。だが、生きた人間が土地を占有する権利を所有権に変形させると主張するなら、私は宣戦布告し、徹底的に戦う。

Ch・コントの立論は、自らの主張と反対のことを証明している。彼は述べる。「自己保存に必要なものの中でも、非常に大量に存在するために無尽蔵のものがいくつかある。他方、そこまで大量には存在せず、一定数の人間の必要しか満たせないものがある。前者は共有のものと呼ばれ、後者は個別者のものと呼ばれる」。

この推論は、まったく正確さを欠いている。水、空気、光が共有のものであるのは、無尽蔵だからではなく、必要不可欠だからである。真に必要不可欠なので、自然は莫大さをもってそれらがあらゆる専有から守られるように、ほとんど無限の量で生み出したものと思われる。同様に、土地もわれわれの自己保存に必要不可欠であり、それゆえ共有のものであり、したがってまた専有できないものである。だが、土地は他の基本元素に比べて広がりの点で大幅に劣るので、その使用は規則に従ったものでなければならず、誰かの利益のためでなく、全員の利益と安全のために使われなければならない。一言で言えば、権利の平等は必要の平等によって証明される。しかるに、物に限りがあるなら、権利の平等は占有の平等によってしか実現されえない。Ch・コントの議論の奥には土地均分法が潜んでいるのだ。

所有というこの問題は、どのような側面から検討しても、掘り下げようと思うや、平等へと達する。私は専有されうるものとそうでないものの区別について、これ以上くどくど述べはしない。このことに関して、経済学者と法律家は愚かさを競い合っている。民法典は、所有権の定義を与えたのち、専有できるものとできないものの区別については口をつぐみ、商取引のうちにあるものについて語るにしても、つねになんら明確化も定義づけもせずに語るのである。しかしながら、知識が足りていないのではない。次のようなありふれた格言もある。《王はすべてのものへの権力をもち、個人は各々の財への所有権をもつ。すべては主権者としての君主の占有物、すべては所有者としての個人の占有物である》〔セネカ『恩恵について』第七巻〕。個人の所有権に対立する社会の主権！　平等の預言、共和主義の神託が語られているのではなかろうか。事例もまた数多く姿を現した。かつて教会の財産、王の地所、貴族の封土は、譲渡不能で時効によって消滅することのないものだった。憲法制定議会が、こうした特権を廃止するのではなく、特権を市民にまで広げていたなら、自由と同じく労働への権利もけっして失われえないと宣言していたなら、その瞬間から革命が完遂され、われわれがなすべきことは改良作業のみだっただろう。

第二節　普遍的同意は所有権を正当化しない

先ほど引用したセイの文章において、彼が所有権を流れゆくものではないという土の性質によるものとしているのか、専有に対して万人が与えたと彼が主張する同意によるものとしているのか、はっきりとは分からない。彼の文章構成は、二つの意味を等しく示している、あるいは両者を同時に示してさえいる。そこで、著者は次のように言いたかったのだと弁護することもできよう。「所有権は元来、意志の行使から生じるが、土の固定性によって所有権を土地に適用する機会が与えられ、のちに普遍的同意によって、そうした適用が承認されたのだ」と。

ともかくも、人々は相互の承諾によって所有権を正当化できるだろうか。私は否定する。グロティウス、モンテスキュー、J＝J・ルソーを起草者とし、人類が署名した契約書は、なんら正当性をもたず、それによって作成された証書は不法のものだろう。人間は自由と同じく労働を放棄することもできない。しかるに、土地の所有権を認めることは、労働〔の権利〕を放棄することである。というのも、それは労働の手段を捨てることであり、自然権に関して妥協し、人間たる資格を手放すことだからだ。

だが、私は人々が自慢するこの暗黙あるいは正式の同意が存在したのであってほしい。すると、どのような帰結になるか。おそらく放棄は相互的だっただろう。そのひきかえに同等のものを得られるのでなければ、権利の放棄はなされない。こうして、われわれはあらゆる専有の必須条件である平等へと着地する。したがって、所有権を普遍的同意、つまりは平等によって正当化したのち、所有権によって条件の不平等を正当化しなければならなくなるのだ。この悪循環からは、けっして逃れられない。実際、社会契約論に従い、所有権が平等をその条件とするのなら、その平等が存在しなくなるや、契約は解消され、あらゆる所有は横領になる。それゆえ、いわゆる万人の同意によって得られるものは何もないのだ。

第三節　時効が所有権に味方することはけっしてありえない

所有権は地上における悪の始まりであり、人類が誕生以来耐えてきた犯罪と貧困の長い鎖の最初の環であった。時効という虚偽は、精神にかけられた不吉な魔法であり、真理に向かう人間の進歩を止め、誤謬の偶像化を維持するために良心に吹き込まれた死の言葉である。〔民〕法典は時効を「期間によって獲得し、また免れる手段」と定義している。この定義を観念や信念に適用すれば、「時効」という語を、対象が何であれ古い迷信に執着する不変の愛顧を意味するものとして使うことができる。どんな時代にも、新しい知識を迎え入れ、賢者を殉教者とするような対立は、たいてい荒々しく血なまぐさいものだった。どんな原理や発見、高邁な思想であれ、この世界への登場に際して、既定の見解の巨大な壁、古い偏見すべての共謀のような壁に突き当たらなかったものはない。理性に抗する時効、事実に抗する時効、それまで知られていなかったあらゆる真理に抗する時効、これが現状維持の哲学の要約であり、あらゆる時代の保守主義者の信仰告白である。

福音の改革が世界にもたらされたとき、暴力、放蕩、エゴイズムのための時効があった。ガリレイ、デカルト、パスカルとその弟子たちが哲学と科学を一新したとき、アリストテレス哲学のための時効があった。一七八九年にわれわれの父たちが自由と平等を要求したとき、暴政と特権のための時効があった。「つねに所有者が存在してきたし、これからも存在し続ける」。窮地におちいったエゴイズムの最後の努力であるこの根深い格言によってこそ、社会的不平等を支持する学者たちは反対者からの非難に反駁できると考えている。所有権と同じように考え方も時効によって消滅するのをおそらく想像しながらも。

今日われわれは諸科学の凱旋行進に啓蒙され、自身の見解を疑うという最も輝かしい成功に教化されて、好意、賞賛をもって自然の観察者たちを迎え入れている。彼らは最も深遠な分析に基づく数多《あまた》の実験を通じて、新しい原理、これまで見つかっていなかった法則を追求している。われわれは、自分たちより学識のある人々がかつて存在したのに同じ現象に少しも注意を寄せなかったとか、同じ類比を把握しなかったとか、そういった口実で、どんな観念や事実であれ却下してしまうことがないように気をつけているのだ。なぜ政治や哲学の問いでは同じ慎重さがともなわれないのか。なぜ知性や道徳に関する事柄では、すべては言われた、つまりすべては知られたと断言してしまう不合理な偏執があるのか。なぜもっぱら形而上学的研究では、「日のもとに新しいものはない」〔旧約聖書『伝道の書』一・一〇〕という箴言が温存されているように見えるのか。

次のように言わねばならない。いまだにわれわれは観察と方法論によってではなく想像によって哲学しているからだ、と。どこにおいても推論と事実の代わりに空想と意志が判定者と捉えられてきたため、今日に至るまでペテン師と哲学者、学者と詐欺師を見分けることができなかったからだ、と。〔古代イスラエル王〕ソロモンやピュタゴラス以来、想像力は社会法則や心理法則を見抜くために限りを尽くして用いられ、あらゆる学説が提出されてきた。その点からすれば、「すべては言われた」のかもしれないが、すべてはまだ知られていないというのもまた真実である。政治学においては（ここでは哲学のこの部門しか挙げないが）、各人は情動と利害関心によって立場を決めている。精神は意志がそれに課すものに従っている。そこに科学などないし、確実性の端緒もない。したがって、一般的無知が暴政一般を生み出すのである。こうして、憲章に思想の自由が書かれている反面、同じ憲章が「多数者の優越」の名のもとに思想の隷属をも宣言する、ということになるのだ。

〔民〕法典が語る民法上の時効に話を限るため、私は所有者によって援用される訴訟不受理事由に関する議論には手をつけない。それはあまりに退屈で大仰なものであろう。時効によって消滅しない権利があることを誰もが知っている。そして、期間によって獲得しうる物に関しては、時効が、一つでも欠けると無効になる一定の諸条件を要求することを知らない者はいない。例えば、所有者の占有が民事的、公的で、異議申し立ても中断もないものだったというのが真実だとしても、それが公正な資格を欠いていることもまた真実である〔から、時効は成り立たないと言うべきだ〕。というのも、占有を有効にする唯一の資格は先占と労働であるが、それらは被告たる所有者と同じく原告たる無産者にも有利な証拠だからだ。そのうえ、そうした占有は善意を欠いている。というのも、それは法解釈の誤りを基礎としており、パウルスの次の格言によれば、法解釈の誤りは時効を妨げるからである。《使用取得に関して、法解釈の誤りはけっして占有者を利さない》〔『学説彙纂』第四一巻〕。ここで法解釈の誤りとは、保持者が用益権者としてしか占有できないのに所有者として占有したり、誰にも譲渡や売却の権利がない物を購入したりということに存するものである。

時効が所有擁護のために援用されえないもう一つの理由、法律学の最も上質な部分から引き出される理由とは次のものである。不動産を占有する権利が、人類史上、最も悲惨な時代にあってもけっして完全には消え去ることのなかった普遍的権利の一部だということ。そして、無産者がそうした権利の一部をつねに行使してきたことを証明しさえすれば、権利全体を取り戻すのに十分だということである。こうして例えば、物を占有、贈与、交換、貸与、賃貸、売却、変形、破壊する普遍的権利をもつ者は、貸与するという行為だけによって、これらの権利全体を保持する。別の仕方でその権限を示さなくてもよいのだ。同様に、財産の平等、権利の平等、自由、意志、人格性がただ一つの同じものである保全および発展の権利、つまり生きる権利の多様な同一的表現であり、それに対する時効は人間の絶滅後にしか広がり始めることができないということをわれわれは理解している。

　最後に、時効のために要される時間に関しては、所有権一般が一〇年、二〇年、一〇〇年、一〇〇〇年、一〇万年の占有によっても獲得されえないこと、所有権を理解し、異議申し立てのできる分別をもった人間が一人でも残っているかぎり、それはけっして時効にならないこと、これらを示すのは余計なことだろう。なぜなら、それは法律学の原理や理性の公理によるのではなく、付帯的で偶然的な出来事によるからである。ある人の占有は別の人の占有を時効によって消滅させることができる。だが、占有者は自身を時効によって消滅させられないばかりか、理性はつねに自らを修正し、改革する能力をもつ。過去の誤謬が未来にわたって理性を縛ることはないのだ。理性は永遠的で、つねに同一である。無知な理性の所産である所有の制度は、より教化された理性によって廃止されうる。こうして、所有権が時効によって確立されることはありえない。これらすべては非常に確実で真なることなので、まさにそれらを基礎として、時効に関して法解釈の誤りが利益をもたらすことはない、という格言が確立されたのだ。

　だが、時効に関してこんなことしか言えないのなら、私は自分の方法論に不誠実であり、読者にはペテン師、嘘つきと非難する権利があるだろう。私は先ほど土地の専有は不法であること、もしそうでないと仮定するなら結果は一つ、すなわち所有の平等であることを示した。そして第二に、普遍的同意は所有に有利なことをなんら証拠立てず、それが何かを証拠立てるとしたら、やはり所有の平等であることを示した。残るは、時効が認められうるとしたら、所有の平等を前提する、ということの証明である。

その証明は、長くもなければ難しくもないだろう。時効が導入された動機を思い起こさせれば十分なのだから。

デュノー[*3]は述べる。「時効は自然的衡平に反するように見える。自然的衡平は誰かの財産をその意に反して知らないうちに奪うことを認めないし、ある人の喪失によって別の人が富むことも認めない。だが、時効が生じないとしたら、しばしば善意の獲得者が長期間の占有後に権利を剝奪されるということになる。また、本当の持ち主からの獲得者や合法的手段で責務から解放された獲得者でさえ資格を失うのだから、占有物を奪われたりふたたび服従したりする危険に身をさらすことになるだろう。そうしたことから、公共善は期限の定めを要求し、その後は占有者の平穏を乱すこと、あまりに長く顧みられなかった権利を求めることは認められない、としたのだ……。それゆえ、民法は時効を規則に従ったものにする形で自然法を改良し、国際公法を補っただけである。時効は個別者の財よりつねに優先されるべき公共善に基礎を置く、すなわち《公共財が使用取得を導入した》のだから、法が要請する条件をともなっているなら、時効は好意的に扱われねばならない」。

トゥーリエは『民法』において述べる。「物の所有権を家族の平和や社会的取引の安定性を乱す点で公共善にとって有害な不確実性のうちにあまりに長く放置しないように、法は期間を定め、それを過ぎたら所有権返還要求は認められないこととし、占有を所有と結びつけることによって、占有に古風な特権を取り戻させた」。〔六世紀ローマの政治家・著述家〕カッシオドルスは、所有について、それは言いがかりの嵐と強欲の沸騰のただなかで唯一確保された港である、と述べた。すなわち、《激しやすい人々が自らすすんで通り過ぎても、いつも波立つ口論の中でさまようことになる、そうした人間界の嵐のただなかに一つの港がある》。

このように、論者たちによれば、時効は公的秩序の手段であり、場合によっては原初的な獲得様式の復元であり、それ以外では解決しえない紛争を終わらせる必要ゆえに、すべての力をそこから借りる民法上の虚構である。なぜなら、グロティウスが述べたように、すべてのものはいかなる実効的な力も有さないからである。すべては時間の中で起きるが、時間によってなされるものは何もない。それゆえ、時効あるいは期間によって獲得する権利は、慣習的に採用された法的虚構なのである。

だが、あらゆる所有は必然的に時効によって、あるいはラテン語で言うところの《使用取得》、つまり継続的占有によって始まる。そこで、私は第一に、どのようにして占有が期間によって所有になりうるのかを問う。好きなだけ長く占有せよ。何年でも何世紀でも時を積み重ねてみよ。だが、それ自身では何も生み出さず、何も変化させず、何も変様させない持続が、用益権者を所有者に変身させられるようにはけっしてならないだろう。民法が長年にわたって享受している善意の占有者に認めるのは、突然やって来た者に占有物を奪われることはないという権利である。そのことによって民法は、すでに尊重されている権利を確認しているにすぎず、そのようにして適用される時効は、単に二〇年、三〇年、一〇〇年前に始まった占有が先占者に保持されていることを意味するだけである。けれども、法が期間によって占有者が所有者に変わると宣言するときには、ある権利がそれを作り出す原因なしに生み出されることを想定している。法は理由なく主体の性質を変えるのだ。係争中でない事案に判決を下し、職権から逸脱しているのだ。公的秩序と市民の安全は占有の保証しか求めていないのに、なぜ法は所有権を生み出したのか。時効は未来の保険だったのに、なぜ法はそれを特権の原理にするのか。

こうして、時効の起源は所有そのものの起源と同一である。所有は平等という絶対的条件のもとでしか正当化されえないのだから、時効もまたその大事な平等を保とうという必要が身にまとった数多くの形式の一つなのである。そして、これは断じて無意味な帰納などではなく、だらだらと引き出された帰結などでもない。その証拠はあらゆる法典に書かれている。なるほど、あらゆる人民が正義の本能と自己保存の本能によって時効の効用と必要性を認めたとしよう。また、その企図が時効によって占有者の利益に気を配ることにあったとしよう。すると、商業、戦争、捕虜によって家族や祖国から遠く離され、いかなる占有行為も行使できない状態の不在市民に対して、人民は何もできなかっただろうか。そうではない。まさに時効が法の中に導入されたとき、所有権はただ意志によって、《意図それのみで》保たれることも認められたのだ。しかるに、所有権がただ意志によって保たれ、所有者の行為によってしか失われないなら、どのようにして時効は有用になるのか。どのようにして法は、ただ意図によって保持する所有者が時効になるに任せていたものについて、それを放棄する意図をもっていたものとあえて推測できるのか。どれくらいの期間がこのような推測を正当化しうるのか。また、法はどのような権利で所有者の不在を罰して、その財産を奪うのか。なんだと！　つい先ほど時効と所有は同一の事柄だと分かったばかりなのに、今度はそれらが破壊し合う事柄だと分かってしまったではないか！

困難を覚えたグロティウスは、引用に値する非常に独特な表現でこれに答えた。《人間に正しく期待するべきであり、つまらない事物のために、他人を永続的な罪の状態のままにしておこうという意図を有しているとは考えるべきでない。そのような罪の状態は、〔自らの事物の〕こうした放棄なしでは避けえないものなのである》〔『戦争と平和の法』第二巻第四章〕。「キリスト教の精神をほとんどもたずに、貧しい人のために占有者の罪を永遠化しようと望む人がいるだろうか。占有者がその権利を放棄することに同意しないなら、間違いなくそうなるのだが」と述べたのだ。そうだとも！　私がそういう人間だ。一〇〇万人にも及ぶ所有者が審判のときまでに焼かれるはずだとしても、私は彼らの良心に対して、この世の財のうち彼らが私から奪った分について訴えるのだ。グロティウスは、こうした有力な考察に、もう一つ別の考察を加える。すなわち、係争の権利を主張し、諸国民の平和を乱し、内乱の火をかき立てるより、その権利を放棄するほうが安全だ、というものである。私は望まれれば補償を条件にこの理屈を受け入れる。だが、補償が拒まれるなら、無産者である私にとって豊かな人の休息や安全など重要ではない。私は所有者の救済と同じく、公的秩序を気にかけている。私は働いて生きることを求め、さもなくば戦って死ぬだろう〔一八三一年リヨン蜂起の標語の援用〕。

どんな煩瑣な議論に深入りしようと、時効は所有の矛盾である。あるいはむしろ、時効と所有は一つの同じ原理に由来する二つの形態であり、それでいながら相互に矯正策として利用し合う二つの形態である。古代および現代の法律学がそれらを調和させると主張したことは少しも間違いではない。なるほど、われわれが所有の確立のうちに各人の土地の取り分と労働への権利を保証しようという欲望しか見出さないとしよう。むきだしの所有と占有の分離のうちに、不在者、孤児、自らの権利を認識したり守ったりすることのできない人すべてに対する公共避難所しか見出さないとしよう。時効のうちに、不公正な意図や侵略を拒絶するための手段なり占有者の移住が引き起こす紛争を終わらせるための手段しか見出さないとしよう。それでも、われわれは人間的正義のそうした多様な形態のうちに、社会的本能を手助けしに来る理性の自発的努力を認めることだろう。あらゆる権利の留保のうちに、平等の感情、均等化に向かう恒常的傾向を見ることだろう。そして、反省と内的感覚を考慮に入れることによって、原理の誇張自体のうちに、われわれの学説の確証を見出すことだろう。というのも、条件の平等と普遍的結合《アソシアシオン》がもっと早く実現しなかったのは、これまでのところ、立法者の特質と裁判官の誤った知識が民衆の良識への障害となってきたからに違いないからである。また、真理の閃光が原始の社会を照らしたのに、指導者たちの初期の思弁が蒙味しか生み出しえなかったからなのだ。

最初の協約後、初期の必要の表現だった法律と憲法の草案を作ってしまうと、法律家の使命は法律のよくない部分を手直しすること、不備の残るところを完全にすること、矛盾して見えるものをよりよい定義によって両立させることにあったはずだ。だが、彼らはその代わりに注釈者や注解者という隷従的な役割で満足してしまい、法の字義どおりの意味を固守したのである。彼らは一般的な意見に導かれ、文書信仰にとらわれているがために、必然的に弱くて誤りやすい理性による思いつきを永遠的なものの公理、不滅の真理だと捉えた。それゆえ、彼らは神学者に倣って、いつでもどこでも普遍的に認められたもの、《誰によってもどこにおいても常なるもの》は間違いなく真実であるということを原則とした。あたかも、一般的だが自然発生的な信仰が一般的な現れとは別のものを証拠立てるかのように。ここでくれぐれも誤らないようにしよう。すべての人々の意見は見出された事実を確認したり、法についての漠然とした感情を確認したりすることには役立ちうる。だが、そうした意見は、事実についても法についてもなんらわれわれに教えることはできない。人類の同意は自然の指示ではあるが、キケロが言うような自然法なのではない。信仰によって信じることはできても反省によってしか認識できない真理が、現れの下に隠されたままなのだ。物理的現象や天才の創造に関するすべてについて、人間精神の不断の進歩はこのようなもの〔真理を反省によって認識していくことの積み重ね〕だったのだ。良心の事実やわれわれの行動の諸規則については別だということがありうるだろうか。

第四節　労働について――労働がそれ自身では自然の事物に対していかなる専有の力能も有さないこと

われわれは政治経済学および法学自身の格言によって、つまり所有〔の擁護者〕がよりもっともらしく反論の根拠としうるものすべてを用いて、次のことを証明しよう。

(1)労働がそれ自身では自然の事物に対していかなる専有の力能も有さないこと。

(2)それでも労働に専有の力能を認めるなら、労働の種類、生産物の稀少性、生産能力の不平等といった他のことがどうであれ、所有の平等に導かれること。

(3)正義の秩序において労働は所有を消滅させること。

われわれの反対者を手本とし、われわれの通り道に茨も棘《とげ》も残さないようにするため、可能なかぎりの高みから問い直そう。

Ch・コントは『所有権概論』で述べている。

「国民とみなした場合のフランスは、自らに固有の領土を有している」。

一人の人間としてのフランスは、利用する領土を占有する。だが、フランスはその所有者ではない。諸国民間のことは、諸個人間のことと同様である。諸国民は使用権保有者であり、労働者である。諸国民に土地の所有権を帰するのは、言葉の濫用によるものだ。使用し、濫用する権利は、人間に属さないのと同じく、人民にも属さない。やがて一国民における土地の濫用を抑制するために企てられる戦争が聖戦となるときが来るだろう。

こうして、所有がどのように形成されたかを説明しようと試み、国民が所有者であると想定することから始めたCh・コントは、「論点先取の虚偽」と呼ばれる詭弁におちいる。その瞬間、彼のすべての議論は崩壊するのだ。

もし読者が国民の領土所有に異議申し立てをするのは論理の推し進めすぎだと感じるなら、どの時代にも国民的所有という虚構的権利から次のものが生まれたことを思い出させるにとどめよう。それは宗主権の要求、朝貢、国王特権、賦役、兵の徴集と分担金の徴収、商品の納入、等々、それから納税の拒否、反乱、戦争、人口減少である。

「その領土のただなかに個人の所有物にされなかった、かなり大きな土地の広がりがある。そうした土地は、一般に森林であるが、住民の総体に帰属する。そこから収入を受け取る政府は、公共的利益のためにそれを用いている、あるいは用いるべきである」。

「用いるべきである」とは、うまく言ったものだ。嘘をつくのを回避している。

「そうした土地が売りに出されるとする……」。

なぜ売りに出されるのか。誰に売る権利があるのか。国民が所有者であるとしても、現在の世代が未来の世代の占有物を奪えるのか。人民は用益権者として占有する。政府は統御し、監視し、保護し、配分的正義の行為をする。政府が土地の委譲をおこなうとしても、使用しか委譲できない。どんな形であれ、売却したり譲渡したりする権利はもっていないのだ。所有者の資格をもっていないのに、どうして所有権を譲渡することができようか。

「ある勤勉な人が土地の一部分、例えば広大な湿地を買うとする。ここに横領はいっさいないだろう。というのも、公衆は政府の手によってその正確な価値分を受け取るからであり、売却後も以前と同じ豊かさのままだからだ」。

愚弄している。なぜか！　浪費家、軽率、拙劣のいずれかである大臣が国家の財を売却するとき、国家を後見人とする私、国務院に発言権も投票権ももたない私が売却に反対することができないまま、その売却は正しいもの、合法的なものとなるからだ！　人民の後見人たちは人民の遺産を浪費しており、人民には頼みの綱が一つもないのだ！——私は政府の手によって売却代金のうちの自分の取り分を受け取ったのだとあなたは言う。だが、まずもって私は売却を望んでいなかったし、仮に望んだとしても、それはできなかった、その権利をもっていなかったのである。さらに、私はその売却が自分の利益になるとは少しも思っていなかった。私の後見人たちは、軍人たちに制服を支給し、古い城塞を修繕し、自尊心から高価なだけで取るに足らない記念建造物を建てた。次いで花火を打ち上げ、宝の棒を立てた。私が失ったものと比較して、これらは何であるのか。

買い手は境界標を立て、囲いをして言う。「ここは私のものだ。各人は自分のところで、各人は自分のために」。このようにして、以後、所有者とその友人以外は誰も足を踏み入れる権利のない土地の広がりができるのだ。それは所有者とその従僕以外の誰にも利益をもたらしえない。そうした売却が増えると、売却することができず、またそれを望みもしなかった人民、売却代金を受け取りもしなかった人民は、まもなく休息する場、避難する場、収穫する場をもたなくなるだろう。人民は所有者の家の門前で、もともと彼にとっての遺産でもあった所有地の縁《へり》で、餓死することになる。そして、所有者は息を引き取る彼を見て言うだろう。「怠け者や臆病者は、こうやって死ぬのだ！」と。

Ch・コントは、所有者の横領を受け入れさせるために、売却時点での土地の価値を低めるそぶりをみせる。

「そうした横領を過度に重大視しないように気をつけなくてはならない。それは、先占された土地で生きられる人間の数によって、また、それが提供する生活手段によって評定されなければならない。例えば、いま一〇〇〇フランの価値がある土地の広がりが、横領された時点では五サンチームの価値しかなかったとしたら、実際のところ五サンチームの価値しか奪われていないことは明らかである。一平方里の土地は、一人の未開人が困窮のうちに生きていくのにやっと十分なくらいだろう。だが、今日では、その土地が一〇〇〇人の生活手段を保証する。一〇〇〇分の九九九は占有者の正当な所有物である。価値の一〇〇〇分の一についてしか横領はなかったのだ」。

ある農民が一〇〇エキュの債務者であることを認める証書を破棄した旨を告解した。聴罪司祭は「その一〇〇エキュを返さなければならない」と述べた。それに対して、農民は「いいえ。私は紙一枚分として二リヤールを返します」と答えた。

Ch・コントの推論は、この農民の善意に似ている。土地は、全体の一部としての現在的な価値のみならず、潜在的な未来の価値をも有する。後者の価値は、土地を価値あるものにしたり利用したりするわれわれの腕前にかかっている。為替手形、約束手形、年金設定証書を破棄せよ。そのとき、紙としてはほとんど価値のないものを破棄している。だが、その紙とともに、あなたは自分の資格をも破棄している。そして、資格を失うことで自分の財産を手放しているのだ。土地を破棄せよ。あるいは、あなたにとっては結局同じことになるが、土地を売却せよ。そのときには、一回、二回、あるいは数回の収穫を放棄するのみならず、自分や自分の子、そして孫がそこから得ることのできたすべての生産物をなきものにしているのだ。

所有の布教者にして労働の賞賛者であるCh・コントが政府の側での土地の譲渡を前提するとき、理由も義務もないのに前提したと考えてはならない。その必要があったのだ。彼は先占の学説を却下したうえ、先占する許しが事前にないかぎり労働は権利を生み出さないことを知っていたので、そうした許しを政府の権威に結びつけることを余儀なくされたのだ。そのことは、所有権が人民主権を、言い換えれば普遍的同意を原理とすることを意味する。われわれは、そうした偏見についてすでに論じた。

所有権は労働の娘だと述べ、次いで労働に実行手段を委譲することは、私が誤っていなければ、まさに悪循環の形となる。もろもろの矛盾が生じてくるのだ。

「一定の土地の広がりが、一人の人間が一日に消費するだけの食物しか生み出せないとする。占有者が労働によって二日分の食物を生み出す手段を見出すなら、彼は土地の価値を二倍にしている。その新しい価値は、彼の所産であり、創作物である。それは誰から奪ったものでもない。それは彼の所有物なのである」。

私は、占有者はその労苦と勤勉に対して二倍の収穫物で報いられはしても、地所に対するいかなる権利も獲得しない、と主張する。労働者が成果を自分のものにすることは認める。だが、生産物の所有がその材料の所有をもたらすというのは理解できない。同じ海岸で同業者よりも多くの魚を捕えることができる漁師は、その腕前ゆえに漁をする海域の所有者になるだろうか。かつて猟師の巧みさが、その区域の鳥獣に対する所有の資格とみなされたことがあっただろうか。この同等性は完全なものである。熱心な耕作者は、多量で良質な収穫物のうちに自らの勤勉への報酬を見出す。彼が土地を改良したなら、占有者としての優先権をもつ。だが、耕作者としての腕前を耕作地の所有資格として示すことなど、けっして認められえない。

占有を所有に変形するためには労働とは別のものが必要であり、さもないと人が労働者であるのをやめるや所有者であるのもやめるということになるだろう。しかるに、法によれば、所有を作り出すのは古くからの異議なき占有、つまり時効である。労働は先占を見える形にする可感的な徴、具体的な行為でしかない。したがって、耕作者が労働し、生産するのをやめたのちも所有者のままでいるとしたら、はじめは認可され、次に黙認された占有が最後には譲渡不能になるとしたら、それは民法の恩恵と先占の原理によっているのである。このことはまことに真実であり、これを前提としない売却契約、小作賃貸契約、家賃契約、年金設定は存在しない。事例を一つだけ挙げよう。

不動産はどのように鑑定されるだろうか。その生産物によってである。ある土地が一〇〇〇フランの収益を生むとしたら、その土地の価値は、収益率五％で二万フラン、四％で二万五〇〇〇フラン、等々と言われる。これを言い換えれば、二〇年後ないし二五年後には、その土地の価格は獲得者に償還されるということを意味する。すると、一定期間のあと不動産の価格が全額支払われるのなら、なぜ獲得者が所有者であり続けるのだろうか。先占の権利ゆえであり、それなしではあらゆる売買が買い戻し権付きのものとなるだろう。

それゆえ、労働による専有の学説は〔民〕法典と矛盾している。そして、同学説の支持者がそれを用いて法を解説しようとするとき、彼らは自分自身と矛盾しているのである。「何も生産せず、あるいは有害ですらあったある種の湿地のような土地を肥沃なものに至らしめる人々は、まさにそのことによって所有権をまるごと生み出す」。

ごまかしたいかのように表現を大げさにし、両義的表現に賭けてみたところで、何になろう。「所有権をまるごと生み出す」ということで、それ以前には存在しなかった生産能力を生み出すと言いたいのだろう。けれども、そうした能力は、その支えとなる材料が存在するという条件でしか生み出されえない。土地の実質はそのままであり、変えられるのは、その質と変様〔の仕方〕のみである。人がすべてを生み出した。すべて、とはいっても、材料を除いてである。しかるに、私はまさにこの材料について、人は占有と使用〔の権利〕しかもちえないと主張している。労働という恒久的条件のもとで、生産した事物の一時的な所有については、その人に委ねられるのだ。

このようにして、〔本節冒頭で挙げた三点のうち〕第一点目が解決する。生産物の所有が仮に認められたとしても、それは生産手段の所有をともないはしない。このことについて、より詳しい論証は必要ないと思われる。武器を占有する兵士、託された材料を占有する石工、水を占有する漁師、野原と森を占有する猟師、土地を占有する耕作者、これらには同一性がある。彼らはみな、そう望むなら自らの生産物の所有者である。だが、誰も生産手段の所有者ではない。生産物への権利は、排他的な《物権》である。生産手段への権利は、共有の《対物権》である。

第五節　労働は所有の平等に通じること

それでも、労働が材料に対する所有権を与えるということを認めてみよう。だが、なぜこの原理は普遍的ではないのか。なぜ法と言われるものの恩恵が少数の者に限定され、大勢の労働者には認められないのか。ある哲学者は、すべての動物はかつて日光によって温められた大地からほとんどキノコのようにして生まれた、と主張した。その哲学者に対して、なぜ大地はもうそのやり方で何も生み出していないのか、と人は問うた。哲学者は「大地が古くなり、生産能力を失ったからだ」と答えた。かつて非常に多産だった労働も同じようにして不毛になったのだろうか。かつて所有者が労働によって獲得した土地が、なぜ小作人の労働によってはもう獲得されないのか。

それは、その土地がすでに専有されているからだと言われる。これは答えになっていない。ある地所が一ヘクタールあたり五〇ボワソーで賃貸しされるとする。小作人の才能と労働がそこでの生産物を二倍に増やす。その増加は小作人が生み出したものである。地主がわずかな節度をもって、小作料を上げてその生産物を奪うまでには至らず、耕作者がその所産を享受できるままにしておくと仮定してみても、それによって正義が満たされはしない。小作人は改良することによって地所のうちに新しい価値を生み出したのだから、所有物の一部に対して権利を有するのだ。もともとその地所に一〇万フランの価値があり、小作人の労働によって一五万フランの価値のものになったとしたら、その剰余価値の生産者である小作人は、地所の三分の一についての正当な所有者である。Ch・コントは、こうした学説を否定できなかっただろう。なぜなら、彼自身、次のように述べているからだ。

「土地をより肥沃にした人々は、土地に新しい広がりを与えた人々に劣らず同胞にとって有益である」。

ならば、なぜこの規準は開墾した人と同じように改良した人にも適用されないのか。前者の労働によって土地は一の価値になる。後者の労働によって土地は二の価値になる。両者において同等の価値の創出があるのだ。なぜ両者に対して所有の平等が認められないのか。ふたたび先占者の権利を援用するのでないかぎり、これに反対する者はなんら確固とした論拠をもたない以上、私はものともしない。

だが、その要求を認めたところで、所有の分割が大幅に進むことにはならないと人は言うだろう。土地は無際限に価値を増大させはしない。二、三回の耕作で土地は早くも生産能力の上限に達するのだ。農学の技術がこれに加えるものは、耕作者の腕前よりも科学の進歩と知識の伝播に由来する。したがって、多くの所有者に数名の〔土地を改良した〕労働者を加えるべきだと言っても、所有に対抗する論拠にはならないだろう、と。

われわれの努力が何百万人もの無産者のうち数百人の労働者だけを解放することであって、それは結局、土地をめぐる特権と産業の独占を広げることにしかならないのだとしたら、確かにこの論議から得られる成果は非常に乏しいものだろう。だが、そうした捉え方は、われわれ自身の考えをまったくきちんと理解できておらず、その知性と論理の欠如を証明するものだろう。

事物に価値を加える労働者が所有への権利をもつとしたら、その価値を維持する者も同じ権利を獲得する。なぜなら、維持することとは何かといえば、絶え間なく加えることであり、連続的な仕方で生み出すことだからだ。耕作することとは何かといえば、土地に毎年の価値を与えることである。毎年繰り返しの創出によってこそ土地の価値が減じたり消滅したりするのを防ぐのである。それゆえ、所有を合理的で合法的なものと認め、小作を公平で公正なものと認めたうえで、私は耕作する者は開墾する者や改良する者と同じ資格で所有権を獲得するのだと言いたい。小作人が地代を支払うたびに、手入れするよう託された畑の所有権を地代の割合部分に等しい分母をもつ分数だけ獲得すると言いたいのだ。ここから外れると、あなたは専制や暴政におちいり、階級の特権を認め、隷属を承認することになる。

労働する者は、誰であれ所有者になる。この事実は、現代の政治経済学および法学の原理においては否定されえないものだ。そして、私が所有者と言うとき、それを偽善的経済学者たちのように給与、賃金、抵当の所有者としてのみ理解しているのではなく、労働者が生み出す価値の所有者ということを言いたいのだ。〔現状では〕その恩恵を地主だけが得ているような価値の所有者である。

　これらすべては賃金の理論と生産物の配分の理論に関係するものであるが、いまだこの題材は十分に解明されていないので、ここで力説することを許してほしい。この議論は目的に照らして無益なものではないだろう。労働者が生産物と利益に与《あずか》れるよう認めるべきだと多くの人が述べるが、彼らのためにと求められるそうした関与は純然たる慈善に由来するものだ。それが自然的、必然的で、労働に内属し、末端の作業員に至るまでの生産者の資格と切り離すことのできない権利だということは証明されず、おそらく見抜かれすらしてこなかった。

　私の命題は、次のとおりである。「労働者は、賃金を受け取ったあとでさえ、自分が生産した物に対する所有の自然権を保持する」。

　Ch・コントからの引用を続けよう。

「労働者たちは、湿地を乾燥させたり、木と藪《やぶ》を根こそぎにしたりするため、つまりは土地を整えるために雇われている。彼らは土地の価値を増大させ、所有物をより大きくする。彼らがそこに加えた価値は、彼らに与えられる食物や日当という代価によって支払われている。そうして、加えられた価値は資本家の所有物となるのである」。

その代価は十分ではない。彼らの労働は価値を生み出した。その価値は彼らの所有物である。だが、彼らはそれを売りもせず、交換もしなかった。資本家であるあなたは、それを獲得などしていない。あなたが作った用具や、あなたがもたらした生活の糧《かて》の分を全体のうちの部分的権利としてもつことは、このうえなく公正である。あなたが生産に貢献したなら、あなたは享受の分け前に与るべきだ。だが、あなたの権利は労働者たちの権利を消滅させることはない。労働者たちは、あなたがそう思わなくても、生産作業においてあなたの同僚だったのだ。あなたは賃金について何か言うだろうか。あなたが労働者たちの日当として払った金は、せいぜい彼らがあなたに委ねた永続的占有の数年分の支払いにしかならないだろう。賃金とは、労働者の日々の〔肉体の〕維持と回復が要求する費用である。それを売却価格と捉えるのは誤りなのだ。労働者は何も売っていない。彼らは自分の権利も、あなたに対する譲渡範囲も、あなたが結んだと主張する契約の意味も知らない。労働者の側には完全なる無知が、あなたの側には誤謬と不意打ちがあるのだ。詐欺と不正行為と言うべきではないにしても。

別の例によって、これらすべてをより明確にし、一つの真実をいっそう際立たせよう。

未開の土地を耕作可能で生産力のある土地にすることがどんな困難に突き当たるかを知らない者はいない。その困難は、孤立した人間ならたいてい土地を最低限の生活の糧が得られる状態にできるより前に死んでしまうほどのものである。最低限の生活の糧を得るには、結集し、組み合わされた社会の努力とあらゆる産業資源が必要なのである。この主題について、Ch・コントはまごうかたなき多くの事実を挙げているが、そうすることで自身の学説に反する証拠を積み重ねていることには少しも気づいていない。

二〇ないし三〇の世帯から成るコロニーが藪と木に覆われた人跡未踏の区域に設けられ、原住民たちが協約によってそこからの退去に同意したとしよう。各世帯は平均以下ではあるが、次のいずれかを選ぶのに十分な資本をもっている。動物、種子、道具、少しの金と食べ物のいずれかである。土地が分割されると、各人は最善を尽くして暮らし、自分の分け前になった土地を開墾し始める。だが、途方もない疲労、とてつもない苦労、破滅的でほとんど成果のない労働の数週間を経て、彼らは仕事に不平を言い始める。その境遇は耐えがたく、彼らは悲惨な生活を恨む。

突然、最も思慮深い者の一人が豚を殺して一部を塩漬けにし、残りの蓄えを手放す決心をして惨めな仲間たちを探しに行く。彼は思いやりに満ちた口調で言う。友よ、わずかな仕事と悪い暮らしぶりのために、どれだけ苦労しているだろうか！　二週間働いて窮地におちいるとは！……全部あなたがたの利益になるような取引をしようではないか。私が食事とワインを提供しよう。あなたがたは日々大いに稼ぐ。私たちは一緒に働くことになるのだ。神よ、万歳！　友よ、私たちは喜びにあふれ、満足するだろう！　と。

衰弱した胃がこのような演説に抵抗できると思われるだろうか。最も飢えた人々は、誘惑する裏切り者につき従う。彼らは仕事に取りかかる。社会の魔力、競争心、喜び、相互援助が力を倍加させる。労働はみるみるうちに進展する。人々は歌い笑いながら自然を飼い馴らす。たちまち土地は姿を変える。ほぐされた土地は、もはや種子を待つばかりである。これらがなされると、所有者は労働者たちに支払いをする。彼らは退去しながら礼を言い、所有者とともに過ごした幸福な日々を惜しむ。

他の人々も、いつも同じように成功するこの手本に倣う。その後、そこに身を落ち着ける者もいれば、四散する者もいる。各々自分の開墾地に戻るのだ。だが、開墾しながら生きなければならない。隣人のために開墾していたあいだは、自分のために開墾できなかった。種蒔きと収穫のための一年がすでに失われたのだ。彼らは、自身の蓄えをとっておくのだから手間を賃貸しすることによって丸儲けできると思っていた。よりよい暮らしをしながら、さらに金を得られると思っていたのだ。誤った計算だ！　彼らは他人のために生産手段を生み出し、自身のためには何も生み出さなかったのだ。開墾をめぐる困難はそのままで、衣服は擦り切れ、蓄えは尽き、まもなく財布は空になる。彼らがその人のために働いた特定個人の利益のために、だ。その人だけは耕作中であるため、不足する食糧を供給することができる。そして、貧しい開墾者が万策尽きて遠くから生贄を嗅ぎつける寓話の食人鬼のようになると、食事を提供する人がふたたび現れる。ある人には日当でふたたび食事にありつけるよう提案し、またある人には何も生まず、今後も生むことはありえない低質の一区画を結構な値段で買うよう提案する。つまり、彼は自分のために、一方の人の畑を他方の人に開拓させるのだ。その結果、二〇年後には、もともと平等な財産をもっていた三〇名の個別者のうち、五、六名が全区域の所有者となり、残りの者たちは慈善に満ちた仕方で占有物を奪われることになるだろう。

私が幸福にも生まれたこのブルジョワ道徳の世紀において、道徳感覚はこんなにも衰弱しているのだから、私は少しも驚かないだろう。多くの誠実な所有者がいまの話の何が不公正で不当だと捉えられるのかを私に問うのを聞いたとしても、である。堕落した精神！　生ける屍《しかばね》！　実際に盗みが起きているのに、あなたにとってはそれが明らかでないのなら、どうやってあなたがそれを認めることを望めるだろうか。ある人が甘く遠まわしな言葉によって自分の立身に他の人たちを貢献させる秘訣を見出す。次いで、ひとたび共同の努力によって富を得ると、彼は自分の財産を作ってくれた人たちが、彼自身が押しつけたのと同じ条件で充足を得るのは拒むのである。そして、あなたはそのようなふるまいの何が詐欺的なのかと問うのだ！　彼は労働者たちに支払いをした。それ以上には何も負っていない。他人に奉仕する必要はない。そうした口実で、他人が彼の立身を助けたのと同じようにして他人の立身を助けることを拒む。彼自身の仕事は他人の奉仕を要求したのに、である。見捨てられた労働者たちが孤立による無力のなかで遺産を金銭化する必要に見舞われるとき、恩知らずな所有者、成り上がった腹黒き者は、彼らからの強奪を完遂し、破産させる準備ができている。そして、あなたはそれを公正とみなすのだ！　用心せよ。私はあなたの驚いたまなざしに、意図せぬ無知から来る無邪気な驚きよりもずっと責を負う良心から来る非難を読み取っている。

資本家は、労働者たちの「〔複数形の〕日当」を支払ったと言われる。正確には、資本家は日々労働者たちを雇うたびごとに「〔単数形の〕日当」を支払ったと言わなければならず、それはまったくもって同じことではない。なぜなら、労働者たちの団結と調和、彼らの努力の集中と同時性から生じるこの巨大な力に対して、資本家は少しも支払っていないからだ。二〇〇人の擲弾兵は、数時間でルクソールのオベリスクを土台の上に立てた。たった一人の人間が二〇〇日間でそれをやり遂げると想定できるだろうか。[*4] にもかかわらず、資本家の計算において賃金の総和は同じだった。さて、開墾される砂漠、建築される家、開設される工場は、立てられたオベリスクと同じであり、山の場所を変えることとも同じである。最も小さな財産、最も貧弱な施設、最も取るに足らない産業の下準備であっても、一人の人間ではとても足りない労働と才能の協力を要する。経済学者たちがこのことに注目しなかったのは驚きである。そこで、資本家が受け取ったものと彼が支払ったものとの帳簿計算《バランス》をしてみよう。

労働者には働くあいだ生きるための賃金が必要である。なぜなら、消費しながらしか生産できないからだ。誰であれ人を雇う者は、食物と生活費またはそれと同等の賃金を支払わなければならない。それは、あらゆる生産において、まずなすべき第一の部分である。これに関しては、さしあたり資本家が正しく義務を果たしていると認めよう。

労働者は自らの生産のうちに現在の生活の糧に加えて、未来の生活の糧の保証を見出さねばならない。そうでないと、生産物の源泉は涸《か》れ、彼の生産能力は無に帰する。言い換えれば、なすべき労働が完了した労働から永続的に再生するのでなければならない。これが再生産の普遍的法則である。こうして、所有する耕作者は、次のものを見出すのである。(1)自らの収穫物のうちに、自分と家族が生きる手段のみならず、資産を維持し、改良する手段、家畜を育てる手段、つまり労働し続け、つねに再生産する手段を、(2)生産手段の所有のうちに、開拓および労働の元手の恒久的保証を、である。

自らの奉仕を賃貸しする者の開拓の元手とは何か。それは、所有者が彼を必要としているという推測における必要と所有者が彼を雇う意志をもっているという根拠なき想定における意志である。かつて平民が領主の気前よさと意志によって土地を手に入れたのと同じく、今日の労働者は雇い主や所有者の意志と必要によって仕事を手に入れるのだ。これは仮の占有と呼ばれるものである[1]。だが、「仮の」という条件は、取引における不平等を含意するので不公正である。労働者の賃金が日々の消費を超過することはめったになく、翌日の賃金を保証することもないのに対して、資本家は労働者によって生み出された生産手段のうちに独立の抵当と未来に向けた安心を見出すのだ。

(1) 「仮の〔précaire〕」は、〔ラテン語の〕precor すなわち「私は願う」に由来する。委譲の行為は、領主が人民や農奴の懇願に対して労働する許しを与えたことの痕跡を明らかにとどめているためである。

しかるに、こうした再生産の誘因、生命の永遠の萌芽、生産の元手と手段の準備こそ、資本家が生産者に負っていて、けっして返すことのないものである。そして、このことを詐欺的に否認することこそが、労働者の赤貧、有閑者の贅沢、条件の不平等を作り出すものなのだ。とりわけこの点に、きわめて適切な名づけである人間による人間の搾取が存するのである。

次の三つのうち一つだ。賃金全体からの控除をしたうえ、労働者が経営者とともに生産した物の分け前に与れるようにするか、経営者が労働者に生産的奉仕と同等のものを返すか、それとも労働者がつねに働けるようにする義務を負うか、である。生産物の分配、奉仕の相互性、永続的な労働保証。資本家は、この選択から逃れられない。だが、資本家がこれらの条件のうち第二、第三のものを果たすことができないのは明らかだ。彼は直接間接に立身の世話をしてくれた大勢の労働者への奉仕に取りかかることはできないし、彼ら全員を常時雇うこともできないからである。したがって、残るは所有の分配である。だが、所有が分配されるなら、あらゆる条件は平等になる。もはや大資本家も大所有者も存在しなくなるのだ。

それゆえ、Ch・コントが自らの仮定に従って資本家が支払ったものすべての所有権を次々に獲得するのを見せるとき、彼はますますひどい偽推理にはまり込む。そして、彼の議論が変わらない以上、われわれの応答も同じところに戻る。

「別の労働者たちが建物を建てるために雇われている。採石場から石を取り出す者、それを運ぶ者、切断する者、所定の場所に置く者がいる。各々自らの手を通る材料に特定の価値を加えており、労働から生み出されたその価値は、その人の所有物である。労働者は価値を形成するのに応じて、それを地所の所有者に売り、所有者はその代価を食物や賃金で支払うのだ」。

《分割して統治せよ》。分割せよ、そうすれば君は統治するだろう。分割せよ、そうすれば君は富むだろう。分割せよ、そうすれば君は人々を欺《あざむ》き、彼らの理性の目を眩《くら》ませ、正義など気にもとめなくなるだろう。労働者たちを互いに分離せよ。そうすれば各人に支払われる日当が各人の個別生産物の価値を上まわるかもしれない。だが、そのことが問題なのではない。二〇日間にわたって働いた一〇〇〇人の力に対して、五五年にわたって働くたった一人の人間の力に対するかのごとく支払われた。だが、その一〇〇〇人の力は二〇日間で、一人の人間が一〇〇万世紀にわたって努力を繰り返してもけっして成し遂げられないことをしたのだ。取引は公平だろうか。もう一度言うが、否である。あなたが個別の力すべてに支払ったとしても、あなたは集合の力に支払っていない。したがって、あなたが少しも獲得していない集合的な所有権がつねに残っており、あなたはそれを不正に享受しているのだ。

私が望むのは、二〇日間の賃金がこれら多数の人々の二〇日間の衣食住に十分足りることである。彼らが生み出すのに応じて、その所産をまもなく自分たちを見捨てる所有者に委ねるなら、期限が切れて仕事が終わったとき、彼らはどうなるだろうか。全労働者の協力のおかげで揺るぎないまでに強固となった所有者が、安心して生活し、労働やパンの欠乏をもはや恐れないのに対して、労働者は自分の自由を売った相手、自由を従属させた相手である所有者の思いやりにしか希望をもてないのだ。それゆえ、所有者が自らの充足と権利に立てこもって労働者を雇うのを拒むなら、彼はどのようにして生きていけるだろうか。労働者は立派に土地を耕すが、そこに種を蒔かないだろう。便利で壮麗な家を建てるが、そこに住まないだろう。すべてを生産するが、何も享受しないだろう。

われわれは労働によって平等へと進む。われわれの踏む一歩一歩が、われわれをより平等に近づける。そして、労働者たちの力、熱意、勤勉さが等しければ、財産も同様に等しくあるべきなのは明らかだ。実際、そう主張され、またわれわれも認めたように、労働者が自分の生み出した価値の所有者であるなら、次のようになる。

(1)労働者が有閑の所有者に代わって物を獲得すること。

(2)あらゆる生産は必然的に集合的なのだから、労働者はその労働の割合に応じて生産物と利益に与る権利をもつこと。

(3)蓄積された資本はすべて社会的所有物であるから、誰もそれに対する排他的所有権をもちえないこと。

これらの帰結は反論不能である。これらだけで、われわれの経済全体をひっくり返し、社会体制と法を変えるのに十分だろう。なぜ原理を打ち立てた人々がそれに従うことについては拒むのか。なぜ、セイ、コント、アンヌカンといった人々は所有が労働に由来すると述べたのち、次いで先占や時効によって所有を固定しようと努めるのか。

だが、そうした詭弁家たちは矛盾と無分別に耽《ふけ》らせておこう。民衆の良識が彼らの両義的表現の誤りを明らかにするだろう。われわれは良識に光をあて、民衆に道を提示するのを急ごう。平等は近づいている。すでにわれわれとのあいだに、わずかな間隙しかない。明日にも、その間隙は飛び越えられるだろう。

第六節　社会において賃金はすべて等しいこと

サン＝シモン主義者、フーリエ主義者、また一般に今日、社会経済と改革に関わる者はみな、自らの旗に次のような原理を書き込んでいる。

能力に応じて各人に、仕事に応じて各能力に。（サン＝シモン）
資本、労働、才能に応じて各人に。（フーリエ）

彼らは、それほどはっきりとした言い方ではないにせよ、労働と勤勉によって刺激された自然の産物は、あらゆる種類の卓越性や優位性に提供される報酬、勲章、栄冠だと理解している。彼らは土地を賞が競われる巨大な闘技場とみなしている。確かに、槍や剣、力や裏切りによってではなく、獲得された富、学識、才能、徳そのものによって競われるものとして、だが。要するに、彼らは最も偉大な能力に対しては最も多くの報酬が支払われるべきだと理解しており、他の人たちもそれに同調している。曖昧でないことを利点とする商人風の表現を用いれば、給与は仕事や能力と比例すべきだと彼らは理解しているのである。

二人の自称改革者の弟子たちは、彼らの思想がそのようなものであるのを否定できない。否定すると、彼らの公式の解釈と矛盾することになり、学説の統一性を打ち砕くことになるからだ。しかも、彼らの側でそのような否定は少しも恐れられない。これら二つの学派は、自然との類比に従って条件の不平等を原則とすることを誇りに思ってさえいるのだから。彼らに言わせれば、自然自身が能力の不平等を欲したのである。そして、彼らはただ一つのことだけを自慢する。彼らの政治組織によって社会的不平等がいつも自然的不平等と非常にうまく調和するようになる、ということだ。条件の不平等、私は給与の不平等と言いたいが、それが可能かどうかという問題に関しては、もろもろの能力の計量法を定めることしか、もはや気にかけていないのだ。(2)

(2) サン＝シモンによれば、サン＝シモン派の司祭はその教皇的不謬性によって各人の能力を確定しなければならないそうだ。ローマ教会の模倣である。フーリエによれば、地位や価値《メリット》は投票や選挙によって示されるそうだ。立憲体制の模倣である。明らかに、この大人物は読者に馬鹿にされている。彼は自らの秘密を語りたがらなかったのだ。

能力に応じて各人に、仕事に応じて各能力に。

資本、労働、才能に応じて各人に。

サン＝シモンが没し、フーリエが神格化されて以来[*5]、多くの信奉者の誰一人として、この偉大な格言の科学的論証を公に示そうとはしなかった。そこで、私は一対一〇〇で賭けてもいい。どんなフーリエ主義者も、この二つの部分から成る格言には二つの異なる解釈がありうることにすら気づかなかったのだ、と。

能力に応じて各人に、仕事に応じて各能力に。
資本、労働、才能に応じて各人に。

この命題をよく言われるように《卑近な意味で》表面的、通俗的に捉えるなら、誤りで、馬鹿げており、不公正で、矛盾しており、自由に敵対的で、暴政を支持するものであり、反社会的で、所有者の偏見の絶対的影響のもとで宿命的に抱かれる類いのものである。まず、資本は報酬の構成要素から抹消されるべきである。フーリエ主義者たちは、彼らの小冊子のいくつかで私が学びえたかぎりでは、先占の権利を否定しており、労働以外に所有の原理を認めていない。このような前提のもとに彼らが推論したなら、資本は先占の権利によってしか所有者に利益をもたらさないのだから、そうした生産は不当である、と理解したことだろう。実際、労働が所有の唯一の原理であるなら、他の開拓者が私に小作料を支払うのに応じて、私は自分の畑の所有者であるのをやめることになる。われわれは、そのことを論破されえない形で証明した。しかるに、それはあらゆる資本について同様である。したがって、ある事業に投資することは、法の厳格さによれば、その資本を等しい金額の生産物と交換することである。そうした議論はもはや不要であり、私はそこに戻りはしない。次章で「資本による生産」と呼ばれるものについて徹底的に扱うことにしたいからだ。

こうして、資本は交換されうるが、所得の源泉にはなりえない。

残るは、労働と才能、あるいはサン＝シモンの言い方では仕事と能力である。順に検討しよう。

給与は労働に比例するべきか。言い換えれば、多くをなす者は多くを得るのが公正か。この点にいっそうの注意を向けるよう、読者にはお願いしたい。

問題を一撃で解決するには、次のように問えば十分である。労働は条件か、それとも戦いか。その答えに疑問の余地はないと思われる。

神は人間に言った。「額《ひたい》に汗して生計を立てよ」〔旧約聖書『創世記』三・一九〕と。すなわち、「自分自身でパンを生産せよ。汝は喜んで働くだろう。努力をどれだけ制御でき、また結合できるかに応じて喜びに多寡はあるだろうが」と。神は「パンを隣人と競うだろう」とは言わず、「汝は隣人の傍らで働くだろう。そして二人とも平和のうちに暮らすだろう」と言った。この教えの意味を敷衍しよう。極度の単純さゆえに曖昧さを招くかもしれないからだ。

労働においては、二つの事柄を分けなければならない。結合と利用できる材料である。

労働者は結合者としては平等であり、ある人が他の人より多く支払われるというのは矛盾である。なぜなら、ある労働者の生産物は他の労働者の生産物によってしか支払われえないので、二つの生産物が同等でないとしても、より小さな生産物に対するより大きな生産物の剰余ないし差異を社会が獲得するということはなく、したがってそれは交換されないため、賃金の平等に少しも影響を及ぼさないからである。そのことから最も力のある労働者に自然的不平等がもたらされると言えるのかもしれないが、社会的不平等がもたらされるのではない。誰も力や生産的活力を損なわれていないからだ。要するに、社会は同等の生産物しか交換しない。すなわち、社会のためになされた労働にしか支払わない。したがって、社会はすべての労働者に同等に支払う。社会の外で労働者が生産しうるものは、声や髪の違いくらいわずかしか社会に関係しないのだ。

私自身も不平等の原理を打ち立てることになったと思われるかもしれない。正反対である。社会のためになされうる労働の総和、すなわち交換可能な労働の総和は、開拓される地所が一定なら、労働者の数が増えて各人に任される仕事が減る分だけ大きくなるのだから、自然的不平等は、結合が広がり、消費可能な価値量が社会的により多く生産されるのに応じて中和されることになる。したがって、社会において労働の不平等をもたらしうる唯一のものは、先占の権利、所有権だということになるだろう。

さて、耕作、除草、刈入れ等々の形で評価される日々の社会的な仕事が二〇メートル四方のことだとして、それを果たすのに平均七時間が必要だと仮定しよう。六時間で仕事を終える労働者もいれば、八時間かけてやっと終える労働者もいる。大多数の労働者には七時間かかるということだ。だが、各人が求められた労働量を提供したのであれば、そこで使われた時間がどうであれ、各人は平等な賃金への権利をもつ。

六時間で仕事を終えられる労働者は、その力や活動力でまさることを口実に、熟達さに劣る労働者の仕事を横領し、そうして彼の労働とパンを奪う権利をもつだろうか。誰がそんな厚かましい主張をできようか。他の人たちより早く仕事を終えた人は、そうしたければ休息すればよい。力の維持や精神の陶冶、生活の楽しみのために鍛錬や有用な作業に専念してもよい。彼は誰をも害することなく、それができるのだ。だが、そうした務めは自分が直接関与するものにとどめておくべきである。活力、天才、熱意、それらから生じる個人の優位性すべては、自然の所産であり、ある程度までは個人の所産でもある。そして、事実、社会はそれに見合う敬意を表している。だが、社会が彼らに認める報酬は、彼らが何をできるかではなく、何を生産したかに比例する。しかるに、各人の生産物は全員の権利によって制限されているのだ。

土地の広がりが無限で、利用できる材料が量的に無尽蔵であれば、まだ「労働に応じて各人に」という格言は用いられえない。だが、なぜか。それは、もう一度言うが、社会はそれを構成する主体の数がどうであれ、彼ら全員に同一の賃金しか与えられないからである。というのも、社会は成員に対して彼ら自身の生産物によってしか支払わないからだ。ただ、いまの仮定では、強者があらゆる優位性を利用することが何によっても妨げられないので、まさに社会的平等のただなかで自然的不平等の難点が再生するのが見られるだろう。けれども、住民の生産力と人口増加の力能を考慮に入れれば、土地は非常に限られたものである。さらに、生産物の途方もない多様性と極度の分業によって社会的任務は遂行されやすくなる。しかるに、生産可能物の制限と生産のしやすさによって、絶対的平等の法則がわれわれに与えられるのだ。

生きることは戦いだと認めよう。だが、その戦いは人間の人間に対する戦いなどではなく、人間の自然に対する戦いであり、われわれ各人はそれに身を挺さなければならない。戦いにおいて強者が弱者を助けに来れば、その善行は賞賛と愛に値する。だが、その助けは、力によって強制されたり、値段をつけられたりするものではなく、自由に受け入れられるものでなければならない。道は誰にとっても同じであり、長すぎることも困難すぎることもない。走りきる者は、誰でも目的地で報酬を得る。最初に到着する必要はないのだ。

労働者たちがふつう出来高払いで働く印刷所において、植字工は一〇〇〇字の植字ごとに、印刷工は一〇〇〇枚の印刷ごとに報酬を受け取る。他の場所と同じく、印刷所でも人は才能や腕前の不平等に突き当たる。「カランス」〔仕事不足による印刷所での失業を指す俗語〕、すなわち失業の恐れなく、印刷と植字の仕事に不足がないときであれば、各人は自身の熱意に身を委ね、潜在能力を遺憾なく発揮できる。そのとき、より多くなす者はより多く稼ぎ、より少なくなす者はより少なく稼ぐ。仕事が少なくなり始めると、植字工と印刷工は仕事を分かち合う。独占する者はみな盗人や裏切り者と同じように嫌われる。

こうした印刷所員のふるまいには、経済学者も法学者も到達したことのない一つの哲学がある。もし現代の立法者たちが印刷所を支配している配分的正義の原理を法典に導入していたら、大衆的本能を猿真似するのではなく、それを手直しして一般化するために観察していたら、すでに長いこと自由と平等が壊すことのできない基礎の上に据えられていただろう。そして、所有権や社会的区別の必要性についての論争もなくなっていただろう。

労働が健康な個人の数に従って割り振られるなら、フランスにおける一日あたりの仕事の平均時間は五時間を超えない計算となる。だとすれば、どのような面で労働者の不平等があえて語られるのか。不平等を生むのは、〔戯曲の登場人物として有名な詐欺師〕ロベール・マケールの「労働」である。

それゆえ、「より多く働く者は、より多く受け取るべきだ」という意味での「労働に応じて各人に」の原理は、明らかに誤った二つのことを前提にしている。一つは経済的なことで、社会の労働においては仕事が平等でないことがありうる、という前提である。もう一つは物理的なことで、生産可能な物の量には制限がない、という前提である。

だが、次のように言う人がいるだろう。自らの任務の半分しかやりたくないという人々がいたら、どうするのか……。実に困ったことになるのではないか。おそらく、そのような人には半分の賃金で十分だからである。彼らがなした労働に応じて報酬が与えられるのに、どんな不平があるというのか。それに、彼らは他の人にどんな迷惑をかけているだろうか。その意味で、「仕事に応じて各人に」という格言を適用するのが公正なのだ。それは平等の法そのものである、と。

さらに、いずれも行政や産業組織に関するような多くの難点が、ここで生じるかもしれない。私は、それらすべてに一言で答えよう。いずれの難点も平等の原理によって解決されなければならない、と。すると、次のように指摘する人がいるだろう。それは生産を危うくすることなしには先延ばしできないような任務なのだ。そのとき社会は特定の人々の怠惰による被害をこうむらねばならないのか。また、社会は労働への権利の尊重によって、人々が怠惰な人たちには与えない生産物を社会自らの手によってあえて保証することにならないだろうか。その場合、賃金は誰のものになるのか、と。

社会のものである。社会自身によってか、委任によってか、いずれにしても全体の平等がけっして侵害されない仕方で、また怠惰な人がその怠惰のみ罰されるような仕方で未了の労働を実行することになる社会のものである。さらに、社会は仕事が遅滞する人に対して過度に厳しく対処できないにしても、社会そのものの存続のために悪弊を監視する権利を有するのだ。

次のように付け加える人がいるだろう。あらゆる産業において、指揮する人、教化する人、監視する人、等々が必要である。その人たちも出来高払いなのか、と。そうではない。彼らの任務は指揮し、監視し、教化することだからだ。だが、彼らは労働者の中から労働者自身によって選ばれなければならず、被選挙資格を満たさなければならない。それは、管理であれ、教育であれ、あらゆる公的職能において同様である。

それゆえ、普遍的規則の第一条は、次のようになる。

利用できる材料に量的制限があることによって、労働者数に応じた分業の必要性が証明される。社会的任務、すなわち平等な任務を完遂するために全員に与えられた能力、および労働者に対する支払いは他の労働者の生産物によってしかなされえないという事実が、報酬の平等を正当化する。

第七節　能力の不平等は財産の平等の必要条件であること

次のように反論されるだろう。その反論は、サン＝シモンの格言の第二の部分〔仕事に応じて各能力に〕、およびフーリエの格言の第三の部分〔才能に応じて〕を形成するものである。〔反論の内容は以下のとおりだ。〕実行すべきすべての労働が同じように容易なわけではない。才能や知性が大きくまさっていることを要求する労働、その優位性自体が価値をなす労働がある。芸術家、学者、詩人、政治家は、その優秀さに応じてのみ評価され、その優秀さが彼らとそれ以外の人々とのあいだの同質性《パリテ》を壊す。学問や天賦の才において卓越した人物を前にして、平等の法は消え去るのだ。しかるに、平等は絶対のものでないなら存在しない。われわれは詩人から小説家へ、彫刻家から石切り工へ、建築家から石工へ、化学者から料理人へ、といったぐあいに下りていく。もろもろの能力は分類され、目、属、種に下位区分される。両極端の才能は、中間的な別の才能によって結びつけられる。人類は広大なヒエラルキーの様相を呈し、その中で個人は比較によって自己評価し、自分が作り出すものに対する意見価値[*6]のうちに自らの価値を見出すのだ、と。

こうした反論は、どの時代にも恐るべきものに思われた。これこそ経済学者および平等の支持者の躓《つまず》きの石であった。経済学者をひどい誤りに誘い込み、平等の支持者に信じられないほど凡庸なことを唱えさせたのだ。〔フランス革命期の共産主義革命家〕グラキュース・バブーフは、あらゆる優位性は「厳しく抑制される」べきで、「社会的災禍として訴追されるべき」だとさえ主張した。彼は自らの共同体の機構の基礎固めのために、市民全員を最も低い身長に抑えるようなことをしたのだ。無知な選挙民たちが学識の不平等を拒否する姿が見られた。それゆえ、私はいつかまた別の人々が徳の不平等に反逆することがあっても少しも驚かないだろう。アリストテレスが追放され、ソクラテスが毒人参を呑み、〔古代ギリシアにおけるテーバイの将軍〕エパメイノンダスが裁判に召喚されたのは、卑劣で愚かな煽動政治家たちが彼らの理性や徳をまさっているものと捉えたがためだった。このような愚行は繰り返されるだろう。無分別で富の圧政に苦しむ下層民にとって、財産の不平等が新たな暴君の即位を懸念させるようなものであるかぎりは。

あまりに近くから熟視することほど物を怪物的に見せるものはない。真実よりも真実らしくないものはめったにない。他方、J＝J・ルソーによれば、「毎日人が見ているものを一度で観察できるためには、多くの哲学が必要である」。また、ダランベールによれば、「至る所で人間の前に姿を現しているように見える真実も、注意が向けられないかぎり、ほとんど人間の心を打つことはない」。経済学者の祖であるセイからこれら二つの引用を借りたが、彼はこれらを役立てることもできただろう。だが、見えていない人を笑う人こそ眼鏡をかけるべきだし、注目する人はすでに近視になっているのだ。

奇妙なことだ！　人々の心をこんなにも怖じ気づかせたのは、平等への反論ではなく平等の条件だったのだ！……

自然の不平等が財産の平等の条件であるとは！……なんという逆説！――私が思い違いをしていると捉えられないように、主張を繰り返そう。能力の不平等は、財産の平等の不可欠の条件である。

社会において、二つの事柄を区別しなければならない。職能と関係である。

I　職能。あらゆる労働者は、担当する仕事ができるものとみなされる。通俗的に言えば、職人はみな自分の職を分かっているはずである。労働者はその仕事に十分な能力をもつのだから、職能人と職能のあいだには等式が成り立つ。

人間たちの社会において、もろもろの職能は互いに似ていない。それゆえ、多様な能力が存在しなければならない。そのうえ、ある種の職能はより高い知性と能力を要求する。それゆえ、優れた精神と才能をもった主体が存在する。なぜなら、果たすべき仕事がその仕事をする労働者を必然的に生み出すからである。すなわち、必要が観念を生み、その観念こそが生産者を作り出すのだ。われわれが知るのは、感官の刺激によって自ら欲望するものと知性が自問するものだけである。われわれが激しく欲するのは、きちんと理解するものだけであり、きちんと理解するほど、より生産できるようになる。

こうして、職能は必要によって、必要は欲望によって、欲望は自発的な知覚、想像力によって与えられているため、想像するのと同じ知性が生産することもできるのである。したがって、なされるべきどんな仕事も、労働者に比してまさっているということはない。要するに、職能が職能人を必要とするとして、それは現実としては職能より先に機能を担う人が存在するからなのである。

しかるに、自然の節約術を賞賛しよう。自然が人間に与えたきわめて多様な必要は、孤立した人間の力だけでは満たしえないものである。自然は、そうした必要において、個人には与えられない力能を種に授けたに違いない。このことから分業の原理が生まれた。それは天職の専門性に立脚した原理である。

それだけでなく、ある種の必要を満たすには人間による不断の創造が求められるのに対して、たった一人の労働によって何百万人もの必要を何千世紀にもわたって満たせる場合もある。例えば、衣食の必要は永続的再生産を求める。それに対して、宇宙の体系についての知識は二人か三人の選り抜きが永遠のものとして獲得することができた。そういうわけで、川の絶えざる流れがわれわれの商取引を維持し、機械を回転させるけれども、空間の中心に唯一存在する太陽が世界を照らすのだ〔と喩えられる〕。自然は、耕作者や牧人を生み出すようにしてプラトンや〔古代ローマ最大の詩人〕ウェルギリウス、ニュートンやキュヴィエ〔兄弟〕のような人々を生み出すこともできたが、そうしようとはせず、天才の稀少性をその所産の持続性に比例させ、能力の数と各能力の十分量とを釣り合わせている。

ある人と別の人の才能や知性に関する隔たりが、われわれの嘆かわしい文明に由来するのかどうかは検討しないし、今日「能力の不平等」と呼ばれるものが、より幸福な状況では「能力の多様性」にほかならないのかどうかについても検討しない。最悪の場合を想定しよう。また、私が言い逃れをしているとか、困難を回避しているといった非難を受けないようにするため、才能の不平等を望まれるだけすべて認めよう(3)。平準化を好む哲学者たちは、あらゆる知性は平等であって、知性の違いはもっぱら教育に由来する、と主張する。告白すれば、私はこの説にまったく賛成できない。しかも、その説が正しいとすれば、それが目標とするのとは正反対の結論に至るだろう。なぜなら、能力が平等であるなら、他の点での力能の程度がどのようなものであれ、誰も強制されないのだから、粗雑で、卑しく、あまりに骨の折れるものとみなされている職能こそが最高の報酬を得るべきだということになり、そのことは「仕事に応じて各人に」という原理に反するのと同様、平等にも反するからである。私が求めるのは、それとは反対に、各種の才能がもろもろの必要と数的に比例していて、各生産者が自らの専門性の要求によって生産するものしか求められないような社会である。そして、私は職能のヒエラルキーをまるごと尊重したうえでも、そこから財産の平等を導き出すだろう。

(3)　私は条件の不平等を正当化するために、なぜある種の人々の性向や天賦の才が低劣だということがあえて持ち出されるのか理解できない。われわれは心や精神の恥ずべき堕落の犠牲者を数多く見ているが、それは何に由来しているだろうか。所有によって彼らが投げ込まれることになる貧困や卑賤に由来するのではないとしたら、である。所有は人間を去勢し、次いで枯れ木だとか実のならない木でしかないという理由で、その人を非難するのだ。

次に、第二点目である。

II　関係。私は労働の構成要素について論じた際〔前節〕、次のことを明らかにした。同じ種類の生産的な仕事において、社会的任務を成し遂げる能力は全員に与えられている以上、個人的な力の不平等がいかなる報酬の不平等にも基盤を与えることができない、そのことの理由である。しかしながら、ある特定の能力によって、ある特定の仕事をするのがまったく不可能に見える、というのは正しい。そうであるから、人間の産業が突然一つの種類の生産物だけに限られるなら、たちまち数多くの労働不能、したがって最も大きな社会的不平等が出現することになるだろう。だが、私が言わずとも、産業の多様性が無駄を予防していることは誰もが理解している。それは、わざわざ気にかけることもない平凡な真実である。それゆえ、問題は、同じ職能において労働者たちが互いに平等であるのと同じように、もろもろの職能も互いに平等であることを証明することに帰着する。

私が天才、学識、勇気、つまり誰もが賞賛する優位性すべて、そして、高位者への敬意、権力や豪奢の栄誉を認めないことは驚きをもたらす。だが、それらを認めないのは私ではなく、経済、正義、自由がそれらを禁止するのである。自由！　この議論の中で、いま初めてこの語を引き合いに出した。自由が本来の大義へと高まり、その勝利が完成しますように。

あらゆる取引は、生産物またはサービスの交換を目的としているため、商取引の実行であると規定できる。*7

商取引とは、等しい価値の交換である。なぜなら、価値が等しくなく、損害を与えられる契約者がそれに気づくなら、彼は交換に同意せず、商取引など起こらないだろうからだ。

商取引は自由な人間同士にしか存在しない。それ以外のところでは、暴力や詐欺によって遂行される取引はありえても、商取引は存在しない。

自由な人間とは、自らの理性と能力を享受し、情念に狂わされることもなければ、恐怖によって強いられたり妨げられたりすることもなく、誤った意見に欺《あざむ》かれることもない人間である。

こうして、あらゆる交換において、契約者の一方が他方を犠牲にして得をしてはならない、という道徳的責務がある。すなわち、商取引が正当で真実のものであるためには、どんな不平等もそこに含まれていてはならない。これが商取引の第一条件である。第二条件は、商取引が意志的であること、すなわち個別当事者が自由と十分な知識をもって折れ合うことである。

それゆえ、私は商取引あるいは交換を社会行為と定義づける。

包丁の代わりに妻を売り、ガラス玉の代わりに子供たちを売り、さらにブランデー一瓶のために自分自身を売る黒人は自由ではない。彼が取引交渉する人肉商人は、彼の結合者ではなく、敵である。

一片のパンのために一尋《ひろ》のパンを作り、馬小屋で寝るために宮殿を建て、ぼろ切れを着るために最上質の織物を作り、何もなしで済ますためにすべてを生産する文明社会の労働者も自由ではない。労働者は雇い主のために働くが、その雇い主が賃金と奉仕の交換によって彼の結合者になることはなく、やはり彼は敵である。

愛によってではなく恐怖によって祖国に仕える兵士も自由ではない。彼の同僚、隊長、軍事裁判の執行者または執行機関は、いずれも彼の敵である。

土地を賃借りする農民、資本を賃借りする実業家、通行税、塩税、営業税、特許税、人頭税、動産税、等々を払う納税者、それらを議決する代議士、彼らは知性も行為の自由も有していない。彼らの敵は、所有者、資本家、政府である。

人々が自らの契約の意味を認識するべく、彼らに自由を取り戻させ、知性を啓発せよ。すると、才能や知識の優位性はいっさい考慮に入らず、このうえなく完全な平等が彼らの交換を司るのが分かるだろう。そして、商業的考え方の領域、すなわち社会の領域では優位性なる語が意味をなさないことが理解されるだろう。

ホメロスに詩を朗唱してもらおう。私はその崇高なる天才に聴き入る。それに比べて、私はただの牧人、取るに足らない耕作者であり、無に等しい〔と感じる〕。確かに、仕事同士を比べるなら、私の作ったチーズや豆は『イリアス』と比ぶべくもない。だが、ホメロスが比類なき詩の賃金として私のもつものすべてをとろうとし、私を奴隷にしようとするなら、私は朗唱がもたらす快楽をあきらめ、丁重にお断りする。私は『イリアス』なしで済ますことができるし、必要とあれば〔時代を下った古代ローマの叙事詩〕『アエネイス』を待つこともできる。他方、ホメロスは一日とて私の生産物なしで済ますことはできない。だから、ホメロスには私が提供するわずかばかりのものを受け取ってもらおう。その次に彼の詩が私を教化し、勇気づけ、慰めればよい。

なんだと！　人間と神々を歌い上げた人の境遇がそんなものになるのか！　とあなたは言うだろう。屈辱と苦しみをともなった施し！　なんと野蛮な寛大さ！……――どうか叫ばないでほしい。所有は詩人を〔富豪の代名詞的存在である古代リュディア王〕クロイソスにも乞食にもする。平等だけが、詩人を尊び、賞賛することを可能にするのだ。何が問題か。それは朗唱する人の権利と聴く人の義務を規則に従ったものにすることである。さて、この点に注意しよう。いまの問題を解決するのにきわめて重要なのだ。一方の売り手、他方の買い手、両者ともに自由である。であるなら、それ以降、彼らが互いに何かを主張しても意味はない。また、正当なものであれ、誇張されたものであれ、両者がもちうる意見、一方においては詩についての、他方においては施しについての意見は、契約条件に影響を及ぼしえない。仲裁の理由は、もはや才能ではなく、生産物についての考慮のうちに求めなければならないのだ。

それゆえ、アキレウスを歌う詩人〔ホメロス〕が支払われるべき報酬を手に入れるためには、自身が受け入れられることから始めなければならない。それを前提にすれば、彼の詩となんらかの報酬との交換は自由な行為だということになるから、それは同時に公正な行為となるに違いない。つまり、詩人の報酬は、その生産物と等しくなるに違いない。ところで、そうした生産物の価値とは何か。

まず私は、公平な報酬を与えることが問題になっているこの『イリアス』という傑作が確かに無限の価値を有しており、さらなる傑作など求められないということを前提とする。それを手に入れる自由をもつ公衆が買うことを拒むなら、この詩は交換されえないが、内在的価値が少しも減じないことは明らかである。だが、その交換価値あるいは生産的効用はゼロに帰す。無である。それゆえ、あらゆる権利とあらゆる自由が等しく尊重されるのを望むのだから、われわれが認めるべき賃金の割合部分は、一方の無限と他方の無のあいだで両者から等距離のところに求めなければならない。言い換えれば、定めるべきは売られる物の内在的価値ではなく、相対的価値である。問いは単純になってくる。いまや相対的価値とは何かが問題である。『イリアス』のような詩は、その作者がどんな待遇を受けてしかるべきだとするのか。

この問題は、定義に引き続いて政治経済学がまず解決するべきものだった。だが、政治経済学は、それを解決しなかったばかりか、解決不能だと宣言した。経済学者によれば、物の相対的価値あるいは交換価値は絶対的な仕方で確定されることはありえない。それは本質的に変化するものである。

セイは述べる。「物の価値は実定的な量であるが、そうであるのは一定の時間においてでしかない。絶えず変化し、移動するのが物の本性である。それは刻々と変化していく必要と生産手段に基礎を置くため、何によっても不変のものとして固定することはできない。こうした可変性は経済事象を複雑にするうえ、しばしばその観察と解決をきわめて困難にする。私はそれに治癒をもたらすことはできない。物の本性を変えることは、われわれの能力を超えることだからだ」。

他の箇所でも、セイは価値は効用に基盤をもち、効用はわれわれの必要、気まぐれ、流行、等々に完全に依存するので、価値は意見と同じく可変的である、と繰り返し述べている。しかるに、政治経済学はもろもろの価値、価値の生産、配分、交換、消費の科学なのだから、交換価値が絶対的な仕方で確定されえないとすれば、どのようにして政治経済学は可能なのか。どのようにして科学たりうるのか。どのようにして二人の経済学者が笑ってしまうことなく互いを見つめ合えるのか。どんな厚顔をもって形而上学者や心理学者をけなせるのか。なんだと！　このデカルト狂は、哲学がその上に科学という建物を据えるための揺るぎない基礎、《揺るぎないあるもの》を必要とすると思い込み、愚直にもそれを求めたのだ。また、経済学の〔神々の伝令使〕ヘルメス、〔ヘルメスと同一視されるエジプトの神〕トリスメギストスであるセイは、一巻の半分を「政治経済学は科学である」という厳粛なる文言の敷衍に割きながら、次いでその科学が自らの対象を確定できない、つまりは原理も基礎も有さないと言うに等しいことを、大胆にも断言してしまったのだ！　したがって、高名なるセイは、科学とは何かを知らなかったのだ。いや、むしろ自分が口をはさんでいる事柄が何かを知らなかったのだ。

セイの事例には収穫がある。政治経済学が到達点において存在論に類似する、ということだ。結果と原因について長々と述べながら、政治経済学は何も知らず、何も説明せず、何も結論づけないからである。経済法則の名のもとに覆い隠されているものは結局いくつかの陳腐な一般論にすぎないが、気取った文体と専門用語を身にまとわせることで深遠な雰囲気を与えられると彼らは考えたのだ。経済学者が社会問題について試みた解決に関しては、彼らの愚論がときに間抜けの域を脱するにせよ、ふたたび馬鹿げたものに堕するような代物だったとしか言いようがない。二五年にわたって、政治経済学は濃い霧のようにフランスにのしかかり、精神の飛躍を止め、自由を締めつけている。

産業のあらゆる創作物は、商品価値、絶対的で不変の価値、したがって正当で真実の価値をもつだろうか。——然り。

人間のあらゆる生産物は、人間の生産物と交換することができるのか。——これもまた然り。

木靴一足に値するのは釘何本か。*8

われわれがこの恐るべき問題を解決できたなら、人類が六〇〇〇年にわたって求めてきた社会体制を開く鍵を手にすることになるだろう。この問題を前にして、経済学者は当惑し、後ずさりするが、読み書きできない農民はよどみなく答えるのだ。「同じ時間、同じ費用で作ることのできる釘の本数である」と。

それゆえ、物の絶対的価値とは、それにかかる時間と費用である。ならば、砂から拾い集められるだけでよいダイヤモンドには、どれだけの価値があるか。――何の価値もない。それは人間の生産物ではないのだ。――それがカットされ、はめ込まれるとき、どれだけの価値になるか。――労働者がかける時間と費用の分だ。――ならば、なぜこんなにも高価で売られるのか。――人間が自由ではないからだ。社会は、最も稀少な物についても、最もありふれた物と同じく、各人がそれに与《あずか》り、享受できるような仕方で交換と配分を規則に従ったものにしなければならない。――ならば、意見価値とは何か。――虚偽、不正、そして盗みである。

これに従えば、容易に誰もが同じ意見をもつようになる。無限の価値と無価値のあいだにわれわれが求めている中間項が、各生産物について、その生産物にかかる時間と費用の総量によって表現されるなら、作者が詩作に三〇年、旅費、書籍費、等々に一万フランを費やした詩には、労働者の通常の給与三〇年分に手当の一万フランを足した額が支払われなければならない。全部含めて五万フランだと仮定しよう。この傑作を得た社会の人口が一〇〇万人だとしたら、私一人が負うのは五サンチームである。

このことは、いくつかの注釈を導く。

(1)同じ生産物でも、時や場所が異なれば、それにかかる時間や費用に多寡が生じることもある。この点で、価値が可変的な量だというのは正しい。だが、この変動は、経済学者たちが言うような変動ではない。彼らは、価値の変動の原因において、〔一方の〕生産手段と〔他方の〕嗜好、気まぐれ、流行、意見とを混同している。要するに、物の真の価値は、貨幣的表現において変化しうるにしても、代数学的表現においては不変なのである。

(2)需要のある生産物はすべて、それより多くも少なくもなく、それにかかった時間と費用によって支払われるべきである。すると、需要のない生産物は、すべて生産者にとっての損失であり、商業的に無価値である。

(3)評価原理が知られていないこと、そして多くの状況においてその原理の適用が困難であることが、商業上の不正行為の源泉であり、財産の不平等の最有力の原因の一つである。

(4)特定の産業、特定の生産物に支払うためには、才能が稀少なほど、生産物に費用がかかるほど、芸術や科学の種類が増えるほど、それだけ人数の多い社会が必要となる。例えば、五〇人の労働者から成る社会が小学校の教師を抱えることができるとしたら、一〇〇人で靴屋、一五〇人で蹄鉄工、二〇〇人で仕立屋を養える、といったぐあいである。耕作者の数が一〇〇〇人、一万人、一〇万人と増えていくなら、数が増大するにつれて、必要最小限の職能人の数も同じ割合で増えていく。したがって、最高度の職能は、最有力の社会でしか可能ではない(4)。能力の区別は、このことにのみ存する。天才の特質、その名誉のしるしは、巨大な民族の中でのみ生まれ、発展することができる。だが、天才のこの生理学的条件は、彼の社会的権利に何も加えはしない。それどころか、天才が遅れて出現することは、経済的・市民的秩序において、最高度の知性が財の平等に従属することを証明している。財の平等は天才に先立つものであり、その戴冠を準備するのだ。

（4）一人の哲学教授に賃金を支払うためには何人の市民が必要か。三五〇〇万人である。一人の経済学者ならどうか。二〇億人である。では、学者でも芸術家でも哲学者でも経済学者でもなく、学芸欄に小説を書くような文筆家ならどうか。一人も必要ではない。

このことは、われわれの自尊心には耐えがたいことだが、峻厳なる事実である。また、ここで心理学が社会経済学を支援しに来て、われわれに次のことを理解させる。物質的報酬と才能のあいだに共通の基準は存在しないこと、この点ですべての生産者の条件は等しいこと、したがって生産者間のあらゆる比較、財産についてのあらゆる区別は不可能なこと、である。

確かに、人間の手による所産はすべて、それを形成する原料と比べて計り知れないほどの価値がある。その点、木靴一足と胡桃の幹一本との距離は、〔古代ギリシアの建築家・彫刻家〕スコパスの彫像と大理石の塊との距離と同じだけ大きい。最も単純な職人の天賦の才も利用する物質にまさることにおいて、ニュートンのような人の精神が距離、質量、回転の計算対象である不活性の球体にまさることと同等である。あなたは才能や天才が名誉や財産と比例することを求めるだろう。*9 私のきこりとしての才能を評価せよ。そうしたら、私はあなたのホメロス的才能を評価しよう。何かによって知性に支払いうるとしたら、やはり知性によってなのだ。さまざまな領域の生産者が互いに賞賛し、賛辞を贈り合っているときには、こうしたことが起きている。だが、相互の必要を満たすことを目的とした生産物の交換はどうだろうか。そうした交換は経済の理屈においてしか実行されえない。経済の理屈は才能や天才を考慮に入れないものであり、その法則は曖昧で平凡な賞賛からではなく、借方と貸方のあいだの公正な帳簿計算《バランス》、つまり商業上の算術から導き出されるのである。

さて、売り買いする自由だけが賃金の平等の根拠であるとか、社会が才能の優位性に対抗するには権利とは何の共通性もない一種の惰性的力だけを頼りにするとか、そうした思い込みを防ぐために、なぜ同じ報酬がすべての能力に支払われるのか、なぜ賃金の違いが不正なのかを説明しよう。才能に内属する責務が社会水準に従属することを明らかにしよう。そして、天才の優位性そのものに財産の平等の基礎を置こう。つい先ほど、あらゆる能力のあいだで賃金が平等であるべき消極的理由を述べたが、今度はその直接的で積極的な理由を述べることにしよう。

まず、経済学者の言葉を聴こう。経済学者がどのように推論し、公正たりえているのかを見るのは、いつも楽しいことである。それに、経済学者がいなければ、彼らの愉快な間違いや夢のごとき議論がなければ、われわれは何も知ることはできないだろう。平等は、経済学者にとっていかに憎むべきものだとしても、すべてを政治経済学に負っているのだ。

「医者（原文には「弁護士」と記されているが、あまりよい例ではない）の家族が、その医者の教育に四万フランを費やしたとき、その金額は利子を受ける条件で彼の頭に対して投資されたものとみなしうる。そのとき以降、医者の頭は毎年四〇〇〇フランの収益を生むはずのものと考えることができる。それゆえ、医者が三万フラン稼ぐなら、自然が与えた彼の個人的才能の所得は二万六〇〇〇フランだということになる。このように捉え、自然の元手を一〇分の一の利率で評価するなら、それは二六万フランにのぼる。なお、教育費として両親が彼に投じた資本は四万フランだった。これら二つの元手が結合して、彼の財産を構成するのだ」（セイ『実践経済学全講義』）。

セイは医者の財産を二つの部分に分ける。一方は彼の教育のために投じられた資本から構成され、他方は彼の個人的才能を表す。この分け方は正しい。事物の本性に適合している。普遍的に認められてもいる。そして、能力の不平等についての重要な論法の大前提として役立ちもする。私はこの大前提を留保なしで認める。その帰結を見よう。

(1)セイは、教育にかかった四万フランを医者の貸方に書き込む。だが、その四万フランは借方に書き込まれなければならない。なぜなら、その出費は彼のためになされたとしても、彼によってなされたのではないからである。それゆえ、医者はその四万フランをわがものにできるはずもなく、彼の生産物からその分を控除し、債権者に返済しなければならない。そもそも、セイが「返済」と言うべきところを「所得」と言っていることに注意しよう。資本に生産力があるという誤った原理に従って推論しているのだ。こうして、才能の教化のためになされた出費は、まさにその才能が負う負債である。彼は現存するということだけで、いまの彼を作るのにかかったのと等しい額の債務者なのだ。このことはあまりに正しく複雑さのかけらもないので、ある家族で一人の子供の教育費に兄弟の二倍、三倍がかかったとしたら、兄弟のほうは遺産分割に先立って共同遺産からそれに比例した分を取り戻す権利をもつ。〔また〕財産が未成年者の名で管理されるとき、後見におけるいざこざはいっさい認められないことにもなる。

(2)才能が負う責務である教育費の返済に関して私がいま述べたことに、この経済学者は少しも当惑しない。才能ある人は家族を継承することで彼にのしかかる四万フランの債権をも受け継ぐのであり、したがってその債権の所有者になる〔と考えるだろうから〕。われわれは才能の権利から飛び立って先占の権利に着地するのであり、そうしてわれわれが第二章で提示した問いすべてがふたたび姿を現すことになる。すなわち、先占の権利とは何か。遺産とは何か。相続権とは併合の権利か、それとも単なる選択の権利か。医者の父は誰から財産を手に入れたのか。彼は所有者だったのか、それともただの用益権者だったのか。彼が富んでいたとしたら、その富について誰か解説してほしい。貧しかったとしたら、どのようにしてかなりの出費をまかなえたのか。彼が援助を受けたとしたら、それによってどうして援助された側が援助してくれた側より優位になるような特権が生み出されたのか、等々である。

(3)「自然が与えた彼の個人的才能の所得は二万六〇〇〇フランだということになる」（セイ、前掲書）。このことから、セイは問題にしている医者の才能が二万六〇〇〇フランの資本に等しいと結論づける。この抜け目ない計算家は、帰結を原理とみなすのである。利得によって才能を評価すべきではない。反対に、才能によって報酬が評価されるべきなのだ。なぜなら、彼のすべての価値《メリット》をもってしても、問題にしている医者が何も稼げない、ということがありうるからだ。そのことから、この医者の才能や財産はゼロであると結論すべきだということになるだろうか。だが、このようなことこそ、セイの推論の帰結なのだ。明らかに馬鹿げた帰結であろう。

ところで、何であれ才能を現金で評価するのは不可能なことだ。才能と金は通約不可能な量だからである。どんな説得的な理路で、医者が農民の二倍、三倍、一〇〇倍を稼ぐべきだということを立証できるだろうか。これは錯綜した難問であり、強欲、必然、抑圧によってしか解決されてこなかった難問である。才能の権利は、そのようにして測定されるべきではない。〔だが、どのようにしてそれを測定するべきだろうか。[*10]〕

(4)はじめに、医者が他の生産者と比べて不利な仕方で遇されるべきではなく、平等より下にとどまることもできない、と述べておこう。それを証明することもやめはしない。だが、医者がその平等より上に行くことはなおありえない、と付け加えたい。医者の才能は集合的所有物であるが、彼はそれになんら支払っておらず、ずっとその債務者であり続けるからである。

あらゆる生産手段の創作物が集合の力の結果であるのと同様、ある人間の才能や学識もまた普遍的知性と一般的知識の生産物である。そうした知識は、多くの学問上の大家が多くの上等でない産業の助けを借りて徐々に蓄積してきたものなのだ。医者は、教授、書籍、免許に支払い、その費用の未払金をすべて清算したときも、自らの才能に支払っていない。これは、資本家が労働者に賃金を支払っても、地所と邸宅には支払っていないのと同様である。才能ある人は自分の中に有用な道具を作ることに貢献した。それゆえ、彼はその道具の共同占有者になる。所有者になるのではない。彼の中には、まったく同時に、自由な労働者と蓄積された社会的資本が存在する。彼は、労働者としては、道具の使用や機械の管理、すなわち自身の能力の使用・管理を任じられる。資本としては、自由にふるまうことはできず、自分のためではなく、他の人々のために自らを活用するのだ。

人は考えるだろう。才能ある人が優秀さを逃げ口上にしてそれに要する出費への非難をかわそうとしないなら、才能はふつうの境遇以上に賃金を上げる理由にならず、むしろ下げる理由になってしまう、と。あらゆる生産者は教育を受けており、あらゆる労働者は一つの才能、能力、つまり集合的所有物である。だが、その創造にかかる費用は同じではない。耕作者や職人を育成するには、ほんのわずかの教師、年数、伝統の記憶しか必要ではない。生み出す努力、あえて用いる言葉づかいをするなら社会的な妊娠期間は、能力の崇高さに比例する。だが、医者、詩人、芸術家、学者がわずかのものを時間をかけて作り出すのに対して、耕作者の生産はずっと不確実性が低く、多くの年数も要さない。それゆえ、どのような能力であれ、それが生み出されるや人は自由にふるまえなくなる。器用な手で加工される材料と同じように人は生成する能力をもつが、〔能力をもつ者としての〕彼を存在させたのは社会なのだ。壺は陶工に言うだろうか。「私は私であって、君には何も負っていない」と。

芸術家、学者、詩人は、科学や芸術にひたすら専念するのを社会が許しているということ、それだけによって公正な報酬を受け取っている。したがって、実際のところ、彼らは自分のためにではなく、彼らを生み出し、他のあらゆる些事を免除する社会のために労働するのだ。社会は、いざとなれば散文、韻文、音楽、絵画、〔モリエールの喜劇『女学者』の一場面で知らなくてもよいことの例として挙げられる〕「月の運行や北極星」の知識なしでも済ませられるが、食住を欠いては一日たりとも過ごせない。

確かに、人間はパンのみにて生きるのではない。福音書によれば「神の言葉によって生きる」べきでもある〔新約聖書『マタイによる福音書』四・四〕。つまり、善を愛し、実践し、美を知り、賞賛し、自然の驚異を考究するのでなければならない。だが、魂を培《つちか》うためには、まず肉体を維持することから始めなければならない。魂を培う義務が高貴さにおいてまさるのと同じように、肉体を維持する義務は必然性においてまさるのだ。人々を魅了し、教化するのが誉れ高いことだとすれば、糧《かて》を与えるのもまた名誉あることである。こうして社会が分業の原理に忠実に、芸術や学問についての使命を成員の一人に託して一般の労働を免除するとき、社会は彼に対して、産業上の生産をさせないこと全体について補償の責を負うが、しかしそれしか負わないのである。彼がそれ以上を要求するなら、社会は彼の働きを拒絶して、その要求を無化するだろう。このとき、天賦の才をもつ人は、生きるために、自然がそうするよう運命づけたのではない仕事に専念することを余儀なくされ、自らの無力を感じ、最悪の暮らしに沈み込むことだろう。

ある有名なオペラ歌手がロシア皇帝エカチェリーナ二世に二万ルーブルを要求した、という話がある。──それは私が陸軍元帥に与えているより高額だ、とエカチェリーナは言った。──女王陛下、陸軍元帥たちに少し歌わせてみてください、と歌手は返答したという。

エカチェリーナ二世よりも強力なフランス国家が〔当時の有名な悲劇女優〕ラシェル嬢に「一〇〇ルイ〔＝二〇〇〇フラン〕で演じるか、綿を紡《つむ》ぐかのいずれかだ」と言い、〔当時の有名な歌手・作曲家〕デュプレに「二四〇〇フランで歌うか、ぶどう畑へ行くかのいずれかだ」と言うとしよう。悲劇役者ラシェルと歌手デュプレは舞台を捨てると人は思うだろうか。そんなことをすれば、彼らはすぐに後悔するだろう。

ラシェルはコメディ・フランセーズから年間六万フランを受け取っていると言われる。彼女のような才能にとって、これは少ない報酬である。なぜ一〇万フラン、二〇万フランではないのか。なぜ王室費並みでないのか。なんというさもしさ！　ラシェル嬢のような芸術家を値切るのか。

次のような返答がなされる。経営としては、それ以上与えると赤字に転落してしまうのだ。この若き正座員の秀でた才能は認める。だが、その給与を支払うにあたっては、団体の収入および支出の明細書も考慮しなければならなかったのだ、と。

それはまったくそのとおりだが、これらすべては私が述べたことを裏づける。すなわち、芸術家の才能は無限でありうるが、報酬についての要求は必然的に制限される、ということだ。一方で、芸術家が自らに賃金を支払う社会に対して生み出す効用によって。他方で、その社会の財力によってである。言い換えれば、売り手の要求は買い手の権利と釣り合うのだ。

ラシェルはテアトル・フランセに六万フラン以上の収入をもたらしていると言われる。私もそれに同意する。だが、それならば、私は劇場を非難する。テアトル・フランセは、誰からその税金を徴収しているのか。――完全に自由な見物人たちからである。――そのとおり。だが、見物人たちは喜劇に支払う分すべてを労働者、借家人、小作人、利子や抵当で金を借りる人から取り戻す。その彼らは自由だろうか。また、彼らの生産物の最良の部分が彼らのいないところで興行に消費されるとき、彼らの家族はなんら事欠かないとあなたは断言できるのか。フランスの人民が、すべての芸術家、学者、公務員の待遇について意見が一致するまで熟議することを経て、その意志をはっきりと表明し、また事情をよく心得たうえで判断するに至るまでは、ラシェル嬢をはじめとする役者たちの給与は暴力によってむしり取られた強制的分担金であろう。それは〔見物人の〕自尊心に報い、放蕩を続けられるようにするためのものなのだ。

われわれは、自由でもなければ十分に啓蒙されてもいないからこそ、いんちきの被害を受ける。また、権力の威光や才能のエゴイズムが有閑ゆえの好奇心から振り出す手形の負債を労働者が返済することにもなる。そして、われわれは世論によって支持され、賞賛されている醜い不平等から絶えず恥辱を受けることになるのだ。

誰の手によって渡されるにせよ、国民全体が、そして国民だけが、著述家、学者、芸術家、公務員に給与を支払う。どのような割合で支払われるべきか。平等な割合で、だ。私は才能の評定についての議論でそのことを証明した。次の章では、いかなる社会的不平等も不可能だという議論によって、そのことを確証するだろう。

われわれは以上の議論すべてによって何を明らかにしただろうか。あまりに単純すぎて実に馬鹿げたことを、である。

旅行者が通行する街道をわがものにしないのと同じく、耕作者は種を蒔く畑をわがものにしないということ。

にもかかわらず、労働者が勤勉に働いたという事実によって利用する材料をわがものにできるなら、あらゆる利用者が同じ資格でその所有者になるということ。

あらゆる資本は、物質的なものにせよ、知的なものにせよ、集合的所産であり、したがって集合的所有物になること。

強者は侵略によって弱者の労働を妨げる権利をもたないし、熟達した人はふつうの人の善意を裏切る権利をもたないこと。

最後に、欲しくもないものを買うことを誰も強いられえないし、ましてや買わなかったものに支払うことなど強いられえないこと。したがって、生産物の交換価値は、売り手や買い手の意見ではなく、それに費やされた時間と費用の総量を尺度とするため、各人の所有はつねに平等であること〔以上である〕。

こんなことは実につまらない真実ではないか、だって！　読者よ、これらがつまらないものに見えるとしたら、これから見ることになるのは、もっと平凡でつまらないものだろう。

なぜなら、われわれは幾何学者とは逆向きに歩むからである。彼らにとっては、進めば進むほど、問題はより難しくなる。反対に、われわれは最も難解な命題から始め、公理で終えるのだ。

だが、本章を終えるにあたって、法律家も経済学者もいままで発見しなかったものとして、もう一つの法外な真実を説明しておく必要がある。

第八節　正義の秩序において労働は所有を消滅させること

この命題は、先立つ二つの節の帰結である。まず、その要約をしよう。

孤立した人間は、自分にとって必要なものをごく部分的にしか供することができない。人間の力能はすべて社会のうちに、普遍的努力の知的結合のうちにある。分業と労働の同時性とによって、生産物の量と多様性とが増大する。職能の専門性は消費可能な物の質を向上させる。

それゆえ、誰一人として、幾千もの異なる産業の生産物によらずして生きる者はいない。労働者の誰一人として、社会全体から消費物を、そして消費物とともに〔それに内属する〕再生産手段を受け取らない者はいない。実際、「私は自分が消費するものを一人で生産した、誰も私には必要でない」とあえて言う者がいるだろうか。かつての経済学者〔フィジオクラット〕が唯一、真の生産者とみなしたのは耕作者だった。その耕作者は、石工、木工職人、仕立屋、粉屋、パン屋、肉屋、乾物屋、鍛冶屋、等々の助けによって、住み、家具を備え、衣服を着て、食している。一人で生産していると自惚《うぬぼ》れることができようか。消費は全員によって各人に与えられている。同じ理屈で、各人の生産は全員による生産を前提としている。ある生産物は、必ず別の生産物をともなう。孤立した産業なるものは不可能である。耕作者のために他の人たちが納屋、車、犂《すき》、衣服、等々を製造するのでなければ、彼の収穫はどうなるだろうか。出版社がなければ、学者はどうなるだろうか。活字工や組立工がいなければ、印刷工はどうなるだろうか。そして、活字工や組立工も、他の多くの産業がなければどうなるだろうか……。月並みな話だと非難されないように、あまりにたやすく伸ばしていけるこうした列挙はこのへんにしておこう。あらゆる産業は、相互関係によってただ一つの束へと結集する。あらゆる生産は、互いに目的となり手段となって用いられる。才能の多様性はすべて、劣ったものから優れたものへの一連の変形にほかならない。

しかるに、各種生産物への一般的関与という明白で異論なき事実は、その結果として、すべての個別的生産を共同のものにする。したがって、生産者の手から生まれる各生産物には、あらかじめ社会による抵当の印が刻まれている。生産者自身は、その生産物に対して、社会を構成する個人の数を分母、一を分子とする分数の分しか権利をもたない。その代わり、生産者は確かに自分の生産物以外のすべての生産物に対する権利をもつのだ。それゆえ、彼が全員への抵当訴権を得るのと同様、全員に彼への抵当訴権が与えられる。だが、こうした抵当の相互性は、所有を認めるどころか、占有までをも消滅させる、ということが理解されないだろうか。労働者は生産物の占有者ですらない。生産を成し遂げるや、社会が権利要求するのである。

だが、次のように言う人がいるだろう。そのとおりだとして、たとえ生産物が生産者に属するのではないにしても、社会は各労働者に対してその生産物と同等の分を与えるのだから、その同等分、その賃金、その報酬、その給与が所有物になるのだ。あなたは、そうした所有が正当だということまで否定するのか。そして、労働者が賃金をすべては使わずに節約する場合、誰があえてそこで彼と争うだろうか、と。

労働者は、その労働の代価の所有者ですらなく、それに対する絶対的処分権も有さない。偽りの正義に目を眩《くら》ませられないようにしよう。生産物とひきかえに労働者に認められるものは、なされた労働の報酬としてではなく、これからなすべき労働の必需品および前払いとして与えられるものなのだ。われわれは生産するのに先立って消費する。労働者は一日の終わりに言うことができる。「私は昨日の出費分を支払った。明日は今日の出費分を支払うだろう」と。人生の各瞬間において、社会の成員は当座勘定を前借りしており、返済し終えることができずに死ぬ。どうして貯金などできようか。

節約が語られる。所有者の言葉づかいだ。平等の体制において、将来の再生産や享受を目的としない貯蓄は、すべて不可能である。なぜか。平等の体制における貯蓄は資本化されえないため、もはや目的なきものとなり、貯蓄は目的因をもたないということになるからだ。このことは、次章を読めば、いっそうよく理解されるだろう。

本章の結論は、以下のとおりである。

労働者は、社会に対する債務者であり、必然的に弁済不能のまま死ぬ存在である。他方、所有者は、不誠実な保管者であり、保管を任された預金の存在を否認しつつ、保管の仕事に対して何日も、何ヵ月も、何年も支払われるよう欲する存在である。

ここまで説明してきた諸原理はまだ形而上学的すぎると思う読者もいるかもしれないので、より具体的な形で、どれほど詰め込みすぎになった頭でも理解可能な仕方で、そしてたくさんの非常に興味深い帰結を生み出すような仕方で、これから諸原理の説明を繰り返すつもりである。

ここまで所有を排除の権能として考えてきたが、今度はそれを侵略の権能として考察しよう。

訳注

＊1　ジャン＝バティスト・セイ（Jean-Baptiste Say）（一七六七―一八三二年）の『実践経済学全講義（*Cours complet d'économie politique pratique*）』（一八二八―二九年）のことである［C］。

＊2　グロティウスは、より一般的に捕獲法を扱った草稿の抜粋として一六〇九年に出版した『自由海論（*Mare liberum*）』において、東インドとの貿易に参入しようとするオランダの法を根拠にポルトガル船の拿捕を正当化した［以上、C］。なお、プルードンが挙げている書名（*De mari libero*）は、一六三三年にパウルス・メールラ（グロティウスの少し前の時代のオランダの法学者）の海洋論を併録して出版された際の書名である。

＊3　フランソワ＝イニャス・デュノー・ド・シャルナージュ（François-Ignas Dunod de Charnage）（一六七八―一七五二年）は、法学者であり、ここでプルードンが引用する『時効論（*Traité des prescriptions*）』（一七四四年）の著者である［C］。

＊4　エジプト総督から贈与されたオベリスクは、一八三六年一〇月二五日、〔パリの〕コンコルド広場に建造された。その場所が革命期にもった重大な記憶〔数多くのギロチン処刑の記憶〕を消去するという明確な目的のもとに、である［C］。

＊5　原語は se divise（分割された）であるが、リヴィエール版全集に従って se divinise として訳した。

＊6　「意見価値」の原語は valeur d'opinion で、人々の意見に依拠した価値のことである。後年の『経済的諸矛盾の体系、あるいは貧困の哲学』（一八四六年）において、「確かに価値は二つの様相を呈する。一つは経済学者たちが使用価値と呼ぶもの、それ自体における価値であり、他方は交換価値、意見価値である」（リヴィエール版、第一巻九〇頁）と述べられる。本書の少しあとの箇所（一七六頁以降）で、交換価値は相対的価値であるけれども絶対的な仕方で確定できるものであり、意見の相対性に立脚するものではないと明言される。

＊7　以下、交換の等価性をめぐる古典的議論を踏まえて論が展開される。

＊8　アリストテレス『ニコマコス倫理学』第五巻で提示された、いわゆる交換的正義に関する古典的問題である。

＊9　『ニコマコス倫理学』第五巻で述べられる配分的正義（価値に比例した名誉・財貨の配分）の議論。本書で頻繁に用いられる mérite（価値）の語は、ギリシア語の axia の一般的訳語である。「功績」と訳すべき場合もあるが、それに限られず、さまざまな観点からの人間の値打ち一般を指す。

＊10　これは、のちの版で加えられる一文である。

第四章　所有は不可能であること

所有者たちの最後の理屈、無敵の力で彼らを安心させる電撃のような論拠は、彼らに言わせれば、条件の平等は不可能だというものである。彼らは有能そうに「条件の平等など幻想だ。今日均等に財を分配しても、明日その平等は消える」と叫ぶ。

こうした月並みな反論は信じがたいほどの確信をもって至る所で繰り返されているが、それに彼らは〔賛美歌〕「栄光は父に」の形式で決まって次のような注釈を付け加える。「すべての人間が平等なら、誰も働こうとは思わないだろう」と。

この先唱句は、いくつかの旋律で歌われる。

「誰もが主人なら、誰も従おうとは思わないだろう」。

「豊かな人がいなければ、貧しい人を働かせるのは誰なのか……」。

そして、貧しい人がいなければ、豊かな人のために働くのは誰なのか……。だが、非難はやめよう。よりよい答えをもっているのだから。

所有そのものこそが不可能であること、所有こそが矛盾、幻想、空想であることを私が証明するなら、それも形而上学や法学の考察によってではなく、数理によって、方程式と計算によって証明するなら、仰天した所有者はたちまちのうちにどれほど恐れることになるだろうか。そして、読者よ、あなたはどんな反論を思いつくだろうか。

数が世界を支配する。《万物は数である》〔ピュタゴラス〕。この格言は、星や分子の世界だけでなく、道徳や政治の世界でも真である。法の諸要素は代数の諸要素と同じなのだ。立法および統治とは、分類をおこなう技法、もろもろの力能を均衡させる技法にほかならない。法律学全体は算術の規則のうちにある。本章と次章は、この驚くべき学説の基礎を築くことに用いられる。そのとき、読者の目前に巨大な新しい道が突如、姿を現すだろう。そのとき、われわれは数比のうちに哲学と諸科学の綜合的統一を見出し始めるだろう。自然のこうした深遠で荘厳な単純さを前にして賞賛と熱狂に満ちたわれわれは、使徒とともに「まことに神は数と重さと量をもって万物を創られた」と叫ぶだろう。われわれは、条件の平等がただ可能であるのみならず、それだけが可能であることを理解するだろう。平等が一見して不可能だという批判は、所有〔に基づく体制〕なり、共同体〔＝共産主義体制〕なり、いずれにせよ人間本性に反する政治形態において、それを構想するがゆえのものだと理解するだろう。最後に、次のことを認識するだろう。日々知らないうちに、それが実現不可能だとわれわれが断言しているときにおいてさえ、その平等が実現していること。探し求めず、欲しさえしなかったのに、われわれが至る所で平等を確立してしまっているようなときが近づいていること。平等とともに、平等において、平等によって、自然と真理に即した政治的秩序が姿を現すに違いないこと、である。

人は情念ゆえの無分別や頑固さについて語り、人間にとって算術の真理を否定することに何か利益があるなら、その確実性を揺るがす手段を見つけ出すだろう、と述べた。そうした奇妙な試みの動機はそこにあるのだ、と。これからは、所有にぴったりの「所有とは盗みである」のような警句によってではなく、計算によって所有を攻撃することにしたい。だから、所有者は私の演算を検証できるよう準備しておくとよい。なぜなら、彼らにとっては不幸なことに、その演算が正しければ、彼らは負けだからである。

私は、所有の不可能性を証明することによって、所有が不正であることの証明も成し遂げる。実際、

もし何かが公正なら、なおのこと有用である。
もしそれが有用なら、なおのこと真実である。
もしそれが真実なら、なおのこと可能である。

したがって、可能なものから生じるすべては、そのこと自体によって、真実、効用、正義から生じてもいる。それゆえ、ある事物の正しさは、その不可能性によってア・プリオリに判定できる。結果、その事物がこのうえなく不可能であるなら、このうえなく不正だということになるだろう。

所有は物理的・数学的に不可能である。

証明

公理――所有とは、所有者が自署を施した事物を自分のものとする他国者遺産没収権（＝資本利得の権利）[*1]である。

この命題は、公理の名にふさわしいものである。理由は以下のとおりだ。

1　これは、いささかも定義ではない。所有権に含まれるものすべてを表現してはいないからだ。すなわち、売る権利、交換する権利、贈与する権利、そして変形させる権利、変質させる権利、消費する権利、破壊する権利、浪費する権利、濫用する権利、等々である。これらの権利はみな所有のさまざまな効果であり、別々に考察することもできるが、ここではただ一つ他国者遺産没収権に専念するため、考察しない。

2　この命題は、普遍的に認められる。事実を否定したり、すぐさま万人の実践に打ち消されたりすることなしに、この命題を否定することは誰にもできない。

3　この命題は、ただちに明白である。この命題が示している事実は、実在的にであれ、オプション的にであれ、つねに所有とともにあるからだ。また、とりわけこの事実によってこそ、所有はその姿を現し、構成され、定位されるからである。

4　結局、この命題の否定は矛盾である。他国者遺産没収権は所有に実在的に内属しており、所有にとってあまりに本質的なので、それが存在しないところでは所有は存在しないも同然である。

注釈。資本利得は、それを生み出す事物に応じて、さまざまな名で呼ばれる。土地に関しては「小作料」、家と家具に関しては「賃貸料」、永代土地貸付に関しては「地代」、金銭に関しては「利子」、交換に関しては「利益」、「利得」、「利潤」（この三つを賃金、言い換えれば労働の正当な代価と混同してはならない）である。

資本利得は、一種の国王特権、触知可能で消費可能な敬意である。それは名目的で形而上学的な先占によって所有者の権限に属する。彼の印が物に貼られる。そのことだけで、誰も彼の許可なしにその物を占めることができないようにするのに十分なのだ。

彼の物を占める許可を所有者が無償で授けることもありうる。だが、通常は売られる。事実において、そうした販売は詐欺的販売であり、公金横領である。だが、所有権という法的虚構によって、他の場合には厳しく罰されるのと同じ販売が所有者にとっては利潤と尊敬の源泉になるのはなぜか、その理由はあまりに知られていなさすぎる。

所有者が自らの権利を給付することに対して求める謝意は、貨幣という記号なり、推定生産物の現物による利益配当なりによって表現される。したがって、他国者遺産没収権によって、所有者は刈り入れるが耕さず、収穫するが培《つちか》わず、消費するが生産せず、享受するがまったく従事しない、ということになる。所有の神々は、詩編作者の偶像とは大いに異なる。それらの偶像は手をもちながら触れはしない〔旧約聖書『詩編』一一三―一一五〕。それに対して、所有の神々は《手をもち、触れるだろう》。

他国者遺産没収権の授与において、すべては神秘的であり、超自然的である。許された者の入会式がかつてそうだったように、所有者の即位式は恐ろしい儀式をともなう。それは第一に、物の聖別である。[1] 誰であれ、所有者が与え、署名する許諾を経て彼の物を利用しようと望むたびに年金的奉納を支払わなければならない、そう知らせる聖別である。

(1) 取得契約または公正証書。

第二に、破門である。[2] それは、先述の場合以外に、所有者が不在であっても物に指一本触れてはならないと禁じるものであり、所有権へのあらゆる侵犯者は不敬で卑劣、罰金刑に値し、一般裁判権のもとに連れられるべきだと宣告するものである。

(2) 刑法典の「所有権に対する犯罪および不法行為」を参照のこと。どんな読者から見ても、われわれがあらゆる種類の盗みを無罪放免しようとしているわけではないことは明らかだろう。われわれはただ、労働者によって占有された物を盗むことと保持者によって利用されずに資本利得をもたらすだけの専有された財産を横領することとを法は区別すべきだ、と言っているのである。

第三に、献納である。[3] これによって、所有者あるいは聖なる被指名者、物の守護神は、聖堂における神のごとく精神的に物に住まう。この献納の効果によって、物の実体は所有者の人格にいわば転換される。所有者の人格はいつも〔パンとぶどう酒がそうであるような〕形色のもとに、言い換えれば当該の物の現れのもとに姿を現すのだ。[4]

（3）　専有。

（4）〔スウェーデン王〕カール一二世の軍靴が閣議において彼を象徴し、大臣たちにしかるべき敬意を課した理由は、ここにある。

法律家たちの教説とは、まさにこのようなものなのだ。トゥーリエは「所有権とは物に内属する道徳的質であり、物を所有者につなぎとめる現実的紐帯であって、それは所有者の行為なしには断ち切れない」と述べる。ロックは恭《うやうや》しくも神が物質を思考するものにできなかったかどうかは分からないとしたが、トゥーリエは所有者が物質を道徳的にすると断言する。所有者が神聖化されるためには何が欠けているのか。もちろん、それは崇拝ではない。所有とは他国者遺産没収権である。つまり、労働せずに生産する権力である。しかるに、労働せずに生産することは、無から何ものかを作ること、要するに創造することである。それは物質を道徳化するよりは難しくないに違いない。それゆえ、法律家たちが所有者に聖書の言葉を適用するのは、もっともなことである。《私は言った、君たちこそ神々で、みないと高き者の子らなのだ、と》。私は言った、「あなたがたは神々で、みないと高き者の子供たちである」と〔旧約聖書『詩編』八二―八六〕。

所有とは他国者遺産没収権である。この公理は、われわれにとって、黙示録の獣の名であり、獣の秘密のすべてが含まれているような名であろう。その名の秘密を見抜く者は、あらゆる預言を理解し、獣に打ち勝つものだと知られている。なんだって！　われわれの公理の深められた解釈によって、所有のスフィンクスを殺《あや》められるのか。この優れて特徴的な事実である他国者遺産没収権から出発して、年老いた蛇の蛇行運動を追うことにしよう。そのぞっとするような条虫の人をも殺める巻きつきを数えよう。その頭は、おびただしい吸盤によって、いつも強敵の攻撃に対して隠されている。その死骸の大量の断片を敵に委ねつつ、である。この怪物に打ち勝つには、勇気とは別のものが必要である。魔法の杖を武器にした無産者が力比べをするまで、この怪物はけっして死なないだろう、と書かれているのだ。

系。1　資本利得の割合部分は、物に比例する。利率がどうであれ、つまりそれが三％、五％、一〇％に上げられようが、二分の一％、四分の一％、一〇分の一％に下げられようが問題ではなく、利率増大の法則は同じままである。その法則とは、次のとおりである。

通貨で評価されるあらゆる資本（土地、家屋、家具、商品）は一〇〇を公差とする等差数列の項と捉えることができ、その資本による所得は利率を公差とする別の等差数列の対応項としてもたらされる。こうして、五〇〇フランの資本は一〇〇を公差とする等差数列の第五項であり、それによる三％の所得は公差を三とする等差数列の第五項として示されるだろう。つまり、このような形だ。

一〇〇	二〇〇	三〇〇	四〇〇	五〇〇
三	六	九	一二	一五

この種の対数の知識こそ、最も奇妙な謎を解く鍵を与え、驚きの連続へと歩を進めさせてくれるものだが、所有者は、対数表を作成して非常に高い級まで計算し、それを携えているのである。

他国者遺産没収権についての対数理論に従えば、所得をともなう所有は「対数が、一〇〇で割って利率を掛けた単位の総数に等しいような数」と定義できる。例えば、一〇万フランと評価され、五％の率で賃貸しされる家屋が五〇〇〇フランの所得をもたらすことは、公式に従って $\frac{100\,000 \times 5}{100} = 5\,000$ となる。逆に、二・五％と評価されて三〇〇〇フランの所得のある土地が一二万フランの価値であることは、別の公式に従って $\frac{3\,000 \times 100}{2.5} = 120\,000$ となる[*2]。一つ目の例において利子の増大を意味する数列の公差は五であり、二つ目の例においては二・五である。

注釈。小作料、地代、利子といった名で知られる資本利得は毎年支払われる。家賃は週あたり、月あたり、年あたりで計算される。利潤、利益は交換のたびに発生する。したがって、資本利得はまったく同時に時間と物に比例する。そのため、高利は癌のように増殖する、《利子は癌のごとく知らぬ間に広がる》と言われるのだ。

2　保持者によって所有者に支払われる資本利得は、保持者にとっては喪失物である。なぜなら、所有者が受け取る資本利得の代わりに許可を与える以上の何かを負うなら、彼の所有権は完全なものではなくなるからだ。彼は《至上の権利》、《完全な権利》をもたなくなる。つまり、真の所有者ではなくなる。それゆえ、資本利得として、また先占する許しの代価として先占者の手から所有者の手に渡るものはすべて、所有者においては不可逆的に獲得され、他方、先占者においては失われて、なきものとされるのである。贈与、施し、仕事に対する賃金、先占者が引き渡す商品の代価としてでなければ、何も戻ってはこない。要するに、資本利得は借り手にとっては消え去るのである。あるいは、ラテン語で力強く言われたように、《物はあとかたもなく消える》のだ。

3　他国者遺産没収権は、他国者に対してと同じく、所有者に対しても効力をもつ。事物の領主は、自らを所有者と占有者に区別するので、所有物の用益権として第三者から受け取れるのと同等の税金を自らにも課す。したがって、資本は借り手や業務担当者だけでなく、資本家の手中でも利子を生み出す。実際、私がアパートの賃貸料五〇〇フランを受け取る代わりに、そこに住んで享受することを選ぶ場合、受け取らなかった家賃の分、自分自身に対する債務者になるのは明らかだ。この原理は、商取引において広く守られており、経済学者たちによって広く公理とみなされている。それゆえ、運転資金の所有者であるという有利さをもつ実業家は、誰に対しても利子を払う義務はないのに、自らの給与、経費、資本の利子を天引きしたあとにしか利益を計算することができない。同じ理由で、金銭の貸し手は自らの手中に可能なかぎり少額だけ保持する。なぜなら、あらゆる資本は必然的に利子を生み出すが、その利子が誰によっても支払われなければ資本から割かれ、その分だけ資本が減じるからである。こうして、他国者遺産没収権によって資本は自らに手をつける。これは、おそらく〔古代ローマの法学者〕パピニアヌスが力強く優雅な定式《利子は資本を食い尽くす》によって表現したことであろう。この問題において私がしばしばラテン語を使うことをお許しいただきたい。かつて最も高利貸し的だった民族へのオマージュなのである。

第一命題

所有は不可能である。なぜなら、それは何もないところに何かを要求するものだからである。

この命題についての検討は、経済学者たちが活発に論議した小作料の起源についての検討と同じことである。経済学者の大半がそれについて書いた内容を読むとき、私は怒りの混じった軽蔑の感情を禁じえない。醜悪と不条理が論争するという愚の集積場のような光景なのだ。それは、結末の残虐さがなければ、月における象の物語のようなものである。盗み、横領、着服でしかないもの、そうでしかありえないものの合理的で正当な起源を探し求めることは、所有者の狂気の極み、また、エゴイズムの背徳が他面では啓蒙された精神を投げ込む先である魅惑の極みに違いない。

セイは述べる。「耕作者は小麦の製造者だが、小麦を製造するにあたって材料を変様させるのに用いるさまざまな道具の一つとして、畑と呼ばれる大きな道具を利用する。彼が畑の所有者ではなく小作人にすぎないとき、畑は所有者に生産的な仕事で支払うための道具である。小作人は買い手に返済してもらい、買い手は別の買い手に返済してもらい、という形で生産物が消費者のもとに達するまで続く。消費者は、最初の前払金に加えて、生産物が自分のもとに達するまでに要したすべての前払金を返済するのである」。

生産物が消費者に届くための事後的な前払金のことは措いて、いまはすべての始まり、小作人が所有者に支払う地代の話に専念しよう。所有者は何を根拠にこの地代を支払わせるのかが問題である。

リカード、〔スコットランドの経済学者ジョン・ラムゼイ・〕マカロック、〔経済学者のジエームズ・〕ミルによれば、厳密な意味での小作料は最も肥沃な土地の生産物と低質な土地の生産物を比べたときの超過分にほかならない。したがって、小作料は人口増加によって低質な土地の耕作に頼らざるをえなくなるとき、初めて肥沃な土地で生じるものとされる。

この考えに何か意味を見出すのは難しい。どのようにして土地の質の違いから土地に対する権利が生じうるのか。どのようにして腐植質の多様性が立法と政治の原理を生み出すのか。こうした形而上学は、私には繊細すぎるか濃密すぎて考えれば考えるほど分からなくなる。——一万の住民に糧《かて》を与えられる土地Aと、九〇〇〇人にしか糧を与えられない土地Bがあり、どちらも同じ広さだとしよう。人口増加によって土地Aの住民が土地Bを耕作せざるをえなくなるとき、土地Aの地主たちは土地Bの小作人たちに一〇対九の割合で計算された地代を支払わせるだろう。リカード、マカロック、ミルが述べたのは、まさにこのことだと私は考える。だが、土地Aが収容できるだけの住民に糧を与えているとしたら、つまり土地Aの住民が、その人数から見て、ちょうど必要なものだけをもっているとしたら、どのようにして彼らは小作料を支払えるのか。

　土地の違いは小作料の原因ではなく契機だと彼らが述べるにとどまっていたら、われわれはこうした単純な観察から貴重な教訓を得ていただろう。小作料の設定は平等への欲望にその原理をもつ、という教訓である。実際、良質の土地を占有する権利がすべての人にとって平等なら、誰も補償なしに悪い土地を耕作するよう強いられることはない。それゆえ、リカード、マカロック、ミルに従えば、小作料とは利潤と労力の補償を目的とした損害賠償だということになっただろう。この実際上の平等の学説は誤ったものであり、そのことは認めなければならないが、それでも、その意図はよいものだった〔と考えることができただろう〕。リカード、マカロック、ミルは、そこから所有を利するどんな帰結を導けただろうか。してみると、彼らの説は彼ら自身に刃向かい、その首を絞めるのである。

　マルサスは、耕作する人々が食べていくのに必要な量を超えて生活の糧を供給する土地の能力に小作料の源泉がある、と考える。私は問いたい。なぜ労働の成果が無為のための便宜となり、生産物に与《あずか》る権利を基礎づけるのか、と。

　さて、マルサス殿は、事実として語るその言明において誤っている。確かに、土地は耕作する人々に必要な量を超えて生活の糧を供給する能力をもつが、それは「耕作者」という語を小作人という意味でのみ理解すれば、である。仕立屋も自分が着る量を超えて服を作るし、家具職人も自分に必要な量を超えて家具を作る。さて、多様な職業は互いを前提として支え合っているのだから、耕作者だけでなく、あらゆる技能集団および職業集団は、医師や教師に至るまでみな「土地の耕作者」であるし、そうだと言わなければならないということになる。マルサスが小作料にあてがう原理は、商取引の原理なのである。しかるに、商取引の基本法は交換される生産物の同等性であるから、この同等性を破壊するものはすべて、法を侵犯する。〔土地の生産能力を過大視する〕評価の誤りを修正すべきなのだ。〔アダム・〕スミスの注釈者〔デヴィッド・〕ブキャナンは、小作料をもっぱら独占の結果だと捉え、労働だけが生産的だと主張した。したがって、彼は独占がなければ生産物の価格は安くなると考え、小作料の根拠を民法にのみ見出した。こうした見解は、民法を所有権の基盤とする見解の当然の帰結である。だが、成文化された理性であるべき民法が、なぜ独占を権威づけるのか。独占は必然的に正義を排除する。しかるに、小作料とは法によって神聖化された独占だと述べることは、不正の原理が正義だと述べることであり、矛盾している。

セイは、ブキャナンに対して、独占者とは「商品にいささかも効用を加えない者」であるから、所有者はまったく独占者ではない、と反論した。

小作人の生産物は、所有者からどれほどの効用を受け取るのか。所有者は耕し、種を蒔き、刈り入れ、草刈りをし、箕《み》であおり、草をむしったのか。小作人とその仲間たちは、これらの作業によってこそ原料の効用を増大させており、そうした原料を自分たちの再生産のために消費するのである。

「地主は土地という彼の用具によって商品の効用を増大させる。その用具は、ある状態において小麦を構成する諸原料を受け取り、別の状態においてそれらを返す。土地の作用は化学的働きだが、その働きの結果、小麦の原料を消滅させながら増殖させるような変様をもたらす。それゆえ、土地は効用の生産者である。そしてまた、土地が所有者の得る利潤や小作料の形で効用の分を支払わせるとき、消費者にはその支払いとひきかえに何も与えられないということではない。所有者は消費者に生産された効用を与えているのだ。労働と同じく土地も生産的なのは、いま述べたような効用を生産しているからである」。

これらすべてのことを、はっきりさせよう。

耕作者のために耕作器具を製造する鍛冶屋、車を作る車大工、車庫を建てる石工、そして大工、籠屋、等々、用意する道具によって農業生産に貢献する者は、誰もが効用の生産者である。彼らは、そのために生産物の一部分に与る権利をもつ。

セイは述べる。「疑いなく土地もまた、その働きに支払われるべき用具であり、それゆえ……」と。

土地が用具であることには同意する。だが、それを作る労働者は誰か。所有者だろうか。所有権に由来する効力によって、土地に注ぎ込まれる道徳的質によって土地に活力と生産能力を伝え渡す所有者だろうか。まさに、ここに所有者の独占がある。用具を作らなかったのに、その働きに対して支払わせるからである。創造主が姿を現し、土地の小作料を自ら要求するとしたら、次のいずれかだ。われわれも一緒に請求するか、自称代理人の所有者が委任状を見せるか、である。

セイは「所有者の仕事が彼にとって容易であること、これに私も同意する」と付け加える。

無邪気な告白である。

「だが、われわれは所有者の仕事なしに済ますことはできない。所有権がなければ、耕作者は別の耕作者と所有者なき畑の耕作をめぐって戦うことになり、畑は荒れ地のままとどまるだろう……」。

こうして所有者の役割は、耕作者たちに無一文になるよう同意させることにある……。おお、理性よ！　おお、正義よ！　おお、経済学者たちの素晴らしい学識よ！　彼らによれば、所有者は、一つの牡蠣をめぐって口論する二人の旅人に呼ばれて牡蠣を開いて食べ、「裁判官はあなたがた二人に一つずつ殻を与える」と言ったペラン＝ダンダンのようなものである〔ラ・フォンテーヌ『寓話』第九巻九「牡蠣と訴訟人」〕。所有権について、これより悪く言うことができるだろうか。

セイは、所有者がいないと土地の占有をめぐって戦い合うという耕作者たちが、なぜ今日同じ占有をめぐって所有者に対して戦うことがないのかを説明できるだろうか。それは、おそらく彼らが所有者を合法的な占有者だと信じているからで、彼らにおいて想像上の権利の尊重が強欲より優位に立つからだろう。私は、第二章で、社会秩序の維持には所有権なき占有で十分であることを証明した。それでは、所有者ありの小作人を認めることより、地主なき占有者を認めることのほうが難しいのだろうか。自分を犠牲にして有閑者の権利なるものを尊重している労働者たちが、生産者や実業家の自然権を侵害することになるのだろうか。なんだって！　入植者が占領するのをやめるや土地への権利を失うなら、それによってさらに貪婪になるだなんて！　資本利得を要求したり他人の労働に分担金を課したりすることができないと、それが争いや裁判の原因になるだなんて！　経済学者たちの論理は奇妙である。だが、まだこれで終わりではないのだ。所有者が土地の合法的な主人であることを認めてみよう。

彼らは「土地は生産の用具である」と述べるが、それは真実だ。だが、名詞を形容詞化して、「土地は生産的な用具である」と言い換えるときには、忌むべき誤りを述べている。〔フランソワ・〕ケネーをはじめとする旧時代の経済学者たち〔フィジオクラット〕によると、あらゆる生産は土地に由来する。反対に、スミス、リカード、ド・トラシは、生産を労働のうちに位置づける。セイおよび後続の大半の経済学者たちは、土地も労働も資本も生産的だと教える。これは政治経済学におけるエクレクティスムだ。真実は、土地も労働も資本も生産的ではない。生産は等しく必要なこれら三要素から生じるが、別々に捉えられると、いずれも等しく非生産的なのだ。

確かに、政治経済学は富または価値の生産、配分、消費について論じる。だが、どのような価値か。人間の勤勉さによって生産された価値、つまり人間の使用に合わせて材料にこうむらせる変形に由来する価値であり、自然の自発的生産に由来する価値ではない。人間の労働は、ただ手による把握に存し、その労がとられるときにしか人間にとっての価値は生産されない。そのときまで、海の塩、泉の水、畑の草、森の木は人間にとって存在しないかのようである。漁師とその網がなければ、海は魚をもたらさない。きこりとその斧がなければ、森は薪《まき》も材木も供給しない。刈る人がいなければ、草原は干し草も二番草ももたらしはしない。自然は開拓と生産のための広大な材料のようなものではある。しかし、自然は自然のためでなければ何も生産しない。経済学的な意味では、自然の生産物は、人間にとって、いまだ生産物ではないのだ。

資本、道具、機械も、やはり非生産的である。鍛冶屋と火なくして金槌や鉄床は鍛造できない。製粉業者と穀粒なくして製粉機は製粉できない、等々である。道具と原料を一緒にせよ。肥沃な土地に犂《すき》と種子を投げ入れよ。鍛冶場を作って火を入れ、仕事場を閉じよ。それでは何も生産されないだろう。こうした観察は、その良識が同業者の尺度を越えていた、ある経済学者によっておこなわれたものである。すなわち、「セイは資本にその本性に含まれない能動的役割を演じさせる。だが、資本はそれ自体では不活性な用具なのである」（J・ドロズ[*3]『政治経済学』）。

最後に、労働と資本が結びつけられても、悪い結合なら、やはりそれらは何も生み出さない。砂漠を耕作し、大河の水をかき混ぜ、印刷用活字をふるいにかけたところで、小麦も魚も本も得られないだろう。あなたの苦労は、クセルクセスの軍隊の多大なる労働と同じく、非生産的だろう。ヘロドトスによれば、大王が建造させた船橋をこなごなに壊したことを罰するため、三〇〇万人の兵士に二四時間にわたってダーダネルス海峡に鞭打ちをさせたのだ。

用具、資本、土地、労働は、別々にされ、抽象的に捉えられるなら、隠喩として生産的であるにすぎない。それゆえ、自分の用具の働き、つまり土地の生産力の代価として資本利得を要求する所有者は、根本的に誤った事実、すなわち資本がそれ自体で何かを生み出すということを前提としている。そして、想像上の生産物に支払わせることで、所有者は文字どおり無によって何ものかを受け取るのである。

反論。だが、鍛冶屋や車大工、つまりあらゆる実業家が自分が提供した用具のために生産物への権利をもつのなら、そして土地が生産の用具であるのなら、なぜ土地という用具は犂や車の製造者に対するのと同じように、真実または偽りの所有者に生産物の一部をもたらしはしないのか。

返答。ここにこそ、謎の結び目、所有権の秘密がある。他国者遺産没収権の未知の効果について何かを理解しようと欲するなら、それをよく解きほぐすことこそ重要である。

耕作者の用具を製造したり修理したりする労働者は、それによって一度代価を受け取る。引き渡しの時点なり、分割払いの時点なりに、である。そして、労働者に一度代価が支払われると、引き渡された道具は、もはや彼には属さない。彼はけっして同じ道具、同じ修理に対して二度の賃金を要求しない。彼が毎年小作人と分かち合うとしたら、彼が小作人のために毎年何かを作るからである。

反対に、所有者は彼の用具をなんら譲渡しない。彼は永遠にそれに支払わせ、永遠にそれを保持する。

実際、所有者が受け取る賃貸料は、用具の維持費や修理費のためではない。それらの費用は賃借りする人に支払い義務があり、所有者は事物の保全の当事者としてしか、それに関係していない。彼がその費用負担を引き受ける場合には、その前払金が返済されるように気をつけるのだ。

こうした賃貸料は、もはや用具の生産物に相当しない。用具それ自体は何も生み出していないからだ。——われわれは、少し前にそのことを確認したし、この帰結によってよりはっきりと理解するだろう。

最後に、そうした賃貸料は、所有者の生産への関与を表しもしない。生産への関与は鍛冶屋や車大工のように自らの用具の全体または部分を譲渡することにおいてしかありえないからである。譲渡するなら、所有者であるのをやめることになり、所有権の観念と矛盾することになる。

それゆえ、所有者と小作人のあいだには価値や仕事の交換はまったくない。したがって、われわれが公理において述べたように、小作料はまぎれもなく資本利得である。所有者の側ではもっぱら詐欺と暴力に基礎を置き、小作人の側ではもっぱら無力と無知に基礎を置く強奪なのである。経済学者たちは「生産物は生産物によってしか買われない」と述べる。この格言は、所有権への有罪判決である。所有者は、自分自身によっても自らの用具によっても生産せず、無とひきかえに生産物を受け取るのだから、寄生者であるか泥棒であるかのどちらかだ。それゆえ、所有権が権利としてしか存在しえないなら、所有は不可能である。

系。 1　所有権を「自らの労働の成果を享受する権利」と定義した一七九三年共和国憲法は、とんでもなく間違っている。それは「所有権とは、好みのままに他人の財産、他人の勤勉や労働の成果を享受し、処分する権利である」と述べるべきだった。

2　土地、家屋、家具、機械、道具、現金、等々の占有者で、その占有物を修理費より高い代価で貸し、修理費を貸し手の負担にして他人と交換する生産物を作り出すような占有者は、誰もが転売詐欺犯である。詐欺と横領について有罪なのだ。要するに、損害賠償ではなく、貸与の代価として受け取られる賃貸料は、すべて所有の行為であり、盗みである。

歴史に関する注釈。戦勝国が敗戦国に課す貢物は、小作料の名にふさわしい。一七八九年の革命が廃した領主権や一〇分の一税、〔死亡した農奴に直系卑属がいなければ領主にその遺産が帰属するという〕マンモルト、賦役、等々は、所有権の多様な形態である。貴族、領主、有禄参事会員、教会禄受領者、等々の名でこうした権利を享受した者たちは、所有者にほかならなかったのだ。今日、所有権を擁護することは、革命を非難することなのである。

第二命題

所有は不可能である。なぜなら、それが認められるところでは、生産にその価値以上の費用がかかるからである。

先の命題は、法の領域に関するものだった。それに対して、この命題は経済の領域に関するものである。この命題は、所有が暴力を起源とし、結果として無価値を生み出すことを証明するのに役立つ。

セイは述べる。「生産とは大いなる交換である。交換が生産的であるためには、あらゆる働きの価値と生産物の価値の釣り合いがとられねばならない。この条件が満たされていなかったなら、交換は不平等であり、生産者は受け取るより多くを与えたことになる」。

しかるに、価値は効用を必然的な基礎とするので、無益な生産物はすべて必然的に無価値であり、交換されえず、したがって生産の働きに対して支払うのに役立ちえない、ということになる。

したがって、生産は消費と等しくなりうるが、それを超えることはけっしてない。なぜなら、効用の生産があるところにしか実在的生産は存在せず、消費の可能性があるところにしか効用は存在しないからである。こうして、過度の豊富さゆえに消費しきれない生産物はすべて、消費されない分については、無益、無価値、交換不能、したがって何であれ支払うのが不適当なものとなる。それは、もはや生産物ではないのだ。消費のほうも、正当であり真の消費であるためには、効用を再生産するものでなくてはならない。消費が非生産的だとしたら、消費されて消滅する生産物は無効にされる価値であり、ただ失われるだけの生産物だということになり、こうした状況は生産物をその価値より下に抑えるからである。人間は消滅させる力をもつが、人間が再生産するものしか消費しない。それゆえ、公正な経済では、生産と消費のあいだに等式が成り立つのである。

これらの点すべてが証明済みだとして、一定の領域内に閉じ込められ、外部との交渉を断たれた一〇〇〇家族から成る部族を想定しよう。その部族は、地球の表面に広がる真に孤立した人類全体をわれわれに連想させるだろう。確かに、数的規模において一部族と人類では違いがあるが、経済的な結果については完全に同じになるだろう。

さて、ひたすら小麦の耕作に専念するその一〇〇〇家族が、毎年現物で生産物の一〇％にあたる所得を部族のうちの一〇〇家族に支払わねばならない、と想定しよう。こうしてみると、他国者遺産没収権は社会的生産に対してなされる天引きに似ていることが理解されるだろう。この天引きは何の役に立つだろうか。

それは部族の備蓄のためではありえない。なぜなら、そうした備蓄と小作料にはいかなる共通性もないからだ。それは働きや生産物に支払うためでもない。なぜなら、所有者たちが他の人たちのように働いたとしても、自分自身のためにしか働いていないからだ。最後に、そうした天引きは金利生活者にとっても無益だろう。彼らは自分の消費に十分な量の小麦を収穫しており、商業も工業もない社会では小麦以外のものを得ることはできないので、この事実によって彼らの所得の有利さは失われるからである。

このような社会では、生産物の一〇分の一は消費されず、一〇分の一の労働には支払われない。つまり、生産にその価値以上の費用がかかる。

いま、小麦の生産者のうち三〇〇人をあらゆる種類の産業に移してみよう。一〇〇人を庭師やぶどう栽培者に、六〇人を靴屋や仕立屋に、五〇人を木工職人や鍛冶屋に、八〇人を各種の専門職に、そして欠けるものがないように、七人を小学校教師、一人を市長、一人を判事、一人を神父としよう。各職業が、それぞれ部族全体のために生産するとしよう。さて、生産全体が一〇〇〇ならば、各労働者の消費は一である。すなわち、小麦、肉、穀類が〇・七。ワインと園芸が〇・一。靴と衣服が〇・〇六。鉄具と家具が〇・〇五。各種生産物が〇・〇八。教育が〇・〇〇七。行政が〇・〇〇二。ミサが〇・〇〇一。合計で一となる。

だが、社会は一〇％の金利を支払わねばならない。耕作者たちだけが支払おうと、全労働者が連帯責任を負おうと関係なく、結果は同じだと気づくだろう。小作人は自分が支払わねばならないのに応じて食料品の価格を上げる。産業者も値上げの動きに追随し、次いでいくらかの変動を経て均衡が確立され、各人がおよそ等しい額を支払ったことになる。一国民において、小作人たちだけが小作料を支払うと考えるのは重大な誤りだ。支払うのは国民全体なのである。

それゆえ、天引きが一〇％なら、各労働者の消費は次のように減少すると言える。小麦は〇・六三。ワインと園芸は〇・〇九。衣服と靴は〇・〇五四。家具と鉄具は〇・〇四五。その他の生産物は〇・〇七二。学費は〇・〇〇六三。行政は〇・〇〇一八。ミサは〇・〇〇〇九。合計で〇・九である。

労働者は一を生産し、〇・九しか消費しない。それゆえ、労働の代価のうち一〇分の一を失う。彼の生産には、つねにその価値以上の費用がかかるのだ。他方、所有者が受け取る一〇分の一もまた無価値である。なぜなら、彼ら自身も労働者であるため、生きるのに必要な分を自分の生産物の一〇分の九で得るからだ。他の者たちと同じく、所有者たちにもなんら不足はない。彼らのパン、ワイン、肉、衣服、住居、等々の割当量が倍になったとしても、それを消費も交換もできないなら何の役に立つだろうか。それゆえ、小作料の代価は、他の労働者と同じく、所有者にとってもやはり無価値で、それは彼らの手中で消え去る。いまの仮定を広げて、生産物の数と種類を増やしても、結果はなんら変えられないだろう。

ここまで、生産に参加する所有者を、セイが述べたような単に用具の働きによってのみ参加する者ではなく、実効的な仕方で、自らの手を動かす労働によって参加する者として捉えてきた。さて、所有がけっしてそのような状況にとどまらないことは容易に理解できるだろう。どんなことが起きるだろうか。

徳も羞恥心もなく、本質的に好色な動物である所有者は、秩序と規律ある生活に甘んじることはない。彼が所有を好むのは、気ままに、好きなときに好きなようにしたいがためでしかない。生きるのに必要な金が得られると確信すると、彼は暇つぶしや逸楽に身を委ねる。享楽し、愚かなことをし、興味を惹くもの、新しい興奮を探し求める。所有が自らを享受するには、ふつうの境遇を捨て、贅沢な活動、下劣な快楽に励まなければならないのだ。

われわれの一〇〇人の所有者は、手中で消え去る小作料を断念して、その分を社会的労働から減額するのではなく、休息をとる。そうした退却によって消費は同じままとどまるのに対して、生産の絶対量は一〇〇だけ減少するので、生産と消費は均衡するように見える。だが、まず、もはや所有者は働いていないのだから、経済の原理に従えば、彼らの消費は非生産的である。したがって、もはや社会にはそれまでのように生産物によって支払われない一〇〇の仕事ではなく、仕事なしに消費される一〇〇の生産物があるのだ。それを予算のどの欄で表現するにせよ、欠損はつねに同じである。政治経済学の格言〔「生産物は生産物によってしか買われない」〕が誤っているか、それに反する所有が不可能であるかのいずれかなのだ。

経済学者たちは、非生産的な消費はすべて悪、人類からの盗みとみなし、所有者に節度、労働、倹約をあくことなく勧める。所有者が有用になる必要性、彼らが受け取るものを生産に結びつける必要性を説き、贅沢と怠惰を最もすさまじい呪いで非難する。そうした道徳は確かにとても立派なものだが、残念ながら常識を欠いている。労働する、あるいは経済学者の言葉を借りれば「有用になる」所有者は、その労働と効用に対して支払ってもらえる。だからといって、彼は自分では利用せずに所得を受け取る所有物に関しても有閑さの度合いが低くなるだろうか。彼が何をなそうと、その身分は非生産的で不実なのだ。所有者であることをやめないかぎり、浪費し、破壊することはやめられない。

しかし、これはまだ所有が引き起こす悪のうち最も小さいものでしかない。人は、ぜひとも社会が有閑者たちを養うように、と考える。社会には目の見えない人、体の不自由な人、狂人、痴愚者が必ず存在するのだ。怠け者たちに糧を与えることもできるはずだ、と。そうやって、〔単に〕不可能であることが複雑化され、蓄積される。

第三命題

所有は不可能である。なぜなら、一定の資本に基づいた生産は、所有ではなく労働に比例するからである。

生産物の一〇％の小作料を一〇〇支払うためには、生産物が一〇〇〇必要である。生産物が一〇〇〇であるためには、一〇〇〇人の労働者から成る力が必要である。このことから、金利生活者として生活する権利を等しくもった所有する労働者一〇〇人全員にいま休暇を与えるなら、われわれは彼らに所得を支払えない状態に身を置くことになる。実際、はじめ一〇〇〇だった生産力は、もう九〇〇でしかなく、生産も九〇〇に減り、その一〇分の一は九〇なのだ。それゆえ、一〇〇人中九〇人が小作料を完全に得ようとするなら、一〇人の所有者には支払われなくなる。あるいは、全員一致して一〇％の減額を我慢するか、である。なぜなら、所有者の退却の被害をこうむるべきは、自分の職能に背《そむ》くことなく以前と同じように生産した労働者ではないからだ。自らの無為の帰結をこうむるべきは所有者である。だが、そのとき所有者は享受しようとすること自体によって貧しくなる。自分の権利を行使すればするほど、その権利を失う。そのようにして、財産は得ようとすればするほど減少し、消え去るように見える。求めれば求めるほど得がたくなる。数的関係に従って変わりうる権利、算術的結合が消滅させうる権利とは何なのか。

労働する所有者は、次のものを受け取った。⑴労働者として〇・九の賃金、⑵所有者として一の小作料。彼は考える。私の小作料は十分だ。余計なものを得るために働く必要はない、と。そして、ここにおいて、どうして減少したのか考えさえしないうちに、彼のあてにしていた所得の一〇分の一が減少する。生産に参加することによってこそ、彼自身も失われた一〇分の一の創造者だったのだ。自分のためにしか働かないと考えたとき、そうと気づかぬまま生産物の交換において損失をこうむり、彼自身が得る小作料の一〇分の一を自分で支払う結果になった。彼は、他の人と同じく、一を生産し、〇・九しか受け取らなかったのだ。

労働者が九〇〇〇人ではなく五〇〇〇人しかいなかったら小作料の全体は五〇にまで減るだろうし、一〇〇人しかいなければ一〇にまで減るだろう。それゆえ、所有者の経済法則として次の公理を立てよう。有閑者の人数が増加するに従い、資本利得は必ず減少する。

この第一の結果は、よりいっそう驚くべき別の結果へとわれわれを導く。所有の全負担から一挙に解放されること、これが問題である。所有を廃することなく、所有者に損害を与えることもなく、優れて保守的な仕方によってである。

先に、一〇〇〇人の労働者から成る社会の小作料が一〇〇だとしたら、九〇〇人の社会の小作料は九〇、八〇〇人の社会なら八〇、一〇〇人の社会なら一〇、等々であることを確認した。したがって、一人の労働者だけから成る社会であれば、専有された土地の広さや価値がどのようなものであれ、小作料は〇・一だろう。それゆえ、土地資本が一定であるなら、生産は所有ではなく労働に比例することになる。

この原理に従って、あらゆる所有にとっての資本利得の最大値がどうであるべきかを探ろう。

そもそも、賃借小作とは何か。それは所有者が分け前を得ることとひきかえに、小作人に土地の占有を譲渡する契約である。家族の増加によって小作人が所有者の一〇倍の数になり、一〇倍生産するとしよう。それは所有者が小作料を一〇倍にすることの理由になるだろうか。所有者の権利は「君が多く生産すれば、私は多く要求する」というものではなく、「私が多く委ねれば、私は多く要求する」というものである。小作人の家族の増大、自由にできる働き手の数、生業の資源、生産増大の要因、これらはすべて所有者とは関係のないものだ。所有者の要求は、他の人々の生産力ではなく、自らの生産力と釣り合っているべきである。所有権は他国者遺産没収権であって、人頭税の権利ではない。自分一人ではせいぜい数アルパンの土地しか耕作できない人間が一万ヘクタールの土地を所有しているからといって、どうして一人では生産できないものの一万倍を社会に要求できるだろうか。どうして賃貸料は所有者が引き出せる効用よりも借り手の才能や力に比例して増大するのだろうか。そうして、経済の第二法則を認識せざるをえなくなる。すなわち、資本利得は所有者の生産の分数によって測られる。

ところで、その生産とは何か。言い換えれば、地所を小作人に貸す際に領主や地主が委ねていると正当に言いうるものは何か。

所有者の生産力があらゆる労働者と同じく一であるなら、自らの土地を譲渡することで奪われる生産物も一である。それゆえ、資本利得の利率が一〇％であるなら、あらゆる資本利得の最大値は〇・一になる。

だが、われわれは所有者が生産から退却するたびに生産の総量が一単位分減ることを確認した。それゆえ、彼が労働者の一人であるあいだは彼に戻る資本利得は〇・一に等しいが、退却することで、小作料減少の法則によって、それは〇・〇九に等しくなる。このことから、われわれは次のような最後の定式に導かれる。所有者の所得の最大値は一労働者の生産物の平方根に等しい（その生産物が合意された数字で表現されるとして）。その所得の減少は、所有者が有閑の場合、分子を一、分母を生産物数とする分数に等しい。

こうして、有閑の所有者、言い換えれば社会の外で自分自身のために働く所有者の所得の最大値は、労働者あたり平均一〇〇〇フランの生産の一〇％と評価して、九〇フランになる。それゆえ、フランスに一〇〇〇万人の所有者がいて、平均一〇〇〇フランの所得を享受し、それを非生産的に消費しているとするなら、毎年一〇億フランも支払われるべきではなく、法の完全なる厳密さと最も正確な計算に従って、支払われるべきは九〇〇〇万フランにすぎない、ということになる。

　これは、主として労働者階級を苦しめている負担を九億一〇〇〇万フラン削減するものである。けれども、われわれの計算は終わっていない。労働者たちは、彼らの権利の広がり全体をまだ分かっていないのだ。

　いまそうしたように正当な範囲に縮減した場合、有閑の所有者において他国者遺産没収権とは何か。先占の権利の承認である。だが、先占の権利は全員にとって等しいのだから、あらゆる人は同じように所有者となる。あらゆる人が自らの生産物の分数に等しい所得への権利をもつのだ。それゆえ、労働者が所有権によって所有者に地代を支払わねばならないなら、所有者は同じ権利によって同じ地代を労働者に支払わねばならない。すると、彼らの権利は釣り合いがとれるので、彼らの違いはまったくなくなる。

　補注。所有地の広がりや重要性がどうであれ、小作料が法的には所有者の推定生産物の一部分でしかありえないなら、数多くの小所有者それぞれにおいても同じことが起こる。なぜなら、ただ一人の人が各所有地を別個に利用することができたとしても、同じ人がすべての所有地を同時に利用することはできないからである。

　要約しよう。他国者遺産没収権は生産の諸法則によって画される非常に制限された限界内でしか存在しえず、〔全員に平等であるはずの〕先占の権利によって廃される。しかるに、他国者遺産没収権がなければ、所有は存在しない。したがって、所有は不可能である。

第四命題

所有は不可能である。なぜなら、それは殺人だからである。

他国者遺産没収権が理性と正義の法に従いうるなら、それは補償金ないし謝金に帰着するだろう。その最大値は、一人の労働者が生産可能なものについての一定分数を超えることはない。先に証明したとおりである。だが、他国者遺産没収権、それにふさわしい名前で呼ぶのを恐れずに言えば、盗みの権利は、なぜ何一つ共通するところのない理屈に支配されたままなのか。所有者は、常識と事物の本性が彼にあてがう資本利得に甘んじることはない。彼は資本利得を一〇倍、一〇〇倍、一〇〇〇倍、一〇〇万倍も支払わせる。彼は単独では自分の物から一の生産物を引き出すにすぎないのに、自分が形成したわけでもない社会に対して支払いを要求する。それも所有者である彼の生産力に比例した権利ではなく、人頭税を要求する。彼は同胞たちの力、数、勤勉さに応じて課税するのだ。農家に一人の男児が生まれる。すると、所有者は「よし、儲けもの〔＝資本利得〕が一つ増えた」と言う。小作料から人頭税へのこの変形は、どのようにして実行されるのか。わが法律家や神学者、あんなにもずる賢い学者たちは、なぜこれほど明白な横領をやり込めなかったのか。

所有者は、自らの生産能力に従って、所有地を先占しておくのにどれだけ労働者が必要かを計算し、所有地を同じ割合で分割して言う。「各々、私に資本利得を支払うのだ」と。つまり、所有者の所得を増大させるには、所有地を分割しさえすればよいのだ。彼に支払われるべき利子は、彼自身の労働によってではなく、その資本によって推算される。こうした置き換えによって、地主の手中では一しか生産しえない所有地が、その地主にとって一〇、一〇〇、一〇〇〇、一〇〇万の価値になる。それゆえ、所有者は自分のもとにやって来る労働者の名前を登録する準備さえしておけばよいということになり、彼の仕事は許可証や領収証を交付することだけになる。

さらに所有者は、こうした気安い勤めで満足せず、自らの無為から生じる欠損を我慢しようともしない。それを生産者になすりつけて、いつも同じ報酬を要求するのだ。ある土地の小作料がひとたび最高にまで上がれば、所有者はけっしてそれを引き下げはしない。物価高、人手不足、気候上の困難、死亡率さえ、所有者には関係ない。働かないのに、なぜ時代の不幸に苦しまなければいけないのか、というわけだ。

これが一連の新しい現象の出発点である。

セイは租税を非難するとき、いつも見事に推論するが、所有者が小作人に収税吏と同じ強奪行為をおこなうのを理解しようとせず、マルサスへの第二の手紙[*4]で次のように述べる。「租税の徴収者、その委託者、等々が生産物の六分の一を消費するなら、それは生産者が生産物の六分の五によって衣食を満たすよう、つまりは生きるよう強いることである。──人々はそれを認めているが、同時に、各々生産物の六分の五によって生きることが可能だとも述べている。私自身も、望まれるなら認めよう。だが、私としては、生産物の六分の一の代わりに六分の二、つまり三分の一が求められても、生産者はやはり生きられるという考えなのか、と問いたい。──そうではないが、それでも生産者は生きるだろう。──ならば、問いたい。三分の二、四分の三が奪われても、なお生産者は生きられるのか、と。だが、この問いにはまったく答えられないのを私は分かっている」。

フランスの経済学者の守護聖人が、所有をめぐる偏見にここまで目を眩《くら》まされていなかったら、(5)まさにこうしたことこそ小作料が生んだ結果だと理解したことだろう。

(5) さらに驚くべきは、J＝B・セイが粗悪な実業に携わり、自分自身の経験を通して高利の効果を知ったことである。

父、母、四人の子供の六人から成る農家が彼らの利用する小さな遺産の土地で田舎暮らしをしているとする。彼らはよく働き、いわゆる帳尻を合わせることができている。家に住んで暖をとり、衣服をまとい、食べることができていて、負債はないが貯金もない、と想定しよう。よい年も悪い年も彼らは生きる。幸運な年なら、父は少しばかり多くのワインを飲み、娘たちは洋服、息子たちは帽子を買うことができる。そして、少しばかりの上質な小麦を、ときには肉を食べる。私が言いたいのは、こうした人たちは没落し、破産してしまうということだ。

なぜなら、われわれの公理の第三の系によれば、彼らは自身が所有者である資本への利子を自身に支払う義務があるからである。その資本の価値が八〇〇〇フランしかなく、利率が二・五%だとしたら、毎年二〇〇フランの利子を支払わなくてはならない。したがって、その二〇〇フランを総収入から天引きして貯蓄に繰り入れ、資本化するということをせずに消費してしまうなら、家計の借方に毎年二〇〇フランの欠損が生じる。それが四〇年続くと、このよき人々はまったく気づかぬまま自らの貸方を食い尽くし、破産することになるのだ。

この結末は滑稽に思われる。けれども、悲しい現実である。

徴兵令状が届く……。徴兵とは何か。政府が家族に対して不意に行使する所有の行為であり、人間と金の強奪である。農民は息子が出征させられることを少しも望まない。私が考えるに、彼らはまったく間違っていない。二〇歳の人間が兵舎に滞在して何かを得るのは難しい。たとえそこで堕落しなかったとしても、自己嫌悪におちいる。兵士の道徳性は、一般に、彼が軍服に向ける憎悪によって判定するべきだ。不幸な臣民、あるいは悲惨な臣民。これが軍旗のもとにあるフランス人の境遇である。あってはならないことだが、事実そうなのだ。一〇万人に問うてみれば、誰一人私の言うことを否定しないのが分かるだろう。

われらが農民は、家族の二人の徴兵適齢者を買い戻すために、五%の利率で借りる四〇〇〇フランを支出する。これは先に述べた毎年の二〇〇フランと同じである。そのときまで家族の生産と消費の釣り合いがきちんととれていて、一二〇〇フラン、つまり一人あたり二〇〇フランであるなら、この利子を支払うために六人の労働者で七人分を生産するか、五人分しか消費しないか、どちらかが必要だろう。消費は削れない。必需品をどうして削れようか。より多く生産することも不可能である。よりよく働くことも、より多く働くことも不可能である。あいだをとって、六・五人分を生産し、五・五人分を消費してみようか。すぐにそれが胃との妥協策にならないこと、節食は一定限度より下には進められないこと、健康を危険にさらすことなく削れる最低限の必需品などほとんどないことを知るだろう。また、生産の増大に関しては、霜、干魃、獣疫が起これば、耕作者のあらゆる希望はなきものにされる。要するに、金利は支払われず、利子は積み重なり、小さな小作地は差し押さえられて、かつての占有者は追い払われるのだ。

こうして、所有権を行使しないうちは幸福に生きていた家族が、その権利の行使が必要になるや、貧困におちいるのである。所有は、それが満たされるために入植者が二つの能力をもつよう要求するだろう。土地を広げる能力〔つまり力〕と弁舌巧みにそれを肥沃にする能力〔つまり策略〕である。土地の単なる占有者としては、生きていくために必要なものは、そこから得られる。だが、所有者の権利を主張すると、もはやその土地では十分でなくなる。自分で消費する分しか生産できないなら、彼が労苦によって得る成果は労力への報酬である。ここには用具のためのものは何もない。

生産できないものを支払うこと。これこそが、所有者が新しいやり方で労働者から搾取するために社会的生産から退却して以降の小作人の境遇なのだ。

ここで最初の仮説に戻ろう。

過去と同じだけの生産物を得られると確信する九〇〇人の労働者は、小作料を支払ったのち、前年より一〇分の一だけ貧しくなっていることに気づくと、すっかり驚く。かつてその一〇分の一は確かに生産と公的負担に参加する所有者＝労働者によって生産され支払われていたが、いまや同じ一〇分の一が生産されていないのに支払われてはいるのだ。それゆえ、生産者の消費分が削られねばならない。この不可解な欠損を埋めるために、労働者は返せるという十分な確信をもって借りるが、翌年になると、その確信は最初の年より利子の上がった新たな借り入れに帰着することになる。誰から借りるのか。所有者である。所有者は労働者からとりすぎた分を労働者に貸す。そして、返すべきこのとりすぎた分が、利子付貸与の形で所有者の新たな利益となる。こうして、負債は際限なく増大する。所有者は、けっして返さない生産者に前払金を渡すのにうんざりする。絶えず盗まれ、絶えず自分から盗まれたものを借りる生産者は、ついに奪われた財産全体によって破産する。

そのとき、所得を享受するために小作人を必要とする所有者が負債を免除する、と仮定しよう。彼は司祭様が説教において勧めるような高度の慈善行為をしたことになるだろう。他方、貧しい小作人は、こうした限りなき慈善に恐縮し、教理問答によって慈善家のために祈るよう教化され、かくも立派な地主に返済するために勇気と節制をいっそう強くしなければならないと決心するだろう。

今度こそ所有者は措置を講じ、穀物の価格を上げるとしよう。実業家も自分の製品について同じことをしたのだ。すると、反作用が起き、農民が実業家の負担になると考えた小作料は、いくらかの変動を経て、ほとんど均衡化される。その結果、彼が成功を喜んでいるあいだに、以前より多少は低い割合とはいえ、彼はなお貧しくなるのだ。なぜなら、値上がりが全般的だったために、所有者もそれに襲われるからである。その結果、労働者は一〇分の一ではなく一〇〇分の九だけ貧しくなる。だが、負債であることに変わりはなく、彼はそれを借り、利子を払い、倹約し、絶食しなければならない。支払わなくていいのに支払われる一〇〇分の九のための絶食、負債の償却のための絶食、負債の利子のための絶食である。収穫物が不足すれば、絶食から栄養失調に進む。人は「もっと働かなければならない」と言う。けれども、まず過度の労働は絶食と同様に人を殺す。両方となれば、彼はどうなるだろうか。――「もっと働かなければならない」というのは、どうやら「もっと生産しなければならない」という意味のようだ。どのような条件で生産がおこなわれるのか。労働、資本、土地の結合行為によってである。労働については、小作人がその提供を担当する。だが、資本は倹約によってしか形成されない。しかるに、小作人が何かを蓄えられるのなら、負債を返済するだろう。最後に、資本が彼に不足していないと仮定しよう。彼が耕す土地の広さが同じままなら、その資本を何に役立てるというのか。増大させなければならないのは土地である。

結局、よりよくより有益に働かねばならない、と人は言うだろうか。だが、小作料は、それより多くはなりえない生産の平均値に基づいて計算されたものだった。そうでないなら、所有者は小作料を引き上げるだろう。こうして、大土地所有者は、人口増加と産業発展によって社会が彼の所有地から引き出しうるものがどれだけかを知るにつれて、次々と賃貸借の価格を上げたのではないだろうか。所有者は社会活動の部外者であるままなのだ。けれども、禿鷹のように獲物に狙いを定め、いつでも襲いかかって食い尽くせるようにしているのである。

一〇〇〇人から成る社会についてわれわれが観察した事実は、各国民や人類全体において大々的に再現されているが、限りない多様性とさまざまな特質をともなっており、それを叙述するつもりはない。

要するに、所有は、労働者を高利によって無一文にしたのち、衰弱させることで徐々に殺していく。しかるに、強奪と殺人なしでは所有は何ものでもない。他方、強奪と殺人をともなうなら、支えを失い、すぐさま消え去る。したがって、所有は不可能である。

第五命題

所有は不可能である。なぜなら、所有によって社会は自らを食い尽くすからである。

ロバは荷を積みすぎると倒れる。他方、人間はいつまでも進む。この不屈の熱意を所有者はよく知っていて、それが投機への希望に基盤を与えている。自由な労働者が一〇を生産する。所有者は自分のためなら彼は一二を生産するだろうと考えるのだ。

確かに、先に語った話に出てきた農民は、畑の没収に同意し、父の家に別れを告げる前に絶望的な努力を企てて、新しい土地を小作することになる。彼は三分の一ほど多く種を蒔くが、新しい生産物の半分は自分のものだから、彼はさらに六分の一多く収穫することになり、地代を支払う。なんという不幸！　生産に六分の一を加えるために、耕作者はその労働に六分の一ではなく六分の二を加えなければならないとは。そうした代価を払って彼は収穫し、神の前では負っていない小作料を支払うのだ。

小作人がすることを実業家も試みている。小作人は耕地を増やし、隣人の占有物を奪う。所有権実業家は商品の価格を下げ、製造と販売を独占し、競争相手を圧倒するべく努める。所有権を味わうには、まず自らの必要を超えて生産しなければならない。次いで、自らの力を超えて生産しなければならない。なぜなら、労働者が所有者になるという移行によって、これらの一方は、つねに他方の帰結となるからである。だが、自らの力と必要を超えて生産するには、他人の生産を奪わなければならず、したがって生産者の数を減らさなければならない。こうして所有者は、生産から離れたところに身を置いて生産を低下させたのち、労働の独占を助長することで生産をさらに低下させるのだ。計算しよう。

地代を支払ったのちに労働者がこうむった欠損は、われわれがすでに知っているように一〇分の一だったが、それは彼が生産を増大させるべく努める量となる。彼は、そのために自分の仕事を増やす以外の手段を見出せない。だから、実際にそうする。全額を支払わせることのできなかった所有者の不満、より熱心で勤勉で信頼できると所有者が想定する他の小作人たちがおこなう有利な提案や約束、すなわち秘密の取引と陰謀、これらすべてが労働の分配を動かし、一定数の生産者を排除する原因となる。他人の生産を一〇分の一増やすために、九〇〇人のうち九〇人が追い払われるのだ。だが、そのことによって総生産物は増えるだろうか。そんなことはありえない。そこには九〇〇人として生産する八一〇人の労働者がいることになるが、彼らが生産しなければならないのは一〇〇〇人分である。しかるに、小作料は労働ではなく土地資本に比例して定められたのであって、減少することはないのだから、負債はそのままで疲労だけが増大する。したがって、そこには一〇人に一人が殺され、また一〇人に一人が殺される社会がある。この社会は、倒産、破産、政治的および経済的破局が定期的に均衡を回復させ、社会全体の困窮の真の原因から注意が逸らされるのでなければ消滅することだろう。

資本と土地の独占に節約の手法が続くが、その結果、また一定数の労働者を生産の外に追いやることになる。利子は至る所で小作人と企業家につきまとうので、彼らは各々次のように言う。「支払うべき働き手を減らせば、小作料と利子を支払えるだけのものが得られるだろう」と。こうして、労働を容易で迅速にするはずの素晴らしい発明はみな、無数の労働者を殺す恐ろしい機械に転化してしまうのだ。

「数年前、ストラフォード伯爵夫人は、自分の土地から一万五〇〇〇人を追い払い、小作人として利用した。一八二〇年、スコットランドの別の大土地所有者が、こうした私的な経営行為を六〇〇の小作人家族に対して繰り返した」（ティソー[*5]『自殺および反逆について〔*Du suicide et de la révolte*〕』）。

いま引用した著者は、近代社会を揺り動かす反逆の精神についての雄弁な文章を書いたが、追放された人々による反逆を非難すべきかどうかについては述べていない。私には反逆こそが第一の権利であり、最も神聖な義務であるように見えることを高らかに宣言する。そして、今日私が願うのは、この信仰告白が理解されるということに尽きる。

社会は自らを食い尽くしている。⑴労働者の暴力的かつ定期的な削減によって。これについては見てきたが、これからさらに見るつもりだ。⑵所有が生産者の消費に対して行使する天引きによって。これら二つの様式による自殺は、はじめは同時に起こる。だが、すぐさま前者が後者から新たな活動力を受け取り、高利に結びついた飢餓がまったく同時に労働をより必要なものとしつつ、より稀少なものとするのである。

商業および政治経済学の原理によれば、産業上の事業がうまくいくためには、その生産物が次の三つと等しいことが必要である。⑴資本の利子、⑵その資本の維持費、⑶全労働者および実業家の賃金の総額である。加えて、可能なかぎりなんらかの利益を得ることも必要である。

所有権という税務的で強欲な天才を賞賛しよう。資本利得がさまざまな名前を得るたびに、所有者は自分がそれを受け取るのだと主張する。⑴利子の形で、⑵利益の形で。彼らは資本の利子が製造への投下資本の一部をなすからだと述べる。工場に一〇万フランを投じ、経費を控除して年間五〇〇〇フラン得られるとしたら、利潤はなく、ただ資本の利子のみが得られたことになる。しかるに、所有者は無償で働く人間ではない。寓話におけるライオンのように、自らの資格のそれぞれに対して支払わせ、彼に仕えたのちの結合者には何も残らないようにするのである。


《第一の部分は頂戴する。私は百獣の王と呼ばれるから。

第二の部分は勇敢さゆえに、私にくれることだろう。

それから、私は強いので、第三の部分も私のものだ。

第四の部分に触れるなら、災いがあることだろう》〔フェードルの寓話、第一巻、五〕。


私はこれよりも気のきいた寓話を知らない。


私は企業家であるから、第一の部分をもらう。

私は労働者であるから、第二の部分をもらう。

私は資本家であるから、第三の部分をもらう。

私は所有者であるから、すべてをもらう。

フェードルは、たった四行で政治経済学概論をまとめ尽くしている。

私は、こうした利子、いわんや利潤は不可能である、と言いたい。

労働者の互いの関係はどのようなものか。大きな産業社会の多様な成員たちは、労働と職能の分割の原理に従って、各々個別に生産全般の特定の部分を担当する。まず、そうした社会が次の三人の個人だけから成るものと仮定しよう。家畜の飼育人、なめし職人、靴屋である。社会の産業は靴を作ることにある。社会の生産物における各生産者の取り分はどうであるべきかと問えば、どんな学生でも、商業や会社の規則からして取り分は生産物の三分の一に等しい、と答えるだろう。けれども、ここで問題なのは、とりきめによって結合した労働者たちの権利の釣り合いをとることではない。結合していようがいまいが、われわれの三人の産業者は結合しているかのように行動せざるをえないこと、いやおうなく事物の力や数学的必然性が彼らを結合させることを明らかにしなければならない。

靴を生産するためには三つの作業が必要である。家畜のしつけ、皮革の準備、そして裁縫である。皮革が小作人の家畜小屋から出るとき一の価値だとすると、なめし職人の桶から出るときには二の価値、靴屋の店から出るときには三の価値になる。各労働者は、ある度合いの効用を生産した。したがって、生産された効用すべてを足すと、その物の価値が得られる。それゆえ、その物をどんな量であれ得るためには、各生産者はまず自分自身の労働に、次いで他の生産者の労働に支払わねばならない。こうして、一〇の革靴を得るために、小作人は三〇の生皮、なめし職人は二〇のなめし革を供することになる。なぜなら、一〇の革靴は、順番におこなわれてきた二つの作業によって三〇の生皮に値し、同じく二〇のなめし革は、なめし職人の労働によって三〇の生皮に値するからである。ところが、靴屋が自らの商品一〇のために小作人に三三を、なめし職人に二二を要求するなら、交換はおこなわれないことになる。なぜなら、小作人となめし職人は靴屋の労働に一〇を支払ったのち、自身が一〇で供したものを一一で買い戻さなければならないということになるからだ。それは不可能である。

なんだって！　だが、実業家がなんらかの利益を得て、その利益が地代、小作料、利子、利潤と名づけられるときには、いつもそうしたことが起きている。われわれが語っている小さな社会において、靴屋が自分の仕事のための道具を手に入れ、最初の皮革納入品を買い、現金収入に先立ってしばらく生活するために利子付きで金を借りるなら、その利子を支払うために、なめし職人や小作人から利益を上げざるをえないことは明らかである。だが、その利益は詐欺なしには不可能なので、利子は不幸な靴屋に降りかかり、自らを食い尽くすことになるだろう。

私は想像上のこととして不自然なまでに単純な例を取り上げた。三つの職能だけから成る人間社会など存在しない。最も文明化されていない社会ですら、数多くの産業を前提としている。今日では、産業上の職能の数は（私はすべての有用な職能を産業上の職能だと理解している）、おそらく一〇〇〇以上にものぼる。だが、職能人の数がどうであれ、経済法則は同じままである。すなわち、生産者が生活するためには、その賃金で自らの生産物を買い戻せるのでなければならない。

経済学者たちは、彼らの自称科学におけるこの初歩的な原理を無視することはできない。だが、なぜ彼らは所有、賃金の不平等、高利の合法性、儲けの真正さといった、経済法則に反していて、取引を不可能にするようなものを逐一かたくなに支持するのか。ある企業家が原料を一〇万フランで買う。賃金と手間賃に五万フランを支払い、次いで生産物から二〇万フランを得ようとする。つまり、材料からも労働者の働きからも利益を得ようとする。だが、原料の供給者と労働者が彼らの賃金を結集させても企業家のために生産したものを買い戻せないとしたら、彼らはどうやって生活するのか。この問いを展開させよう。ここは詳論が必要である。

労働者が労働によって一日あたり平均三フランを受け取るとして、その労働者を雇うブルジョワが自身の給与のほかに何かを得るためには、それが用具一式の利子でしかないにせよ、商品の形態で労働者の日当を転売し、そこから三フラン以上を引き出さなくてはならない。雇い主の言い分によれば、だから労働者は自ら生産したものを買い戻すことができないのだ。このことは、どのような職業体でも同様であり、例外はない。仕立屋、帽子屋、家具職人、鍛冶屋、なめし職人、石工、宝飾店、印刷工、事務職員、等々から耕作者やぶどう農家に至るまで、誰も自らの生産物を買い戻すことはできない。というのも、どのような形態であれ、利益を得る雇い主のために生産することで、労働者は自分の労働に対して、それによって得られるより多く支払わなければならないからだ。

フランスでは、二〇〇〇万人の労働者が、科学、芸術、産業のあらゆる部門に広がり、人間の生活にとって有用なありとあらゆるものを生産している。彼らの日当の総和が年間二〇〇億フランに等しいと仮定しよう。しかし、所有権および山ほどの資本利得、すなわち手当、天引き、利子、賄賂、利潤、小作料、家賃、地代、そしてあらゆる性質と様相の利益によって、生産物は所有者および雇用者によって二五〇億フランと評価される。これは何を意味するだろうか。生活するために同じ生産物を買い戻さなければならない労働者が、四で生産したものに五を支払うか、五日のうち一日は絶食するかのいずれかだということである。

もしフランスにこの計算の誤りを証明できる経済学者がいるなら、知らせてほしい。そうしたら、私が所有に対して述べるすべてを誤りと悪意に基づいたものとして撤回することを約束する。

今度は、そうした利益の諸帰結を見よう。

どんな職業でも労働者の賃金が同じなら、所有者の天引きによって引き起こされる欠損はどこでも同じように感じられるだろう。けれども、悪の原因が非常に明白になるということでもあるから、それはずっと以前から気づかれて抑制されたことだろう。だが、賃金間においても、掃除人から大臣に至るまで、所有間のそれと同じ不平等が支配しているので、弱者に対する強者の強奪が続発する。その結果、社会階級の下に位置するほど、労働者はより欠乏を感じ、人民の最下層階級は、ほかの階級の者たちによって文字どおり丸裸にされて、生きたまま食われるのだ。

労働者大衆は、自らが織る織物も、自らが製造する家具も、自らが鍛造する金属も、自らがカットする宝石も、自らが刷る版画も買うことができない。自らが種を蒔いた小麦も、自らが育てたぶどうのワインも、自らが育てた動物の肉も手に入れることができない。自らが建てた家に住むことも、自らが提供する興行を観に行くことも、身体が求める休息を味わうことも許されない。だが、なぜなのか。どれ一つを享受するにも、その実費で買う必要があるが、他国者遺産没収権がそれを許さないからである。赤貧が見とれる豪奢な商店の看板に大きな文字で次のように書かれているのを労働者は読む。これは君の作ったものだが、君が享受することはない。

一〇〇〇人の労働者に働かせ、各人から一日一スー儲ける工場主は、一〇〇〇人の労働者の困窮を企てる者である。給与所得者はみな飢餓契約を誓ったことになる。だが、人民は、それによって所有が彼らを飢えさせる仕事すら得られない。なぜか。賃金が不十分なため、労働者は労働を独占せざるをえず、飢饉によって多くの命が奪われるより前に、労働者間の競争によって命の奪い合いがなされるからである。こうした真実をさらに追求することはなかろう。

労働者の賃金では自らの生産物を買うことができないなら、生産物は生産者のために作られるのではないことになる。すると、生産物は誰のものとして割り当てられるのか。より豊かな消費者、つまり社会のごく少数派に、である。だが、社会全体が労働するときには、社会全体のために生産するのだ。それゆえ、社会のごく一部が消費するなら、やがて社会の一部は休まなければならない。しかるに、労働者にとっても、所有者にとっても、休むことは死ぬことである。このことからはけっして逃れられない。

想像しうる最も嘆かわしい光景は、生産者がこうした数学的必然性、数理の力に立ち向かい、戦うのを見ることである。それらは先入観によって妨げられるせいで気づかれていないのだ。

一〇万人の印刷工が三四〇〇万人が消費する文章を供給可能で、書物の価格が消費者の三分の一にしか手の届かないものであるとしたら、この一〇万人の労働者は書店が売ることのできる量の三倍を生産することになるのは明らかである。労働者の生産は消費者の必要をけっして超えることはないのだから、労働者は三日のうち二日は失業しているか、週ごと、月ごと、四半期ごとに三分の一ずつ交代するかのいずれかであって、つまりは人生のうち三分の二の期間は生きないのでなければならない。だが、産業は所有者の影響下にあり、規則正しく事を運びはしない。産業の本質は短い時間に多く生産することにあり、それは生産物の総量が大きくなるほど、また製作が迅速になるほど、一部あたりの原価が低くなるからである。売り切れの最初の徴候が見えるや、作業場は人に満たされ、みな仕事に取りかかる。そのとき、商取引は活発になり、支配者も被支配者も喜ぶ。だが、活動力が発揮されると、それだけ多くの休日が準備されることになる。多く笑えば、多く泣くだろう。所有の体制下において、産業の花は葬儀の花冠を編むことにしか役立たない。働く労働者は自らの墓掘人なのだ。

作業場が操業を休止するときも、資本の利子はとどまるところを知らない。それゆえ、生産主は、当然のこととして、経費を減らしつつ生産の維持に努める。そのとき、賃金の低下、機械の導入、男性の仕事への子供や女性の侵入、手作業への過小評価、粗悪な製造が起こる。生産は続く。生産の経費削減は販路の拡大を可能にするからである。だが、長く生産され続けはしない。原価の安さは生産量と迅速さに基づくので、生産力はかつてないほど消費を凌駕するようになるからだ。所有の原理の帰結がぞっとするようなものになるのは、せいぜい一日分の生活の糧《かて》にしかならない賃金を得る労働者の目前で生産が止まるときである。そのとき、もう一日生き延びることを可能にする節約も貯蓄も小さな資本蓄積もまったくない。今日作業場が閉鎖される。すると、明日は広場での絶食だ。そして、明後日には、病院で死ぬか、監獄で食事するかのいずれかである。

新たな偶発事が起きて、このぞっとするような状況は複雑になる。商品の供給過剰と価格の極度の低下の結果、企業家はたちまち自分が利用する資本の利子を払えなくなる。すると、たじろいだ株主は急いで資金を引き上げようとし、生産は中断され、労働は止まる。次いで、資本が商取引を離れて証券取引所に飛び込むことが驚きをもたらす。私は、あるときブランキ氏[*6]が資本家の無知と狂気を痛切に嘆くのを聞いたことがある。この資本の移動の原因は実に単純だ。けれども、まさにそうであるがゆえに、経済学者は気づくことができなかった。いや、むしろ語ってはならなかったのだ。その原因はすべて競争のうちにあるのだ、と。

私が競争と呼ぶのは、同種の二つの企業の競合関係のことだけでなく、あらゆる企業が他を凌駕しようとする一般的で同時的な努力のことである。そうした努力は、今日、商品価格が製造・販売経費をほとんど埋め合わせられないほどにまでなっている。その結果、あらゆる労働者の賃金は天引きされ、資本家にはもはや利子も含めて何も残っていない。

それゆえ、商工業の停滞の第一原因は、資本の利子である。こうした利子は、銀の代金払いに用いられたとき、古代の人々が一致して高利と呼んで糾弾したものである。だが、家賃、小作料、利益と呼ばれるかぎりは、あえて非難されなかった。あたかも貸された物の種類によっては貸与の代価をとること、すなわち盗みが正当化できるかのように、である。

資本家が受け取る資本利得とはこのようなものであり、商業の危機の頻度と強度もこのようなものとなるであろう。資本利得が所与のものだとしたら、危機の頻度と強度のほうが絶えず決定可能なものとなり、逆もまたしかりである。社会の調整者を知りたいだろうか。それなら、活動資本、すなわち利子をもたらす資本の総体、およびその利子の法定利率を問い合わせるのだ。情勢の推移とは倒産の連なりでしかないということになり、その数と衝撃は資本の活動に比例することだろう。

一八三九年における倒産の数は、パリだけに限っても一〇六四件であった。一八四〇年の最初の数ヵ月もこの割合は維持されており、私がこの文章を書いているいまも危機は終わっていないようである。そのうえ、解散する商店の数は破産宣告された商店の数よりずっと多い。この厄災によって竜巻の吸引力が判定されるだろう。

社会の大量虐殺は、そうとは感じられずに続く場合もあれば、定期的で突発的な場合もある。それは所有のさまざまな働き方によっている。所有が細分化され、産業が小規模である国では、各人間の権利と要求の釣り合いがとれ、侵略する力能は互いに破壊し合う。そういうところでは、実のところ所有は存在しない。というのは、他国者遺産没収権がほとんど行使されないからだ。労働者の境遇は、生活の安全の観点からすれば、彼らのあいだに絶対的平等が存在する場合とほとんど同じである。自由で全体に広がる結合がもたらす利点のいっさいは奪われているが、少なくとも彼らの生存は脅かされない。所有権から切り離された若干の犠牲者、誰にもその第一原因は分からない不幸な人々を除いて、社会はそうした平等のただなかにあり、平穏に見える。だが、用心しなくてはならない。社会は剣の刃のうえで均衡しているのだ。ごく小さな衝撃によっても倒れ、死に至らしめられることだろう。

通常、所有の渦は局地化されている。一方で、小作料は定点において止まる。他方で、競争と生産過剰の効果によって製品価格は上昇しない。その結果、農民の境遇は同じままで、ほぼ季節の影響しか受けない。それゆえ、所有権の激しい作用は主として工業にもたらされる。そうしたことから、ふつう「農業危機」とは言われず、「商業危機」と言われるのである。それは、小作人が他国者遺産没収権によってゆっくり身を滅ぼされるのに対して、実業家は一息で呑み込まれるということが理由だ。そこから工場の休業、財産の破壊、労働者階級の締め出しが起こり、その一部は大通り、病院、監獄、流刑地へと定期的に消えていく。

この命題を要約しよう。

所有は自らが労働者に対して支払うよりも高い値段で労働者に生産物を売る。それゆえ、所有は不可能である。

第五命題への補遺

Ⅰ　改革者の一部や、いかなる学派にも属さずに最も数多く最も貧しい階級の運命を改善することに取り組むほとんど大部分と言える政治評論家たちは、今日、労働のよりよい組織化に大いに期待している。とりわけフーリエの弟子たちは「〔ユートピア的大規模共同住居〕ファランステールへ」と叫んでやまず、それと同時に他の学派の愚かさと滑稽さに対して怒りをぶちまけている。そこには、五足す四は九であり、そこから二を引いても九であることを見抜き[*7]、この驚くべき算術を信じようとしないフランスの無分別を嘆く半ダースほどの天才がいる。

実際、フーリエ主義者は、一方で自分たちは所有権と他国者遺産没収権を保守する者だと告げ、「資本、労働、才能に応じて各人に」と定式化し、他方で労働者が社会のあらゆる財を享受できるよう、約言すれば彼ら自身の生産物全体を享受できるよう望みもした。これでは労働者に対して「働きなさい、そうすれば毎日三フラン得られるだろう。五五スーで暮らし、残りは所有者に与えるのだ。そうすれば三フラン消費したことになるだろう」と言うようなものではないか。

この言い方がシャルル・フーリエの学説の最も正確な要約ではないにしても、私はファランステールの馬鹿らしさを余すことなく命がけで示したい。

所有が維持され、労働では出費を埋め合わせられないとしたら、農工業を改革することが何の役に立つだろうか。つまり、労働は何の役に立つのか。所有の廃止をともなわない労働の組織化は、なおさらの欺瞞でしかない。〔フーリエが主張するように〕生産を四倍化することを私は結局のところ不可能だとは思わないが、そうなったとしても無駄な骨折りだろう。生産物が増大しても消費されないなら、それは無価値であり、所有者はそれを利子として認めない。他方、消費されるなら、所有についてのあらゆる難点がふたたび姿を見せる。情念引力の理論がここでは誤っていること、フーリエがどう言おうと、所有の情念という悪い情念を調和させようと望んだために、彼が自分の荷馬車の車輪に梁《はり》を投げ入れるようなことをしたということを認めなくてはならない。

ファランステール経済の馬鹿げた考えはあまりに粗雑なので、フーリエが示す所有者へのあらゆる崇敬にもかかわらず、多くの人は彼が所有に対する隠れた反対者だったと疑っている。こうした見解は、もっともらしい理由によって支持されている。けれども、私はそれを共有することができない。この人物においては、ペテンの部分があまりに大きく、善意の部分はあまりに小さいだろう。私はフーリエの偽善よりは、他の場所で判明している彼の無知のほうを信じたい[6]。彼の弟子に関しては、まず彼らの考えについてどんな見解が述べられうるかの前に、彼らが所有を保守することを望むのかどうかについて、また彼らの有名な標語「資本、労働、才能に応じて各人に」が何を意味しているのかについて、定言的かつ心中の留保なしに明言する必要がある。

(6)　本来フーリエは整数に分数をかけなければならなかったのに、〔そうしなかったことで〕被乗数よりもずっと大きな積を必ず見つけることになったのだと言われる。彼は調和のもとでは水銀は〇度以上で凝固しうると断言した。これは調和主義者なら燃える氷を作れると言ったようなものである。私は非常に知的なファランステール主義者の一人に、こうした自然学についてどう考えるかを聞いたことがある。彼は答えた。「分からないが信じる」と。彼は実際に目の前に現れるものを信じなかったのだ。

II　だが、半分改宗した所有者の誰かは、銀行、地代、小作料、家賃、あらゆる高利、ついには所有そのものを消去することで、能力に比例する形で生産物を割りふることはできないか、と指摘するだろう。それがサン＝シモンの考えだったし、フーリエの考えでもあり、人間の良心の願いでもある。ふつうはあえて大臣に農民と同じような生活をさせはしないだろう、と。

ああ、〔ギリシア神話の登場人物で触れたものを黄金に変えられる王だが、アポロンの竪琴を評価できずにロバの耳にされた〕ミダス！　君の耳はなんと長いことだろう！　なんだって！　君には待遇がまさっていることと他国者遺産没収権が同じことだと分からないのか！　確かに、不平等を共同体に重ね合わせようとしたサン＝シモン、不平等を所有に重ね合わせようとしたフーリエとその追従者たちの間違いは、小さなものではなかった。だが、計算の人、経済の人、自らの対数表を暗記している君が、どうしてこんなにひどい思い違いをするのか。政治経済学の観点からすれば、個人的能力がどうであれ、ある人の生産物はその人の労働分の価値しかもたないこと、そしてある人の労働はその人の消費分の価値しかもたないことを、君はもう思い出しはしないのか。君は私に偉大な憲法作者、一九世紀のシィエスたるあの哀れなピニェイロ＝フェレイラ*8を思い出させる。彼は一国民を一二の市民階級あるいは等級に分け、君が望むであろうごとく、ある階級には一〇万フランの待遇を、別の階級には八万フラン、以下、二万五〇〇〇フラン、一万五〇〇〇フラン、一万フランという形で、最低の一五〇〇フラン、一〇〇〇フランに至るまで、市民の給与の割り当てをした。ピニェイロは区別を好み、鼓笛隊長のいない軍隊と同じく高官のいない国家など考えられもしなかった。だが、自由、平等、友愛を好みもした、あるいは好んでいると信じてもいたので、われわれの古い社会の善と悪から折衷案を作り、それで憲法を起草した。素晴らしきピニェイロよ！　受動的服従に至る自由、言葉づかいの一致に至る友愛、陪審とギロチンに至る平等。彼の共和国の理念は、このようなものだったのだ。理解されない天才よ。彼は今世紀にはふさわしくなかったし、後世は彼に仇討ちするだろう。

聞け、所有者よ。事実としては、能力の不平等は存在する。だが、それは権利としてはまったく認められないし、なんら意味をもたないし、想定されもしない。三〇〇〇万人のうち一世紀に一人のニュートンがいれば十分なのだ。心理学者はかくも素晴らしい天才の稀少性を賞賛し、立法者はその職能の稀少性しか見ない。しかるに、職能の稀少性は、その職能人の利益になるような特権を生み出しはしない。それはいくつかの理由によるが、いずれも反論の余地なきものだ。

⑴創造主の意図において、天才の稀少性は社会が傑出した能力を授けられた人の前にひざまずくための理由などではなかった。それは、それぞれの職能が全体の最大利益へと有効活用されるための摂理の手法だった。

⑵才能は、自然からの贈り物であるより、ずっと社会による創作物である。それは蓄積された資本であり、受け取った人は保管者であるにすぎない。社会やそれが与える教育と強力な扶助がなければ、どんな優れた素質も、それが輝くべき部門においてさえ、きわめて凡庸な能力にすら及ばないだろう。知識が幅広く、想像力が素晴らしく、才能が豊かであるほど、彼の教育にも多くの費用がかかっており、彼の先人や手本はより輝かしく数多くなり、彼の負債もより大きくなるのだ。耕作者は、ゆりかごから墓場に至るまで生産する。芸術と科学の果実は晩生かつ稀少であり、しばしば熟す前に立ち枯れする。社会は才能を培《つちか》うことで希望に対する犠牲を捧げているのだ。

⑶能力を比較する尺度は存在しない。才能の不平等は、能力開発の条件が等しければ、才能の専門性と同じものでしかない。

⑷待遇の不平等は、他国者遺産没収権と同じく、経済学的に不可能である。全労働者が最大限の生産を供給したという最も好都合な場面を想定しよう。彼らのあいだで生産物の分配が公平であるためには、各人の取り分が生産を労働者数で割った商と等しくなければならな

い。そうした計算がなされたとき、上級の待遇を満たすために何が残されているだろうか。まったく何も残されてはいない。

全労働者の税金を引き上げるべきだと言われるのだろうか。だが、彼らの消費が生産と等しくなくなるとき、賃金は生産的な仕事に見合うものではなくなり、労働者は生産物を買い戻せなくなる。われわれは所有由来のあらゆる悲惨さに再びおちいることになる。私が語っているのは、無一文になった労働者に対してなされる不公正や、競合関係、かき立てられる野心、煽り立てられる憎悪といったものではない。これらについての考察は、いずれも重要かもしれないが、まっすぐ事実に向かうものではない。

一方で、各労働者の仕事が短時間で終わる簡単なもので、それを首尾よく遂行するための手段も平等なのだから、どうして大生産者と小生産者が存在するだろうか。他方で、才能や能力の実際上の同等性なり社会的協力なりによって、あらゆる職能は互いに等しいのだから、どうしてある職能人が自分に見合った賃金を要求するために天賦の才の優秀さを主張できるだろうか。

さて、私は何を言っているのか。平等において、賃金はつねに能力に比例する、ということだ。経済において賃金とは何か。それは労働者の再生産的消費を構成するものだ。したがって、労働者が生産する行為そのものが再生産的消費なのであり、それは求められる生産と等しい。天文学者が観察を、詩人が詩句を、学者が実験を生産するとき、彼らは道具、書物、旅行、等々を消費している。しかるに、社会がこの消費を満たしているなら、天文学者、学者、詩人は、ほかにどんな見合った報酬を求められるというのか〔ということになる〕。したがって、平等において、そして平等においてのみ、サン＝シモンの格言「能力に応じて各人に、仕事に応じて各能力に」は十分かつ完全に適用される、と結論づけよう。

Ⅲ　所有の大きな傷口、つねに口を開けた恐ろしい傷口は、所有とともにあるかぎり、人口はいかにその数を減らそうとも、つねに必然的に過剰なままであるということだ。いつの時代にも、人口の過剰が嘆かれてきた。また、いつの時代にも、所有はそれ自身が唯一の原因だと気づくことなく貧困の現れを前に困惑してきた。さらに言えば、所有が貧困をなくそうとして考えてきたさまざまな手段ほど奇妙なものはない。そこでは残虐さと馬鹿馬鹿しさが勝利の栄冠を競っている。

子供の遺棄は古代において絶えずおこなわれた。大量に、小分けに奴隷を殺すこと、内戦、戦争もまた人々を助けた。所有権が強力かつ峻厳だったローマにおいて、これら三つの手段があまりにも長く効果的に用いられたので、末期の帝国には住民がいなくなった。〈蛮族〉がやって来たとき、そこに誰一人見つけられなかったのだ。田舎はもはや耕されず、イタリアの都市の道には草木が生い茂っていた。

中国では、太古の昔から貧しい人の一掃は飢餓の役まわりだった。身分の低い人々にとっては米がほとんど唯一の生活の糧《かて》だったので、一度の偶発事が収穫物の不足を招いたのだろうか、飢餓は数日間のうちにおびただしい数の住民を死なせた。中国の年誌において、史料編纂官は、ある皇帝の時代のある年に飢饉が二万、三万、五万、一〇万の住民の命を奪ったと記録している。すると、人々は死者を埋葬し、子をなすことに取りかかる。やがてまた別の飢饉が同じ結果をもたらすまで。いつの時代にも孔子的経済とはこのようなものだったようだ。

現代の経済学者[*9]から詳細な記述を借用しよう。

「一四、一五世紀以来、イギリスは貧困に食い尽くされており、乞食に対しては残忍な法を定めてきた」（しかしながら、その人口は今日の四分の一もなかった）。

「エドワード〔六世〕は、投獄の罰をもって施しを禁じた……。一五四七年と一六五六年の勅令は、累犯の場合には同様の措置をとる、と述べている。――エリザベス〔一世〕は、各小教区がそこに住む貧しい人に糧を与えるよう命じた。だが、貧しい人とは誰か。シャルル二世は四〇日間の異議申し立てなき居住によって、その市町村への定住が認められる、と決定した。だが、異議申し立てがなされ、新参者は立ち退かざるをえなかった。ジェームズ二世はこの決定を修正し、さらにウィリアム〔三世〕によっても修正された。調査、報告、修正の最中にも貧困は増大し、労働者は衰弱して死んでいった」。

「一七七四年には救貧税が四〇〇〇万フランを超えている。一七八三年、一七八四年、一七八五年は年平均で五三〇〇万フラン。一八一三年には一億八七五〇万フラン。一八一六年、二億五〇〇〇万フラン。一八一七年には三億一七〇〇万フランと推定される」。

「一八二一年には小教区に登録された貧しい人の総体は四〇〇万人と推算され、人口の四分の三である」。

「フランス。一五四四年に、フランソワ一世が貧しい人に対する強制的な施し税を創設した。一五六六年、一五八六年には、この原則が王国全体に適用される形で呼び出された」。「ルイ一四世の治下、四万人の貧しい人が首都に出没した（比率としては今日と同じである）。物乞いに対して厳しい勅令が下された。一七四〇年には、パリの高等法院が管区に対して強制的分担金をふたたび課した」。「憲法制定議会は、悪の大きさと治癒の難しさにたじろぎ、現状維持を命じた」。「国民公会は、貧困救済は国民的負債だと宣言した。――その法は施行されないままだが」。「ナポレオンもまた、悪を改善するよう望んだ。彼の法律の発想は禁錮重労働である。彼は「これによって豊かな人たちを、乞食たちの執拗さや赤貧という欠陥のひどく不愉快なイメージから守るのだ」と述べた」。なんと偉大な人物か！

いくらでもこうした事実を挙げられるだろうが、結論は二つだ。一つは、貧困が人口とは無関係であること。もう一つは、貧困をなくすために試みられた打ち手がすべて無効に終わったことである。

カトリックは、病院や修道院を設立し、施しを命じた。つまり、物乞いを助長した。司祭によって語られるその精神は、そこから先には進まなかった。

キリスト教国の世俗権力は、あるときは豊かな人への税を、またあるときは貧しい人の追放や拘禁を命じた。つまり、一方で所有権の侵犯を、他方で民事死および殺人を命じたのだ。

　現代の経済学者たちは、貧困の原因がすべて人口過多のうちにあると思い込んで、とりわけその増大を抑制することに執着している。ある者たちは、貧しい人の結婚を禁じることを望む。それゆえ、宗教的独身を論難しておいて、必ずや放縦な独身になる強制的独身を提唱することになる。

　またある者たちは、こうしたあまりに乱暴な手法、彼らが言うところの「貧しい人がこの世で知る唯一の楽しみ」を奪うような手法には賛成しない。彼らは、ただ貧しい人に慎重さが奨められることを望む。これはマルサス氏、シスモンディ氏、セイ氏、ドロズ氏、デュシャテル氏[*10]らの見解である。だが、貧しい人が慎重であることを望むなら、豊かな人が彼らにその手本を示す必要がある。どうして豊かな人には一八歳と定められた結婚可能年齢を、貧しい人には三〇歳と定められようか。

　それから、労働者に対してこれほどしきりに奨められる結婚をめぐる慎重さについて、はっきりとした説明がなされるべきである。この問題では曖昧であることの不都合がとりわけ危惧されるのだから。私の見るところ、経済学者たちが完全には〔自分たちの述べていることを〕理解していないというのも理由である。「あまり啓蒙されていない聖職者たちは、結婚に慎重さをもたらすという話を聞くと怯《おび》える。彼らは生めよ殖やせよという神の命令に反対することを恐れるのだ。首尾一貫するためには、独身者に破門宣告しなければならない」（J・ドロズ『政治経済学』）。

　ドロズ氏は、決疑論者たちの不安の原因を理解するには、あまりに誠実だし、あまりに神学者から程遠い。この純真なる無知は、彼の心の純粋さの最も見事な証拠である。宗教はけっして早い結婚を奨励しなかったのであり、宗教が非難する慎重さがどういう種類のものかは、〔一六―一七世紀のイエズス会の決疑論者トーマス・〕サンチェスのラテン文《子をなすことへの心配によって、器から種子を追い出してもよいのか》に表現されている。

デステュット・ド・トラシは、どちらの慎重さにも満足していないようで、次のように述べている。「私はわれわれの快楽を減らしたり妨げたりしようとする道徳家たちの熱意も、われわれの多産性を増大させ、人口増加を加速させようとする政治家たちの熱意も共有していないと認める」。そうして、彼の見解は、可能なかぎり愛をなし、結婚するのがよい、というものになる。だが、愛と結婚の帰結が貧困の急増なのだ。われわれの哲学者は、そのことに苛《さいな》まれはしない。彼は悪の必然性の教説に忠実で、あらゆる問題の解決を悪に期待するのだ。彼は次のようにも付け加える。「人口増加が社会のあらゆる階層で続くと、上層の余剰が継続的に下層に転嫁され、最下層の余剰は貧困によって必然的になくなる」。こうした哲学の公然たる支持者は、ほとんどいない。だが、他のあらゆる哲学に比べて、実践で証明されるという議論の余地なき優位性をもっている。また、この哲学は少し前にフランス下院で選挙改革の議論の際に公言され、われわれが聞いたものでもある。「貧しい人はずっと存在し続けるだろう」。アラゴ氏の立論を粉砕するために大臣が用いた政治的格言は、これである。[*11] 貧しい人はずっと存在し続けるだろう。そのとおりだ、所有があるかぎりは。

多くの驚くべきものの発明者であるフーリエ主義者たちは、こうした場合に彼らの性格を偽ることができなかった。それゆえ、彼らは意のままに人口増大を止める四つの方法を発明した〔フーリエ『産業の新世界』〕。

(1)女性の活力。この点について、経験は彼らに反している。なぜなら、力強い女性がつねに最も早く懐妊するわけではないにせよ、少なくとも彼女たちこそが最も成育力のある子供を生むからだ。したがって、母としての有利さは彼女たちから失われない。

(2)全身鍛錬、あるいはあらゆる身体的能力の等しい発達。発達が等しいとしたら、それによって再生産の能力はどうやって弱められるのか。

(3)美食学的食餌療法、フランス語では美食哲学。[*12] フーリエ主義者たちは、過剰な樹液が花を豊かで美しいものにしながらも発育不全にさせるように、過剰で量の多い食事が女性を不妊にする、と断言する。だが、この類比は誤っている。花の発育不全は、バラを検査すると確かめられるが、雄しべや雄性器官が花弁に変化すること、湿度過多によって花粉が繁殖力を失うことに由来する。それゆえ、美食学的食餌療法が望んだ結果を生むには、女性たちを太らせるだけでは不十分で、男性たちを不能にする必要がある。

(4)顕花植物的習俗、[*13] あるいは公的内縁。ファランステール主義者たちが、実にうまくフランス語に訳せる観念を表すために、なぜギリシア語を使うのか私には分からない。前のものと同様、この手法は文明人の手法を模倣したものである。フーリエ自身、証拠として娼婦の例を引いている。ところで、彼の持ち出した事実では依然として非常に多くの不確実性が支配しており、それはパラン・デュシャトレが著書『〔パリ市における〕売春について』ではっきり述べているところである。

私が集められた資料によれば、国民の変わらぬ慣習、哲学、政治経済学、ごく最近の改革家たちによって示された貧困および多産性に対する打ち手は、次のリストに含まれる。マスターベーション、オナニズム[7]、男色、同性愛、一妻多夫[8]、売春、去勢、禁錮重労働、中絶、嬰児殺し[9]である。

(7)《オナニズムとマスターベーションの違いはもちろん、前者が一人の人物のみでおこなわれるのに対して、後者が男性と女性によって相互的におこなわれる点にある。加えて、夫たちは家庭内の最も快い楽しみとしてオナニズムの病的快楽を得る》。

(8)　polyandrie〔一妻多夫〕とは、夫が多数いることである。

(9)　嬰児殺しは、最近イギリスでマルサスの弟子を僭称する著者の小冊子で公然と要求されたばかりだ。彼は出生数が法定数を超過したすべての家族において「幼児を毎年殺戮すること」を提唱した。そして、定数外の子供たちを特別に埋葬するために、彫像、植え込み、噴水、花壇で飾られた壮麗な墓地が用意されることを求めた。母親たちは、この至福の場所に小さな天使たちの冥福を祈りに行き、すっかり慰められて家に戻り、またそこに送り出されることになる子をなすだろう、と。

これらの手法がすべて不十分だと証明されたら、残るは追放である。

残念ながら、追放は、貧しい人たちを減らしはするが、その割合は増大させるのみである。所有者によって生産物から天引きされる利子が、単純にその生産物の二〇分の一と等しいなら（法によれば、それは資本の二〇分の一と等しい）、二〇人の労働者が一九人の労働者のためにしか生産しないことになる。なぜなら、彼らのうちに一人、所有者と呼ばれる人がいて、二人分を食べるからである。結果、一九番目の労働者が死ぬとしたら、翌年の生産は二〇分の一減少する。赤貧の二〇番目の労働者が自らの分け前を譲って死ぬことになる。なぜなら、所有者に支払われなければならないのは、一九人による生産物の二〇分の一ではなく、二〇人による生産物の二〇分の一だからである（第三命題を見よ）。生き残った各労働者が削らなければならないのは、自分の生産物の二〇分の一に四〇〇分の一を加えた分である。言い換えれば、一九人のうち一人を殺さなければならない。それゆえ、所有があるかぎり、貧しい人が殺されれば殺されるだけ、それに応じて貧しい人がまた生まれるのである。

マルサスは、生産が等差数列的にしか増加しないのに人口は等比数列的に増加することを大変な博識をもって証明したが、所有のそうした貧困化させる力能には注目しなかった。この点を考慮していれば、出産を抑制するべく努める前に、他国者遺産没収権を廃止することから始めなければならないことを理解しただろう。なぜなら、この権利が黙認されているところでは、土地の広さや肥沃さがどうであれ、つねに住民が多すぎるからである。

おそらく、人口の均衡を維持するためにどんな手段を提唱するのか、と人は問うだろう。その問題は早晩解決されねばならないからだ。その手段をここでは名づけないが、読者には許してほしい。私の考えでは、証明されていないことについて何か言っても仕方ないからだ。しかるに、私の語る手段の正しさを余すところなく説明するには、きちんとした概論一冊を書くくらいのことが必要だろう。それは、とても単純かつ重大なこと、とても凡庸かつ高貴なこと、どこまでも真実だが認められていないこと、とても神聖かつ世俗的なことなので、展開も証明もせずにそれを名づけることは、軽蔑や不信を生むことにしかならないのだ。一つのことで足りるとよい。平等を確立しよう。そうすれば、打ち手が目の前に現れるだろう。誤謬や犯罪と同じで、真理もまた継起するものだからである。

第六命題

所有は不可能である。なぜなら、それは暴政の生みの親だからである。

統治とは何か。統治とは公的経済であり、全国民の労働と財産に関する最高位の管理である。

ところで、国民とはすべての市民を株主とする大きな会社のようなものである。各人は議会で議決権をもち、株数が平等なら自由に一票ずつ投票できる。だが、所有の体制のもとでは、株主間の出資金は極端に不平等である。そうして、何百票もの権利をもつ者がいる一方で、一票しかもたない者もいる。例えば、私に一〇〇万の所得があるとしよう。つまり、三〇〇〇万から四〇〇〇万の不動産の所有者であり、その財産だけで国民資本の三万分の一を構成しているとしよう。すると、私の財産の高度な管理が統治の三万分の一の部分をなすことは明らかだ。そして、国民数が三四〇〇万人なら、私だけで一株の株主一一三三人分の価値があることも明らかである。

こうして、アラゴ氏が国民軍全員の選挙権を要求したとき、彼は完璧に正しかった。というのは、あらゆる市民が少なくとも一株をもつ国民として登録され、それが一票の権利を与えるからである。だが、この高名な弁舌家は、それと同時に各選挙人が保有している株数に応じた票をもつように要求するべきだった。商社で実践されているのをわれわれが見るような形である。そうでなければ、国民は個別者に相談することなしにその財産を処分する権利をもつと主張することになり、所有権に反するからである。所有権の国では、選挙権の平等は所有権の侵犯なのである。

ところで、主権が各市民にその所有に応じてのみ帰属させることができ、またそうすべきだとしたら、次のようなことになる。小株主は大株主のなすがままで、大株主がそうしたいと思うや、小株主たちを奴隷にし、好みのままに結婚させ、彼らの妻を奪い、彼らの息子たちを去勢し、彼らの娘たちに売春させ、老人たちをヤツメウナギに食わせることができる、ということに。そして、従僕に糧を与えるために自分に課税しようと思うのでもなければ、そうせざるをえないのだ、とさえ。これが今日のイギリスの状況である。自由、平等、尊厳にほとんど興味をもたないジョン・ブル〔イギリス人〕は、奉仕し、物乞いするほうを好む。だが、君は、お人好しのジャック〔フランス人〕はどうだ。

所有権は政治的・市民的平等と相容れず、それゆえ所有は不可能である。

歴史に関する注釈。1　一七八九年の三部会によって第三身分代表の倍増が宣言されたとき、所有権に対する重大な侵犯がなされた。貴族と聖職者だけでフランス国土の四分の三を保有しており、貴族と聖職者は国民代表の四分の三を形成するべきだった。だが、ほとんど人民だけが納税しているのだから、第三身分代表の倍増は公正だと言われた。この理屈は、税について議決することだけが問題なら、正しいだろう。だが、統治と憲法の改革が語られたのだ。したがって、第三身分代表の倍増は、所有に対する横領であり攻撃だった。

2　現在の急進的反対派の代表が権力を握れば、国民軍全体が選挙人で、すべての選挙人が被選挙権をもつような改革をおこなうだろう。所有への攻撃である。

彼らは公債を切り替えるだろう。所有への攻撃である。

彼らは国民的利益のために家畜と麦の輸出に関する法律を作るだろう。所有への攻撃である。

彼らは課税基準を変えるだろう。所有への攻撃である。

彼らは人民への無償教育を広めるだろう。所有に対抗する共謀である。

彼らは労働を組織化するだろう。つまり、彼らは労働者に仕事を保証し、利益に与《あずか》れるようにするだろう。所有の廃止である。

ところで、まさにこの急進派たちが、所有の熱心な擁護者なのだ。これは、彼らが自分のすること、欲することを理解していないことの決定的な証拠である。

3　所有は特権と専制の主要因であるから、共和主義者の誓いの決まり文句は変えられるべきだ。「私は王政を憎むことを誓う」ではなく、いまや秘密結社の新会員は「私は所有を憎むことを誓う」と言わなければならない。

第七命題

所有は不可能である。なぜなら、それは受け取ったものを消費することで失い、貯蓄することで無効にし、資本化することで生産の反対へと向けるからである。

I　われわれが経済学者とともに、労働者を生きた機械のように捉えるなら、彼らに支給される賃金は機械の維持と修理に必要な費用のようなものだと考えられるだろう。一日あたり三、五、一〇、一五フランで労働者や使用人を抱え、自らの高度な指揮によって二〇フランを手に入れる工場主は、これらすべての支出を損失とはみなさない。なぜなら、生産物の形で自分に戻ってくることを知っているからだ。こうして、労働と再生産的消費は同じ事柄である。

所有者とは何か。それは、機能しないか、自らの快楽のために気まぐれに従って機能して何も生産しない機械である。

所有者的に消費するとは何か。それは働かずに消費すること、再生産せずに消費することである。なぜなら、もう一度言うが、所有者は労働者として消費するものについて返済させるからだ。彼は自らの所有とひきかえに自らの労働を提供することはない。というのは、そうしてしまうと所有者であるのをやめることになるからだ。労働者として消費するに際して、所有者は儲けるか、少なくとも何も失わないかのいずれかである。それは取り戻されるからだ。所有者的に消費すると彼は貧しくなる。それゆえ、所有を享受するためには所有を破壊しなければならない。実効的に所有者であるためには、所有者であることをやめなければならないのだ。

自らの賃金を消費する労働者は、自らを修理し、再生産する機械である。自らの資本利得を消費する所有者は、底なしの穴、水がかけられる砂、種の蒔かれる石である。これらすべてはまことに真実なので、生産することを欲しなかったりできなかったりする所有者、所有を利用するにつれて取り返しのつかない形で消滅させているとひしひし感じる所有者は、代わりに誰かに生産させる決心をした。それこそが、政治経済学が不朽の正義をもって「資本によって生産し」、道具によって生産する」と呼ぶものである。だが、「奴隷によって生産し、泥棒や暴君として生産する」と呼ぶべきだ。彼、所有者が生産するだって！……ならば、盗人も「私は生産する」と言えるだろう。

所有者的消費は、有用な消費とは対照的に贅沢と名づけられた。いま述べたことから、ある国民がそれによって豊かになることなく、大いなる贅沢が君臨することもありうるということは理解されよう。それどころか、より多くの贅沢が見られるにつれて、ますます国民は貧しくなり、《逆もまた然り》である、と。経済学者たちがこのような贅沢の恐ろしさを感じさせたのは正しいと認めなければならない。おかげで今日、ほとんどすべてとは言わないまでも、非常に多くの所有者が自らの無為を恥じて労働し、貯蓄し、資本化している。〔だが〕これは事態を悪化させる。

繰り返しすぎないようにしよう。働くことによって自らの所得に値すると信じ、労働に対する給与を受け取る所有者は、二度支払われる職能人である。有閑の所有者と労働する所有者の違いは、これに尽きる。所有者は、労働によって自らの給与分しか生産しないのであり、自らの所得分を生産するのではない。そして、所有者の境遇は最も金になる職能にのし上がるという絶大な有利さをもたらすのだから、彼の労働は社会にとって有用であるどころか有害だとさえ言える。所有者が何をなそうが、彼の所得を消費することは実質上の損失である。それは彼の有給の職能で埋め合わせることも正当化することもできない損失であり、他の人の生産によって絶えず埋め合わされなければ所有をなきものにする損失なのである。

II　それゆえ、消費する所有者は生産物を消滅させる。彼が貯蓄しようなどと思えば、なおさら悪いことになる。彼が蓄えた物は別の世界に移る。もはや何も、《死せる頭》や汚穢すら思い出されることのないような別世界だ。月に旅行するための輸送手段が存在し、所有者たちがそこに貯蓄を運ぼうという気になるとしたら、しばらくのち、水陸から成るわれわれの惑星は彼らによってその衛星へと移転させられてしまうだろう。

貯蓄する所有者は、自ら享受することなく、他の人の享受をも妨げる。彼にとっては占有も所有もない。守銭奴のごとく宝を抱くのだ。それを利用することはない。それで目を楽しませ、ともに寝転がり、抱きしめて眠る。そんなことをしても無駄である。金が金を生みはしないのだ。享受なくして完全な所有はなく、消費なくして享受はなく、所有の喪失なくして消費はない。神の裁きが所有者を位置づけたのは、こうした冷厳な必然のうちに、である。所有に対する呪いなのだ！

Ⅲ　所得を消費するのではなく資本化し、生産の反対へと向ける所有者は、そうすることで自らの権利行使を不可能にする。なぜなら、支払うべき利子の総量を増やすほど、彼は賃金を下げざるをえないからだ。しかるに、賃金を下げるほど、つまり機械の維持費と修理費を削るほど、彼は労働の量を減らすことになる。そして、労働の量を減らせば生産物の量を、生産物の量を減らせば所得の源泉自体を減らすことになるのだ。次の事例が、そのことを実感させてくれる。

耕地、牧場、ぶどう畑、地主と小作人の家屋から成る地所があり、開拓用具一式を含め、所得の三％で評価して、一〇万フランの価値があるとする。所有者が所得を消費する代わりに、地所の拡大ではなく美化にその分を充当するとしよう。そのようにして資本化する三〇〇フランのために毎年九〇フラン多く小作人に要求することができるだろうか。明らかに否である。なぜなら、そのような状況において、小作人はより多く生産するわけではないので、まもなく無償で働くよう強いられるからである。言うなれば、家畜賃貸契約を保つために協力するよう強いられるのだ。

確かに、所得は生産地を増大させることによってしか増大しえない。大理石の壁で囲い込んだり、金の犂《すき》で耕したりしたところで、何の役にも立たないだろう。だが、絶えず獲得し、地所と地所を結びつけ、ラテンの人々が言ったように「占有を継続する」ことは不可能である。にもかかわらず、所有者にはいつも資本化すべきものがある。これらのことから、彼の権利行使は結局、まったき必然性において不可能だということになる。

なんだって！　不可能であるにもかかわらず、所有は資本化し、資本化することで利子を増やすとは。商業、工業、銀行業が提供してくれるたくさんの事例に足を止めることなく、より重大で、すべての市民に関係する一つの事実を挙げよう。予算の際限なき増大の話をしたい。

租税は毎年増加している。公的負担のどの部分においてその増加が生まれているかを明確に述べるのは困難だろう。なぜなら、予算に関して何か知っていると自慢できる人はいないからである。われわれは最も熟達した財政家たちの意見が一致しないさまをいつも見ている。統治の科学の大家たちが数字について意見を一致させられないのに、この科学について何を考えられるだろうか、と問いたい。こうした予算増大の直接的原因が何であろうと、人々を絶望させる租税の増大は同じ調子で進行していく。誰もがそれを見て、それについて述べているが、その第一原因には誰も気づいていないようだ。(10)そこで私が言いたいのは、そうでしかありえないということ、それは必然で不可避だということである。

(10)「イギリス政府の財政状況が一月二三日の上院議会であらわになった。それは輝かしいものではない。数年前から歳出が歳入を超過し、内閣は毎年繰り返される公債の助けによってのみ収支バランスを回復させている。一八三八年および一八三九年の公式に確認された赤字は、それだけで四七五〇万フランに達する。一八四〇年の歳入に対する歳出の超過は、二二五〇万フランと予想される。これらの数字を提出したのは、リポン卿である。メルボーン卿は、彼に次のように回答した。「高貴なる伯爵が、公的歳出が絶えず増加していると明言されたのは遺憾ながら正しく、私も伯爵のようにこう言わねばなりません。この歳出が縮小[*14]したり、それへの救済策がもたらされたりすることを希望する余地はないのです、と」」(『ナシオナル』紙、一八四〇年一月二六日)。

一国民は「政府」と呼ばれる大所有者の小作人のようである。土地の開拓のために、「租税」の名で知られる小作料を支払っているのだ。政府は戦争し、戦いに負けたり勝ったりし、軍需品を変え、記念建造物を建て、運河を掘り、道路や鉄道を開通させるたびに借金をする。その利子は納税者が支払う。つまり、政府は生産の基盤を増大させることなく、活動資本を増やしているのだ。一言で、まさに私が少し前に語った所有者のように資本化するのだ。

ところで、ひとたび政府が公債を発行し、利子が定まると、予算が減額されることはありえない。なぜなら、そのためには次のいずれかが必要だからだ。金利生活者が利子を帳消しにすること。これは所有の放棄なしにはなされえない。政府が破産すること。これは政治的原理の詐欺的な否定であろう。政府が負債を返済すること。これはさらなる公債によってしかなされえない。出費を節約すること。これは通常の税収が不足したために公債が発行されたのだからなされえない。政府が出費する金を再生産的なものにすること。これは生産の基盤を広げることによってしか起こりえない。しかるに、この拡張は仮定に反する。最後にもう一つ、納税者が負債の返済のために新たな課税を甘受すること。これも不可能だ。なぜなら、新たな課税の分配がすべての市民にとって均等だとしたら、半分以上の市民が支払えないし、豊かな人にしか課さないとしたら、それは強制された分担金であり、所有権の侵害だからである。ずっと前から財政の実践は、公債という方法がこのうえなく危険でありながら、やはり最も容易かつ確実で、費用のかからないものだということを明らかにしてきた。そうして借り入れがなされる。つまり、絶えず資本化がなされ、予算が増大させられるのだ。

したがって、予算はいつか減らしうるどころではなく、つねに必然的に増大するのである。この事実はあまりに単純かつ明白なので、経済学者たちが学識豊かでありながら、このことに気づかなかったのは驚くべきことである。もし彼らが気づいていたのだとしたら、なぜ告発しなかったのだろう。

歴史に関する注釈。今日、財政上の操作が強く案じられて、予算の減額につながる大きな成果が望まれている。問題になっているのは、五％の利率引き下げである。財政的問題に焦点をあてるため、政治的・法的問題は措くとして、五％を四％に引き下げるなら、やがて同じ理由と同じ必然性によって四％を三％に、次いで三％を二％に、二％を一％に引き下げ、ついにあらゆる種類の金利を廃止しなければならなくなる、というのが真実ではないだろうか。だが、それは実際には条件の平等と所有の廃止を宣言することであろう。しかるに、知的な国民には、冷厳な必然性の車に引きずられるがままでいるよりも、不可避の革命の機先を制することのほうがふさわしいと私には思われる。

第八命題

所有は不可能である。なぜなら、その蓄積の力能は無限であるのに、有限量に対してしか行使されないからである。

平等に作られた人間たちが彼らのうちの一人に排他的な所有権を認め、その唯一の所有者が人類に対して複利で一〇〇フランの金を投資して二四世代後の子孫において返済されるとしよう。六〇〇〇年後、利率五％で投資されたその一〇〇フランの金は、一〇七兆八五四〇億一〇七七万七六〇〇フランに達する。これはフランスの全資本を四〇〇億フランと仮定して、その二六九六と三分の一倍に等しい金額である。動産不動産を含めた地球全体の価値の二〇倍以上である。

フランスの法律によれば、聖ルイの治下〔一二二六―七〇年〕に、ある人が同じく一〇〇フランの金を借り、彼とその相続人たちが返済を拒んだとして、当該の相続人たちがみな不誠実な占有者であったこと、時効がつねに有効期間内に中断されていたことが認められるなら、最後の相続人は一〇〇フランに利子および利子の利子をつけて返済することを余儀なくされるかもしれない。それは、いま見たように、約一〇八兆フランの返済になるだろう。

われわれは日々はるかに早く増進する財産を目の当たりにしている。先の事例は、資本の二〇分の一〔＝五％〕に等しい利益を想定していた。だが、それが一〇分の一、五分の一、資本の半分、資本全体分に等しいことも稀ではない。

平等の不倶戴天の敵であるフーリエ主義者たちは、平等の支持者たちを強欲者呼ばわりし、生産を四倍化することで資本、労働、才能のあらゆる要求を満足させることができると自負している。だが、生産が四倍化、一〇倍化、一〇〇倍化されるとき、所有は蓄積の力能と資本化の効果によって生産物、資本、土地、そして労働者に至るまで、すばやく吸収してしまうだろう。ファランステールでは資本化や利子付き投資が禁じられるのか。そのとき、所有に関する彼らの考えはどう説明されるのか。

こうした計算をこれ以上続けるのはやめよう。それぞれの計算は無限に異なるし、自説をくどくど述べるのは子供じみている。私はただ占有保全訴訟における判事が利子を認めるときには、どのような規準に従って認めているのか、と問いたい。この問いをより高レベルで繰り返すなら、次のような問いになる。

立法者が共和国に所有の原理を導入したとき、そのあらゆる帰結を熟慮しただろうか。可能的なものの法則を知っていただろうか。知っていたとしたら、なぜ法典はそれに言及していないのか。なぜ次のような恐るべき自由が認められたのか。所有者に対しては、自らの所有を増大させてその利子を請求する自由。判事に対しては、所有権を承認し、定着させる自由。国家に対しては、絶えず新しい租税を設ける自由である。どのような限界を越えたら、人民が予算を、小作人が小作料を、実業家が自らの資本の利子を拒否する権利をもつのか。有閑者はどれくらいまで労働者を搾取できるのか。搾取の権利はいつ始まり、いつ終わるのか。生産者はいつ所有者に対して「私は君にもう何も負っていない」と言うことができるのか。所有はいつ満たされるのか。いつになれば盗むことがもう認められなくなるのか。

　立法者が可能的なものの法則を知っていて考慮しなかったとしたら、彼の正義はどうなるのか。それを知らなかったとしたら、彼の叡智はどうなるのか。不公平きわまるか先見の明がないかのいずれかである彼の権威を、われわれはいかにして認められるのか。

　われわれの憲章や法典の原理が馬鹿げた仮定でしかないのなら、法学校では何が教えられるのか。破棄院〔最高裁判所〕の判決とは何か。われわれの議会は何について熟議するのか。政治とは何か。政治家とは誰か。法律学とは何を意味するのか。法律無学と言わねばならないのではないか。

　われわれの社会体制の原理が計算間違いでしかないのなら、その制度はことごとく虚偽であるということにならないだろうか。また、社会組織全体が所有という絶対的不可能性の上に築かれているのなら、われわれがその下で生きている政府は幻想であり、現在の社会は空想だというのが真実ではないか。

第九命題

所有は不可能である。なぜなら、それは所有に対して無力だからである。

I　われわれの公理の第三の系に従えば、利子は他国者に対してと同様、所有者に対しても駆けつけてくる。この経済原理は普遍的に認められている。一見すると、これより単純なことはない。しかしながら、これより馬鹿げたこと、語義矛盾したこと、絶対的に不可能なことはないのだ。

実業家は家や資本の賃貸料を自分に支払っていると言われる。だが、「自分に支払っている」とは、つまり彼の生産物を買う公衆に支払わせているということだ。理由は以下のとおりである。実業家が所有物から得ているように見える利益を同じように商品からも得ようとするとしよう。彼は九〇サンチームの費用がかかったものに自分で一フラン払い、もって市場で儲けることができるだろうか。否だ。そのような取引は、商人の右手にある金を左手に移すようなものであり、なんら利益をもたらさない〔だから、結局、「自分に支払っている」といっても、他人に支払わせているということでしかない〕。

ところで、自分自身と不正取引をする一人の個人において真実であることは、商業社会全体においても真実である。一〇人なり一五人なり二〇人なり望むだけ長い生産者の鎖を考えてみよう。生産者Aが生産者Bの利益を天引きするなら、経済原理に従って、BはCによって返済されなければならず、CはDに、という形でZまで続く。だが、Zは誰によってはじめAによって天引きされた利益を返済されるのか。セイは、消費者によって、と答えた。哀れな偽善者よ！　すると、その消費者というのは、A、B、C、D……Zとは別の人なのか。Zは誰によって返済されるのか。最初の受益者Aによって返済されるなら、もはや誰にとっても利益は存在せず、したがって所有も存在しない。反対にZが利益を我慢するなら、その瞬間から彼は社会の一員であるのをやめる。社会が他の結合者には認めている所有権と利益の権利を彼に対してだけ認めないということだからだ。

したがって、一国民は人類全体と同じようにその外で活動することのできない大きな産業社会であるから、他の人が貧しくなることなしには誰も豊かになれないということが明らかになる。所有権、他国者遺産没収権がAにおいて尊重されるためには、それがZにおいては認められない必要があるからである。このことによって、諸条件の平等と切り離された諸権利の平等が、どのように真実でありうるかが理解される。この点に関して、政治経済学が不公平であることは明白である。「企業家である私が労働者の働きを買うとき、事業の純益に労働者の賃金は算入しない。反対に、それを控除する。だが、労働者は彼の純益にそれを算入するのだ……」（セイ『政治経済学』）。

このことは、労働者が稼ぐものすべては純益だが、企業家が稼ぐものにおいては、その給与を超過する分だけが純益だということを意味している。だが、なぜ企業家だけが利益を得る権利をもつのか。なぜ結局は所有権そのものであるこの権利が、労働者には認められないのか。経済科学の用語において、労働者は資本である。しかるに、あらゆる資本は修理費と維持費に加えて利益をもたらさなければならない。このことこそ、所有者が自らの資本と自分自身のために注意しておこなっていることである。だが、なぜ労働者には自分のものである資本から同じように利益を天引きすることが許されないのか。

こうして、所有とは諸権利の不平等である。なぜなら、所有が諸権利の不平等でないとしたら、それは財産の平等であり、存在しなくなるだろうからだ。しかるに、〔一八一四年の〕憲章は、万人に諸権利の平等を保証している。したがって、憲章によって所有は不可能である。

II 地所Aの所有者は、その地所の所有者であるということだけによって沿道の畑Bを奪うことができるか。――所有者たちは、否と答える。だが、そうした行為は〔実際に〕所有権とどのような共通点をもつだろうか。このことこそ、一連の同一命題によって、これから理解されることである。

帽子商である実業家Cは、同じく帽子商である隣人Dに、商店を閉め、商売をやめるよう強いる権利をもつだろうか。――ありえない。

だが、Dが帽子一つあたり五〇サンチームで満足しているところ、Cが一フラン稼ぎたいと思うなら、Dの節度がCの野望を妨げることは明らかだ。CはDの小売を妨げる権利をもつだろうか。――確実にない。

DはCよりも五〇サンチーム安い帽子を自由に売ることができるのだから、Cのほうも自分の売る帽子を一フラン値下げする自由がある。しかるに、Dは貧しく、Cは富んでいると
して、一、二年後、この競争に耐えられずにDは破産し、Cはあらゆる販売を思いどおりに
できるようになる。所有者Dは、所有者Cに対抗する何か頼みの綱をもっているだろうか。
DはCに対して、商売および所有の権利を要求する訴訟を起こすことができるだろうか。
——否だ。なぜなら、Dのほうが富んでいたなら、Cと同じことをする権利をもっていただ
ろうからだ。

同じ理由で、大所有者Aは小所有者Bにこう言うことができる。「君の畑を売ってくれ。
さもないと、君は麦を売れなくなるだろう」と。しかも、それはBが不平を言う権利をもた
ないなら、Aにいささかも損害を与えることなく言えるのだ。その結果、実効的な意志によ
って、AはBより強大だという理由だけでBを食い尽くすだろう。こうして、AやCがBや
Dを無一文にできるのは、所有権によってなどではなく、力の権利によってである。所有権
によっては、卸売商C、Dと同じく、隣接地のA、Bも何もできない。互いに所有物を奪い
合うことも、破壊し合うことも、相手を犠牲にして大きくなることもできないのだ。侵略行
為を完遂したのは、最強者の権利である。

だが、工場主が望むように賃金引き下げをおこなうのも、富んだ卸売商や備蓄した所有者
が望むように生産物を売れるのと同じく、最強者の権利によってなのだ。企業家は労働者に
言う。「私にあなたの仕事を受け入れるかどうかの自由があるように、あなたにもよそで働

く自由がある。私はあなたにこれだけ出しているのだ」と。——商人は顧客に言う。「買っても買わなくても結構です。私が自分の商品を好きにできるように、あなたもご自分のお金を好きにできます。私はこれだけ欲しいのです」と。どちらが譲るか。弱いほうだ。

　したがって、力がなければ、所有は所有に対して無力である。というのも、力がなければ、所有は資本利得によって増大することができないからだ。そうして、力なしには所有は無効なのである。

　歴史に関する注釈。植民者の砂糖と現地人の砂糖の問題は、所有の不可能性についての際立つ一事例をわれわれに提供する。二つの産業をそのままにしておくと、現地人の製造業者は植民者によって破産させられる。ビートを保護するためには、サトウキビに課税しなければならない。一方の所有を維持するためには、他方の所有に損害を与えねばならないのだ。この問題において、より注目すべきことは、まさに最も注意が払われていない事柄である。すなわち、どのみち所有権は侵害されるほかない、ということだ。市場で両者を均衡させるために、各産業に比例税を課してみよ。すると、最高価格を生み出すことになり、所有権に対して二重の侵害をもたらすことになる。その最高価格がどれだけ低いものであれ、それが存続するかぎりは、砂糖をめぐる商取引の自由は阻害されるだろう。ビートへの補償をしてみよ。すると、納税者の所有権を侵害することになる。多品種のタバコが栽培されているように、国民会計によって二つの品種の砂糖を圧搾してみよ。すると、一つの種の所有権を廃することになる。最後の解決策が最も単純で最善のものだろう。だが、国民をそこに導くには、巧みな思考能力と寛大な意志の協力が必要であり、今日実現するのは不可能だろう。競争、言い換えれば商取引の自由、要するに交換における所有権は、今後も長らく商業に関する立法の基礎であるだろう。それは経済の観点からあらゆる民法と統治を包括する。ところで、競争とは何か。閉じた場における決闘であり、そこでは権利が武力によって決められるのだ。

われわれの未開の祖先は「被告と証人のどちらが嘘をついているのか」と問うた。――もっと未開の判事は「両者を戦わせればよい。強いほうが正しい」と答えた。

われわれ二人のどちらが隣人に香辛料を売るのか。――経済学者は、両方とも商店に置くのがよい、と書いている。最も抜け目なく詐欺的な者が最も誠実な人物であり、最もよい商人であろう、と。

ナポレオン法典の精神は、これに尽きる。

第一〇命題

所有は不可能である。なぜなら、それは平等の否定だからである。

この命題の敷衍は、これまでの命題の要約となる。

1　経済法の原理は、生産物は生産物によってしか買われないというものである。所有は効用を生産するものとしてしか擁護されえず、何も生産しなくなれば、その瞬間から有罪判決を下される。

２　労働は生産物と釣り合いがとられねばならないというのが経済法則である。所有があるかぎり、生産にはその価値以上の費用がかかるというのが事実である。

３　もう一つの経済法則は、資本が一定であるなら、生産は資本の大きさではなく生産力によって測られるというものである。所有は所得がつねに資本と比例することを求めて労働を考慮しないため、原因の結果に対するこの対等な関係を理解していない。

４と５　絹糸を作る昆虫のように、労働者は結局、自分のためにしか生産しない。所有は二倍の生産物を要求し、しかもそれを得られないため、労働者を無一文にして殺す。

６　自然は各人に一つの理性、思考能力、意志のみを与えた。所有は一人の同じ個人に複数の票を認め、魂の多数性を想定する。

７　効用を再生産しない消費は、すべて破壊である。所有は、消費するにせよ、貯蓄するにせよ、資本化するにせよ、無駄を生産するのであり、非生産と死の原因である。

８　自然権の充足は、すべて等式である。言い換えれば、ある物への権利は、必然的にその物の占有によって満たされる。こうして、自由への権利と自由な人間の境遇には釣り合い、すなわち等式がある。父であることの権利と父性のあいだにも等式がある。安全への権利と社会保障のあいだにも等式がある。だが、他国者遺産没収権とそれがもたらす資本利得の受け取りのあいだには、けっして等式は存在しない。なぜなら、資本利得が受け取られるのに応じて、それは別のものにも権利を付与し、それがまた第三のものに権利を付与し、という形で、もはや終わりがないからである。所有は、けっしてその対象に適合しないのだから、自然と理性に反した権利である。

9　最後に、所有はそれ自身によっては存在しない。それが生み出され、活動するためには、力または詐欺という外的原因を必要とする。言い換えれば、所有は所有とまったく等しくなく、それは否定、嘘、無である。

訳注

*1　「他国者遺産没収権」の原語は droit d'aubaine である。その意味は、第二章訳注*13のとおりだが、本章では、歴史上存在したこの領主（国王）特権に重ね合わせる形で、もろもろの「資本利得（aubaine）の権利」のことが語られている（なお、「他国者遺産」を意味するフランス語は aubain である）。具体的な議論対象は一貫して資本利得であるが、この重ね合わせを意識して読解されたい。

*2　原文では分子の 100 と分母の 2.5 が逆に置かれるが、リヴィエール版全集に従って、等号が成り立つ式にした。

*3　フランソワ＝グザヴィエ＝ジョゼフ・ドロズ（François-Xavier-Joseph Droz）（一七七五―一八五〇年）は、一九世紀前半のフランスで非常によく読まれた『政治経済学（*Économie politique*）』（一八二九年）の著者である。ドロズは、プルードンがシュアール奨学金を得てパリで研究した際の学問上の個別指導者であり、公式の指導教授だった［C］。

*4　原文では「手紙」の語が欠落している［C］。

*5　クロード＝ジョゼフ・ティソー（Claude-Joseph Tissot）（一八〇一―七六年）は、文通相手だったプ

ルードンと同じくフランシュ＝コンテの出身で、ジュフロワの門弟、ディジョン大学文学部の神学および哲学教授である［以上、C］。なお、ティソーはカント『純粋理性批判』などの仏訳者として知られており、プルードンはティソー訳でカントを読んだ。

＊6　革命家ブランキの兄であるアドルフ・ブランキ（Adolphe Blanqui）（一七九八―一八五四年）のこと。経済学者で、道徳・政治科学アカデミーの会員、アテネおよび国立工芸学校の教授にして、本書刊行後のプルードンの擁護者である［C］。

＊7　「一を引いても」ではなく「三を引いても」と読むことができれば、フーリエ主義の学説の分配公式を示唆していると考えることができる。それは、一二分の五を労働に、一二分の四を資本に、一二分の三を才能に与える、というものである［A］。

＊8　シルヴェストル・ピニェイロ＝フェレイラ（Silvestre Pinheiro-Ferreia）（一七六九―一八四六年）は、ポルトガルの法学者・政治家で、一八二四年から四三年までパリで暮らした。プルードンが本書を執筆する前に読んだ『憲法原理（*Principes du droit public constitutionnel*）』（一八三四年）の著者である［C］。

＊9　モナコ大公オノレ五世（Honoré V）（一七七八―一八四一年）のこと。以下で引用されるのは、彼の著書『フランスの貧困とその克服法（*Du paupérisme en France et des moyens de le détruire*）』（一八三九年）である［C］。

＊10　シャルル＝マリ＝タンギ・デュシャテル伯爵（Charles-Marie-Tanneguy, comte Duchâtel）（一八〇三―六七年）は、農商大臣、その後、内務大臣を務め、マルサスの思想をフランスに普及させた人物。プルードンが本書を執筆する前に読んだ『社会の下層階級の精神状態および福祉との関係における慈善について（*De la charité, dans ses rapports avec l'état moral et le bien-être des classes inférieures de la société*）』（一八二九年）の著者である［C］。

＊11　フランスでは一八三八年の終わりから国民軍全員への選挙権拡大をめぐる論議が熾烈を極めた。フランソワ・アラゴ（François Arago）は、天文学者・物理学者、共和派の政治家であり、拡大の最も熱烈な支持者の一人だった。アラゴを「粉砕した」大臣とはギゾーである［C］。

＊12　フーリエ主義の用語法において「美食哲学」ないし「美食法の高度の知恵」は、「産業引力」および衛生学に適用される美食法である。フーリエによれば、女性は「活力」で得たものを出産で失うのだから、不妊も美食から生じるのである［C］。

＊13　フーリエ主義の新語である「顕花植物婚（phanérogamie）」とは、自由恋愛あるいはパートナーの複数性を意味する［C］。

＊14　原語は dimensions（次元）だが、リヴィエール版全集に従って diminutions として訳した。

第五章　公正・不公正の観念の心理学的説明、および統治と法の原理の確定

所有は不可能である。平等は存在しない。われわれは所有を憎むが、それを欲しもする。平等はわれわれの思考すべてを支配するが、われわれはそれを実現できていない。われわれの良心と意志に関するこうした深い対立関係を誰が説明するだろうか。こうした有害な誤りが正義と社会の最も神聖化された原理になっている原因を、誰が明らかにするのか。私こそ、あえてそれを企て、それに成功したいと望む者である。

第一部

第一節　人間および動物の道徳感覚について

哲学者たちは、しばしば、人間の知性と動物の知性を区別する明確な境界線は何かという

問いを議論してきた。だが、いつものことながら、唯一の方針とするべき観察へと覚悟を決めるより先に、愚かなことばかりしゃべりちらした。単純な区別、だがそれだけで一つの学説以上の価値があるような類いの明晰な区別によって終わりなき論争に終止符を打つことは、おそらくその哲学を少しも自慢しない控えめな学者のためにとっておかれた。そう、フレデリック・キュヴィエ[*1]が知性と本能を切り離したのだ。

だが、いまだ誰も次のような問題設定をしていない。

道徳感覚は人間と動物では本性上異なるのか、それとも単なる程度の違いなのか。

かつて誰かがこの問いの後者のほうをあえて支持しようと思ったなら、その主張は道徳と宗教を侮辱するスキャンダラスなもの、冒瀆的なものと思われたことだろう。教会や世俗の裁判で全会一致の有罪判決が下ったことだろう。そして、どんなやり方で不道徳な逆説に対する焼き印がおされたことだろうか！　人はこう叫んだことだろう。「良心、この人間の栄誉は人間にのみ与えられたものだ。公正と不公正、美点と欠点の概念は、人間の高貴な特権である。万物の王たる人間にのみ、自由と正義によって現世の傾向に抵抗し、善悪のあいだで選択し、自らをますます神に似せるという高尚な能力がある……。否、徳性の聖なるイメージは、人間の心のうちにのみ刻まれているのだ」と。美しい言葉だが、意味を欠いている。

アリストテレスは、人間は言葉を用いる社会的な動物、《ロゴスを用いるポリス的な動物》だと述べた。この定義は、それ以降に与えられたあらゆる定義にまさっている。それは、ド・ボナール氏[*2]の「人間は諸器官が仕える知性である」という有名な定義も例外ではない。この定義には二重の欠陥がある。未知のものによって既知のものを、つまり知性によって生命体を説明している点と、人間にとって欠くことのできない質である動物性については口をつぐんでいる点である。

そうして、人間は社会に生きる動物である。社会とは諸関係の総体、つまり体系である。しかるに、あらゆる体系は一定の条件においてしか存続しない。したがって、その条件とは何か、人間社会の法則とは何か〔が問題である〕[*3]。

グロティウスは、人類のうちに七種の関係、したがって七種の法を認める。

1　人間は社会に生まれた。それゆえ、一つの法が存在する。

2　人間は善悪についてなんらかの感情をもつ。それゆえ、人間を善につなぎとめ、悪を思いとどまらせるような法が存在する。

3　人間は、よいものとよりよいものを見分け、善のそれぞれの程度に、それに見合った名誉がふさわしいと考える。それゆえ、配分的正義が存在する。

4　すべての人間は神を認識する。それゆえ、神が命じることは法である。

5　われわれは両親をもつ。それゆえ、彼らに従う義務をもつ。

6　人間たちは国家を形成することが有用だと理解している。それゆえ、民法が存在する。

7　最後に、さまざまな国家が一定の事柄について一致するのがよいと理解されている。

それゆえ、国際公法〔万民法〕が存在する。

第一点について、そこに個別的なものがいっさい含まれていないこと、そしてこれが純粋かつ単純に、アリストテレスによって与えられ、グロティウスが前提とする定義「人間は社会的な動物である」に帰着することを指摘したい。

第二点について、公正と不公正に関する善悪の感情は、あるものが社会にふさわしいと感じられるか否かに存すると指摘したい。したがって、その感情はわれわれの知覚によってそのときどきに引き起こされる社会的本能の興奮にほかならないとも指摘したい。

第三点について、配分的正義の観念は、さまざまな程度で生み出される二つ以上の社会的本能の興奮のあいだの比較から生まれると指摘したい。

第四点について、神の命令は自然法と同一であり、したがって別の法を構成しないと指摘したい。

グロティウスは、神がいなかったとしてもなお自然法は存在するだろう、とまで述べる。こうした命題は反哲学的である。神とは、あらゆる真実のあいだの生きた関係のことである。そうした関係が存在しなくてもなお法は存在するだろうと述べることは、矛盾を肯定することである。

第五点について、両親に従うことは弱い者が経験と力に対してもつ敬意であり、社会的本能がわれわれのうちで最初にまとう形態であることに注意を促したい。だが、その敬意は、役割が逆転したり、父の命令が自然に反したりするなら、存在しなくなる。これは新しい法ではない。

最後に第六点および第七点について、民法および国際公法もまた個人間あるいは国民間の社会的本能をめぐる定式であると指摘したい。

こうして、グロティウスは七種の法を列挙し、唯一の同じ事柄に七つの異なる名前を与えたが、法の原理についてはわれわれに何も教えなかった。われわれは人間が生まれつき社会的であることを知っている。人間の社会性の本能がいくつかの形態のもとに姿を現すこと、それが一定の法則に従ったものであることも知っている。ただ、それ以上は何も知らないのだ。われわれと他の動物を隔てる距離は、ここまでのところあまり大きくない。多くの動物は社会に生きる。最も群居的でない種でさえ、繁殖のために一時的、定期的に社会を形成する。そうした種が他の種と違うのは、子供たちが自分で食物を手に入れられるようになるや、彼らの社会的本能はすぐさま消えてしまい、同じ種の全個体へと広がり継続することがない、という点だけである。

人間たちのあいだの法とは何か。正義とは何か。

さまざまな学派の哲学者たちとともに次のように述べても何の役にも立たない。すなわち、それは神的な本能、不朽の神のお告げ、自然によって与えられた導き、この世に生まれたあらゆる人に啓示される光、われわれの心に刻まれた法であるとか、良心の叫び、理性の導き、感情の示唆するもの、感覚の傾向であるとか、他者における自己愛、正しく理解された同情であるとか、あるいは、それは生得的な概念であるとか、純粋理性の諸観念に源泉をもつ実践理性の定言命法であるとか、〔本書二五〇頁でも触れられたフーリエの重要概念で、万有引力に比せられる社会の力〕情念引力であるとか、その他もろもろの言い方である。これらはすべて素晴らしいものに見えるし、真実でもありうる。けれども、完全に無意味である。これを一〇頁続けたところで（一〇〇〇巻にわたってだらだら続けられてきたのだが）、問いは一行分も前に進まないだろう。

アリストテレスは、正義とは共通の利益である、と述べている。正しいが同語反復である。Ch・コント氏は『法学概論』で次のように述べる。「公共的な幸福が立法者の目的でなければならないという原則は、どんな優れた理性によっても反対できないものである。だが、それが言明され、証明されたときに立法が進歩したということはない。それは、病気の治癒が医学の目的でなければならないと述べても医学が進歩しないのと同じである」と。

別の道筋をとろう。法は社会を支配する諸原理の総体である。人間における正義は、それら諸原理の尊重および遵守である。正義を実践することとは、社会的本能に従うことである。正義の行為をなすこととは、社会の行為をなすことである。したがって、われわれが一定数の異なる状況における人間同士の行動を観察するなら、彼らが社会をなしているときとそうでないときを識別するのは容易であろう。その結果が帰納によってわれわれに法を与えるだろう。

最も単純で最も疑問の余地のない場合から始めよう。

生命を賭して息子を守り、彼に糧《かて》を与えるためにすべてを断つ母は、息子と社会をなしている。彼女はよい母である。反対に、子を捨てる母は、社会的本能に忠実ではない。母性愛は社会的本能の数ある形態の一つなのだ。そうして、彼女は本性に反する母である。命を失う危機にある人を引き上げるために水に飛び込むなら、私は彼の同胞であり、結合者である。彼を救う代わりに水に沈めるなら、私は彼の敵であり、殺人者である。

施しをする者は、誰であれ、貧窮者を結合者として扱っている。だが、全部ひっくるめて結合者として扱っているのではなく、彼と分かち合う財の分だけ結合者として扱っているというのが真実である。自分が生産したのではないものを力や巧みさによって奪う者は、誰であれ、彼自身の社会性を破壊しており、それは略奪である。

道に倒れた旅人を起き上がらせ、傷を手当てし、励まし、金を与えたサマリア人は、自らを旅人の結合者、隣人であると公言した。同じ旅人を目にしながら向こう側を通り過ぎた司祭は、結合者ではなく敵である〔新約聖書『ルカによる福音書』一〇・三〇―三七〕。

これらすべての場面において、人間は同胞に対する内的な愛着や秘められた共感によって動かされている。それによって愛し、ともに楽しみ、ともに苦しむのだ。したがって、こうした愛着に抵抗するには、本性に反する意志の努力が必要である。

だが、これらすべては人間と動物のあいだの明確な違いを確立することはない。動物においても、子供たちが弱さゆえに母に親しむかぎり、要するに母と結合するかぎり、祖国のために死ぬ英雄を思い出させるような勇気をもって母が生命を賭して子供たちを守る姿が見られる。ある種類の動物たちは、狩りのために集まり、探し合い、呼び合う。詩人なら、獲物を分かち合うべく誘い合っている、と表現するだろう。危機においては動物たちが助け合い、守り合い、注意し合う様子も見られる。象は穴に落ちた仲間が出られるように助けることができる。雌牛は輪になって角《つの》を外に向け、中に子牛を置いて狼の攻撃を退ける。馬や豚は仲間の一頭が発する苦しみの叫びに応じて駆けつける。動物たちの結婚、オスのメスに対する優しさ、愛への忠実さについて、どのように描写したらいいだろうか！　しかしながら、あらゆる点において公正であるように付け加えておこう。社会、友愛、隣人愛についてのかくも感動的な証拠によって、動物たちが自分の食物や交尾のためには争い、戦い合い、徹底的にこき下ろし合うことが妨げられるわけではない、と。動物たちとわれわれの類似は完全なのである。

人間においても、動物においても、社会的本能は多かれ少なかれ存在する。その本性は同じである。人間は、より必然的、恒常的に結合している。動物は、より孤独に耐えられるように見える。人間において社会への欲求は、より抑えがたく、複雑である。動物においては、根が浅く、変化に乏しく、なくても惜しまれないものである。要するに、社会は、人間においては種と個体の保存を目的とし、動物においてははるかに多く種の保存を目的とするのだ。

これまでのところ、人間が自分だけのものだと主張できるものはなんら見出されていない。社会的本能や道徳感覚は動物と共通のものである。人間がなんらかの慈善、正義、献身のおこないをすることで神の同類になっていると想像するときには、まったく動物的な衝動に従っているにすぎないことに気づいていないのだ。要するに、われわれは、怒りっぽく、食いしん坊で、贅沢で、恨み深いのと同じく、善良で、優しく、思いやりがあり、公正である。つまりは動物のようである。われわれの最も高い徳性も、せんじつめれば本能の無分別な興奮に帰着する。列聖と神格化の原因の何たるや！

だが、やはり二手二足のわれわれと他の生物とのあいだには違いがある。それは何か。哲学の初心者なら、急いで次のように答えるだろう。その違いは、われわれが自らの社会性への意識をもつのに対して、動物たちはもたないことだ、と。自らの社会的本能の働きについてわれわれは反省し、推論するが、動物たちにおいてはそれに類することは何も起きていないのだ、と。

さらに進もう。人間だけにそなわっているように見える反省と推論によってこそ、われわれを支配する正義と呼ばれる社会的本能に抵抗することが、まず他の人、次いで自分にとって有害だと知られる。エゴイスト、盗人、殺人者、要するに社会に対する裏切り者がそうと知って悪をなすときには、本性に反する過ちを犯しており、他者と自身に対して責を負うと教えるのは理性である。要するに、一方で社会的本能の感情によって、他方で理性によって、人類たるものは自分の行為に対する責任を負わねばならないと判断するのである。悔恨、復讐、刑罰的正義の原理とは、このようなものである。

だが、これらすべては、動物と人間のあいだに情感ではなく知性の相違の基盤を与えるものである。なぜなら、われわれは同胞との関係について推論するにしても、最もありふれた行動、すなわち飲むこと、食べること、妻の選択、住居の選定においても同じく推論するからだ。天地のあらゆることについて推論するのだ。われわれの推論する能力が適用されないものは何もない。しかるに、外的現象からわれわれが獲得する知識がその原因や法則に影響を与えないのとまったく同様に、反省は本能を啓発することによってわれわれが実感する本性に光をあてるが、その特質を変えることはない。反省は、われわれに道徳性を教えるが、それを変化させたり修正したりはしない。過ちのあとに自身に感じる不満、不正を見て感じる憤慨、当然の罰や相応の満足という観念、これらは反省の結果であり、本能や情感的なものである情念の直接的結果ではない。私は知性が人間だけのものだとは言わない。なぜなら、動物も悪事をしてしまったという感情をもち、仲間が攻撃されれば怒るからだ。だが、人間が社会的義務についてもつ知性は限りなく優れている。けれども、そうした知性、善悪についての意識も、道徳性に関して人間と動物のあいだに本質的な違いを確立するわけではない。

第二節　社会性の第一段階および第二段階について

いま注意を促した人間学における最重要の事実の一つについて力説したい。

われわれを社会に向かわせる共感的愛着は、無分別で無秩序的な本性からして、いつもそのときどきの衝動に吸収される傾向にある。先立つ諸権利を考慮したり、価値《メリット》や優先度の区別をつけたりすることなく、である。雑種の犬は、誰であれ呼びかける者に区別なくついていく。乳飲み子は、すべての男性を父と思い、女性はめいめいおっぱいをくれると思う。あらゆる生命体は、自らの種の動物社会を奪われると、孤独の仲間をつけまわす。社会的本能のこうした根本的特質によって、軽薄な人々の友情は我慢ならぬもの、憎むべきものにさえなる。彼らは新顔に会うたびに熱中し、やたらと親切にふるまい、気まぐれのつながりのために最も長く続いてきた最も尊重すべき情緒的関係を無視するのだ。こうした人々の欠陥は、心のうちにではなく、判断のうちにある。この段階の社会性は、類似した存在を見つめることで呼び起こされる一種の磁気である。だが、その磁束は、それを感じる人の外に出ることはない。相互的ではありうるが、伝達的ではありえない。愛、思いやり、憐れみ、共感、どのように名づけてもよいが、そこに敬意に値するものは何もなく、人間を動物の上にするものも何もない。

社会性の第二の段階は正義であり、それは「他の人に自分と等しい人格性を認めること」と定義できる。正義は、感情に関しては人間と動物に共通である。認識に関しては、人間だけが公正の完全な観念を手に入れられる。だが、それは、つい先ほど述べたように道徳性の本質を変えはしない。まもなくわれわれは人間がどのようにして動物には到達できない社会性の第三段階に上るのかを見る。だが、それに先立って、社会、正義、平等が三つの類義語であること、互いに翻訳され、その互換がつねに正しい三つの表現であることを形而上学的に証明しなければならない。

海難事故の混乱の中、いくらか食糧をそなえた小舟で逃れる私が波と格闘する人に気づいたなら、彼を助けなければならないか。——然り。そうする義務があり、助けなければ彼に対して社会冒瀆罪、殺人罪の責を負うことになる。

だが、同じように私は彼と自分の食糧を分かち合わなければならないか。

この問題を解決するためには、用語を変えなければならない。社会が小舟に対して義務を負うなら、食糧に対しても義務を負うのか。まったく疑いの余地はない。結合者の義務は絶対である。人間にとって物の先占は社会的本性のあとに来るもので、それに従属し続ける。先占する許しが等しく全員に与えられて初めて、占有は排他的になりうる。ここで、われわれの義務を曖昧にしているものは予見能力である。それは、ありうる危険への恐れを生み、われわれを横領へと推し進め、盗人や殺人者にするものなのだ。動物は、本能の義務についても、自身にもたらされるかもしれない困難についても、あらかじめ考えることはない。最も社会的な動物である人間においては知性こそが法に従わないための動機になる、というのは奇妙であろう。人間は、社会の利益のためにのみ知性を利用するように望む社会を欺《あざむ》くのだ。慎重さがエゴイズムの道具として役立つほかないなら、神はそれを取り上げるのがよいだろう。

あなたは言うだろう。なんだって！　私が得た私のものであるパンを、知りもしなければ、けっして再会することもない、おそらく忘恩で報いるような部外者と分かち合うだと！　少なくとも、そのパンが共同で得られたもので、その人がパンを獲得するために何かをしたのなら、取り分を要求できるだろう。彼の権利は協力のうちに存するからだ。だが、彼は私に要求できるのか。われわれは一緒に生産したわけではない。一緒に食べることもないだろう、と。

この推論の欠陥は、ある生産者が別の生産者にとって必ずしも結合者であるわけではない、という誤った仮定にある。

二人以上の個別者のあいだで社会が正式に形成され、その基盤について合意され、書類に記され、署名されたとき以降、その帰結にいかなる困難もありえない。例えば、漁のために二人の人間が結合し、そのうちの一人が魚を見つけられなかったとしても、その人がもう一人のとった魚への権利をもつことは誰もが認めている。二人の卸売商が商事会社を設立するなら、会社が存続するかぎり、損失も利益も共通のものである。各々自分のためではなく会社のために生産するのだから、分配のときが来たら、彼らは生産者ではなく結合者として考慮されるのだ。ここにこそ、プランテーション経営者が藁や米を与える奴隷や、資本家がつねに過少の賃金のみを支払う文明社会の労働者が生産物の分配に参入できない理由がある。彼らは雇用者とともに生産するにもかかわらず、その結合者ではない、というのがその理由だ。このようにして、乗合馬車を引く馬、犂《すき》を引く牛は、人間とともに生産するが、結合者ではない。われわれは彼らの生産物を手にするが、分かち合いはしない。動物の境遇とわれわれに仕える労働者の境遇は等しい。動物や労働者に利益がもたらされるとしても、それは正義によるのではなく、純然たる思いやりによるのだ(1)。

（1）隣人に慈善行為をなすことは、ヘブライ語では「正当に評価する」、ギリシア語では「哀れむ」または「憐れむ」（フランス語の aumône〔施し〕の語源である éléêmosynen）、ラテン語では「愛する」または「慈善をなす」、フランス語では「施す」と言われる。これらの多様な表現を通じて原理から徐々に離れていったことが実感される。ヘブライ語では義務、ギリシア語では単に同情、ラテン語では情感、責務ではなく忠言の徳、フランス語では意志を意味しているのだ。

だが、われわれ人間がみな結合者であるわけではないということがありうるだろうか。先立つ二つの章で述べたことを思い出そう。われわれがいっさい結合しないよう望んだとしても、事物の力、消費の必要、生産の諸法則、交換の数学的原理によって、われわれは結合しているのである。この規則の唯一の例外は所有者の場合である。所有者は他国者遺産没収権によって生産するのだから、誰の結合者でもなく、したがって生産物を誰と分かち合う義務もないが、同様に、誰にも自分のものを彼に分ける義務はない。所有者を除いて、われわれは全員が互いのために労働しており、他の人の援助なしに自分だけでは何もできず、絶え間なく互いに生産物やサービスの交換をおこなっているのである。これらすべては社会行為でなかったとしたら何だろうか。

しかるに、商業、工業、農業の社会は、平等をはずして理解することはできない。平等は社会が存在するための必要条件である。したがって、こうした社会にかかわるすべての事柄において、社会を欠くこと、正義を欠くこと、平等を欠くこと、これらは正確に同一である。この原理を人類全体に適用せよ。読者よ、ここまで読んできたのだから、きっと私から旅立つのに十分な資格を得たことだろうと思う。

そういうわけで、畑を占有し始め、「この畑は私のものだ」と言うことは、他の人々もみな彼のように占有する権能をもつかぎりにおいては、不公正ではないだろう。また、他の場所に居を定めようと望んでその畑を同等のものと交換するなら、それも不公正ではないだろう。だが、他の人を自分の代わりとし、「私が休んでいるあいだ私のために働け」と言うなら、そのとき彼は不公正に、非結合者に、不平等になるのだ。それが所有者である。

逆に、いかなる社会的任務も果たさず、他の人のように、そしてしばしば他の人以上に社会の生産物を享受する怠け者や放蕩者は、盗人、寄生者として責められねばならない。そういう人に何も与えないことが、われわれの義務である。だが、それでも彼は生きなければならないので、彼を監視下に置いて、働くよう強いなければならないのだ。

社会性は感性的存在のあいだの引力のようなものである。正義とは、そうした引力に反省と認識がともなわれたものである。だが、われわれは正義を知覚するのだろうか。等しい量のカテゴリーのもとで、われわれは正義を知覚するのだろうか。どのような一般観念、どのような悟性のカテゴリーにおいて、であるか。ここから正義に関する古代の定義が生まれる。すなわち、《正義とは均等であり、不正義とは不均等である》〔アリストテレス〕。

それでは、正義を実践するとは何か。それは等しい労働条件のもとで各人に等しく財を分け与えることであり、社会の一員として行動することである。われわれがエゴイズムゆえの不平を言っても無駄である。明証性と必然性からの逃げ道はないのだ。

先占の権利〔を与える〕とは何か。それは、労働者が姿を現すのに応じて彼らを並べ、土地を分割する自然的な様式である。この権利は一般的利益を前に消滅する。一般的利益とは社会的利益であるから、同時に〔社会の一員である〕先占者の利益でもあるのだ。

労働の権利とは何か。それは、既定の条件を満たせば財への与《あずか》りが認められるという権利である。それは社会の権利、平等の権利である。

観念と本能の結合から生まれる正義は、人間が感じ、考えられるようになるや、すぐさま彼のうちに姿を現す。このことから、正義は生得的で本源的な感情と捉えられてきたが、論理的にも時系列的にも誤った見解である。だが、正義は、あえて言うなら、その雑種的構成によって、つまりは情感的能力と知的能力から生まれることによって、自我の統一性と単純性の最も有力な証拠の一つになっていると思われる。聴覚と視覚から半聴覚的で半視覚的な二元感覚が形成されないのと同じように、有機体は自身でこうした混合物を作り出すことはできないからである。

正義の二重の本性によって、本書の第二章、第三章、第四章で示したすべての論証に関して、われわれが決定的に正しいことが認められる。一方で、正義の観念は社会の観念と同一であり、社会は必然的に平等を意味するので、平等は所有を擁護するために考案されたあらゆる詭弁の根底にも必ず見出されることになる。なぜなら、所有は公正で社会的なものとしてしか擁護されえないからである。だが、実際それは不平等なので、所有が社会に適合的だと証明するためには、不公正が公正であるとか、不平等が平等であるとか、まったく矛盾した命題を主張する必要がある。他方で、正義の第二の要素である平等の概念は、事物の数学的比例によってわれわれに与えられるのだから、所有、あるいは労働者間の財の不平等な配分は、労働、生産、消費の必然的均衡を破壊することになり、それゆえ必ず不可能だということになる。[*4]

こうして、すべての人間は結合しており、みな同じ正義への義務があり、みな平等である。このことから、愛や友情による選好は不公正だ、ということになるだろうか。

それには説明が必要だ。

少し前に、危険におちいっている人を私が助けることもできるという場面を想定した。今度は、命を失う危険に身をさらした二人の人から同時に呼びかけられる場面を想定しよう。血縁、友情、恩義、敬意によって深い関わりのある人のほうにまず駆けつけ、他方の人については命を失う危険にさらしたままにしておくことは許されるか、また命じられさえするか。然り。だが、なぜか。社会の普遍的全体の中には、われわれ各人にとって個別者と同じだけの個別的社会が存在するからであり、社会性の原理そのものによってそれら諸社会が課す義務を遂行しなければならないが、それはわれわれのまわりに形成される近接性の秩序に従ってのことだからである。それによれば、父、母、子供たち、友人たち、親戚などを他の人たちに優先させなければならない。[*5] だが、そうした選好は何に存するのか。

裁判官がその友と敵のあいだの訴訟で判決を下さなくてはならないとする。この場合、彼は近い結合者を遠い結合者よりも優先し、証明された真実に反して友を勝訴させるだろうか。否だ。友人の不正を助長するなら、彼は社会契約の不履行の共犯者になるからである。彼は友人とともに、いわば社会成員の総体に敵対する同盟を作り出すことになる。選好という権能は、愛、敬意、信頼、親密さのように、われわれに固有で個人的なもの、同時に全員に与えることはできないものにのみ働くのだ。こうして、火災の際、父は隣人の子供を気づかうより先に自分の子供に駆けつけるべきである。だが、裁判官において、権利の承認は個人的なものでも任意のものでもないから、他方を害して一方を優遇する自由はないのである。

　大きな社会の中で各人によっていわば同心円状に形成される個別的諸社会についてのこの理論は、多様な種類の社会的義務がそれらの対立や葛藤によって引き起こしうるすべての問題、古代の悲劇の主要な原動力となった諸問題への解決の糸口を与える。

　動物の正義は、いわば消極的なものである。それは、弱者の防御、群をなしての狩猟や略奪、共同の防衛、そしてときに個別の援助といった場面を除いては、何かをなすことより妨げないことに存する。立ち上がれない病気の動物、断崖に落ちた軽率な動物は、治療も食物も受けることはないだろう。自ら治癒したり、苦境から脱け出したりすることができなければ、生命は危機に瀕する。病床で看病されたり、監獄で糧を与えられたりはしない。同胞に対する無頓着は、彼らの資源の貧しさだけでなく、知性の愚かさにも由来する。しかし、人間たちのあいだで守られている近接性による区別は、動物たちにも知られている。彼らにも習慣、よき隣人関係、血縁関係、選好による友情がある。われわれと比較すると、動物の記憶は微弱で、感情は曖昧で、知性はほとんどない。けれども、事柄として同じものが存在しており、この点での動物に対する優位性は、すべてわれわれの悟性に由来するのである。

　われわれは記憶の広範さと判断力の明敏さによって社会的本能を着想源とする行為の数を増やし、組み合わせることができる。それらによって行為をより実効的にし、権利の程度と卓越性に応じて行為を配分することも覚える。社会をなして生きる動物たちは正義を実践するが、それを少しも認識しないし、それについて筋道立てて考えることもない。思弁や哲学なしに本能に従っているのだ。彼らの自我は社会的感情を平等の概念に結びつけることはできない。平等の概念は抽象的であるから、彼らはその概念をもたないのだ。反対に、われわれは社会とは平等な分配を意味するという原理から出発し、推論の能力によって法の規則を理解し、それに合意できる。加えて、われわれは判断力を大いに発達させた。だが、それらすべてにおいて、われわれの良心はほとんど役割を果たしていない。そのことは、知性の点で人間に最も近い特定種の動物たちに微光のように現れる法の観念が、未開人たちにおいては同水準に見えるけれども、そこから出発してプラトンや〔ベンジャミン・〕フランクリンにおいて最高度に達したことが証明している。個人における道徳感覚の発達と国民における法の進歩をたどってみよ。すると、公正および法的完成の観念が至る所で知性と正比例しているのが認められるだろう。それゆえ、哲学者たちが単純だと考えた公正の概念は、本当のところ複雑なのである。それは、一方で社会的本能によって、他方で他者との等しい価値という観念によって生み出される。同様に、有罪性の概念は、正義が侵害されたという感情と意志的選択の観念によって与えられる。

要するに、本能はそれと結びつく知的認識によっては少しも変様させられない。それゆえ、ここまでわれわれが指摘してきた社会の諸事実は動物的な社会性に属する。〔つまり〕正義、あるいは平等の理屈のもとで理解された社会性が何であるかは分かったが、動物と人間を区別するものは何も得られなかったのである。

第三節　社会性の第三段階について

読者は、おそらく私が第三章で分業および素質の専門性について述べたことを忘れていないだろう。人間たちのあいだで才能や能力の総量は等しく、その性質も似通っている。——誰もがいまそうであるかぎりにおいて、生まれつき詩人であり、数学者であり、哲学者であり、芸術家であり、職人であり、耕作者である。だが、等しくそれらすべてであるようには生まれていない。そして、社会においては人により、人においては能力により、それらの割合は無限に異なる。同じ能力における程度の違い、特定の労働に対するある才能の優位性には、すでに述べたように人間社会の基盤そのものである。知性および自然的特質は、自然によって非常に節約的に、また非常に大きな摂理によって割りふられているので、社会有機体は専門的な才能の過剰や欠乏を恐れる必要はない。各労働者は自分の職能に打ち込みながら、すべての協同者の作品や発見を享受するのに必要な程度の知識をいつも手に入れることができる。自然のこうした非常に単純で思慮深い慎重さによって、労働者は仕事において孤立したままでいることはない。同胞と心を一つにするより先に、思考によって通じており、したがって人間における愛は知性から生まれるのだ。

動物たちの社会では同様ではない。各動物種において、確かに素質は数の点で非常に限られており、また本能に従属していないときには活力の点でも同様だが、個体間における素質は等しいのだ。各個体は他のあらゆる個体がすることをできるし、他の個体の側でも同じである。食物を求め、敵から逃れ、巣穴を掘り、寝ぐらを作り、等々である。自由で元気であるかぎり、どんな動物も近くの動物の助けを期待したり求めたりすることはないし、近くの動物も同じくそれなしで済ます。

結合した動物たちは、互いに近くで生きるが、そこに思考のやりとりや親密な交渉はない。みな同じことをしながら、何かを習ったり記憶にとどめたりする必要はないので、互いを見て、感じ、接触するが、深く理解し合うことはない。人間同士は、考え、感情、生産物、サービスを絶え間なく交換する。社会において習得され、実行されることすべてが人間にとっては必要である。だが、そうした莫大な量の生産物や考えのうち、各人が一人でなしたり獲得したりすることが許されているのは、太陽を前にした一原子ほどである。人間は、社会によってのみ人間である。社会のほうは、それを構成するもろもろの力の均衡[*6]および調和によってしか維持されないのだ。

社会は、動物においては単純な様相のものであり、人間においては複合的な様相のものである。人間と人間は動物と動物を結合させるのと同じ本能によって結合する。だが、人間は動物とは別の仕方で結合する。道徳性の違いは、すべてこうした結合の違いによる。

私は、おそらくあまりに長々と、所有を社会状態の基礎として想定している法の精神そのものによって、また政治経済学によって、条件の不平等が先占という先行性によっても、才能、働き、勤勉さ、能力の優位性によっても正当化されえないことを論証してきた。だが、条件の平等が自然権、自由、生産の法則、物理的自然の限界、そして社会の原理そのものの必然的帰結であるにせよ、そうした平等は借方と貸方の限界を越えて社会的感情が飛躍するのを止めはしない。慈善および愛の精神は限界の向こう側へと広がる。経済が釣り合いを得るとき、魂はそれ固有の正義を享受し始め、心はその無限の情感において開花するのである。

そのとき、社会的感情は人格間の関係に応じて新たな特質を得る。強者においては、寛大であることの快楽。等しい者のあいだでは、純粋な心からの友情。弱者においては、賞賛し、感謝することの幸福である。

力、才能、勇気においてまさった人間は、自分がすべてを社会に負っていて、社会なしには何ものでもなく、何もなしえないことを知っている。また、社会が彼を成員の末端として遇するなら、社会の彼に対する借りがなくなることを知っている。だが、同時に彼は自分の能力の卓越性を過小評価することはできないだろう。自分に力と偉大さがあるという意識からは逃れられないのだ。人間が際立ち、動物には達することが許されない社会的道徳性の段階に到達するのは、次のようにしてである。力と偉大さの意識をもつときに、人類への敬意をも自らの意志でもつことによって。自分自身を、唯一それ自身が賛美、祝福されるべき自然の道具であると認めることによって。そして、あえて言うなら、心と精神で同時にそう告白すること、〔つまり〕神への真の崇拝によってである。ギリシアを救うために怪物を打ちのめし、悪党を罰したヘラクレス、粗雑で獰猛なペラスゴイ人を教育したオルペウス、両者とも自らの奉仕の代価をなんら欲しなかった。ここにこそ、最も高貴な詩的創造があり、正義と徳の最高度の表現がある。

献身の喜びは、えも言われぬものである。

あえて人間社会をギリシア悲劇の合唱隊に喩えるなら、高尚な精神と偉大な魂の歩兵密集方陣が第一節を表し、多数の弱者、貧しい人々は第二節だと言えるだろう。彼らは骨の折れるありふれた労働を負わされるが、その数ともろもろの職能の調和的まとまりによって絶大な力をもち、高尚な精神と偉大な魂が考えたことを実行する。彼らはそれに導かれるが、何も負ってはいない。にもかかわらず、彼らはその者たちを賞賛し、喝采と賛辞を惜しみなく与えるのだ。

感謝は、崇拝と熱狂をともなう。

だが、私の心が好むのは平等である。慈善は暴政へと堕し、賞賛は隷従主義へと堕する。

友情は平等の娘なのだ。おお、私の友人たちよ、競争心も名誉もなしで、あなたがたとともに生きたいものだ。平等がわれわれを寄せ集め、われわれの立場は運で決まるのがよい。あなたがたのうちの誰を最も尊敬しなければならないかを知る前に死にたいものだ。

友情は、人間の子供たちの心において貴重なものだ。

寛大、感謝（ここでは優れた能力への賞賛から生まれるものだけを言っている）、そして友情は、私が「衡平《エキテ》(2)」または「社会的比例」と名づけようとしている、ただ一つの感情の三つの異なるニュアンスである。衡平は正義を変えはしない。だが、衡平をつねにその基礎とすることで正義に敬意を付け加え、そのことによって人間のうちに社会性の第三段階を形成するのだ。衡平によって、次のことがまったく同時にわれわれの義務であり、かつ快感となる。われわれを必要とする弱者を助け、われわれと対等にすること。強者に当然与えるべき感謝と名誉を示しながらも、その奴隷にはならないこと。隣人、友人、対等者を彼らから受け取るものゆえに慈《いつく》しむことである。それが交換の名目でおこなわれるとしても、である。衡平は、理性と正義によって理想にまで高められた社会性である。その最も通常の性格は礼節あるいは礼儀正しさであり、社会的義務のほとんどすべてがこれに尽きるような民族もある。

（2）「衡平、自然的正義、廉直。――法の厳格さではなく、道理にかなった節度や緩和に従ってなされる正義」（〔シャルル・〕ノディエ氏と〔ポール・〕アッケルマン氏〔MM. Nodier et Ackermann〕『フランス語の語彙〔*Vocabulaire de la langue française*〕』）。

衡平という語のこうした二重の定義は用法に従ったものであり、私の批判は二人の語彙学者に向けられるものではない。

1　なぜ自然的正義が正義や法と区別されるのか。それらが互いに類似しないことがありうるのか。衡平でない公正とは何なのか。

2　法は、それ自身、節度を守り、衡平によって緩和される必要性を認めるのだから、法の正義よりも公正な何かがあることになる。なぜ、その何かが規準として利用されなかったのか。

3　信じられているように、市民的正義がいつか自然的正義へと混じり合うなら、とりわけ自然的正義を意味する衡平という語は無用になるだろう。

これらの考察によって、私はこの語の意味を特定できると考える。この語は配分的正義であるとも捉えられているが、それは財産の平等というより社会的比例と同じ意味でそう捉えられている。正義は生産物の配分を司る。衡平は友情、謝意、賞賛、非難の配分を司るのだ。[*7]

ところで、この感情は動物には知られていないものである。動物も愛し、執着し、なんらかの選好を示すが、敬意を理解せず、寛大、賞賛、礼儀作法を有しているとは認められない。

この感情は知性には由来しない。知性は、それ自身によって計算し、見積もり、秤《はかり》にかけはするが、なんら愛することはない。知性は理解すれど感じはしないのだ。正義が社会的本能と反省の混合の産物であるのと同じく、衡平は正義と嗜好の混合の産物、つまりわれわれの評定する能力と理想化する能力の混合の産物であると言いたい。

人間における社会性の第三にして最後の段階であるこの産物は、われわれの複合的な結合様式によって決定されている。その結合様式において、不平等、より正確に言えば能力の多様性と職能の専門性が、それ自体としては労働者たちを孤立化させる傾向をもちつつ、社会性の活力の増大を要求したのである。

保護しつつ抑圧する力が忌まわしいのは、これが理由である。芸術上の傑作と最も粗雑な工業生産物を同じ目で見る愚かなる無知が言いようのない軽蔑をかき立てるのも同じ理由からである。そして、勝ち誇って「私は君に支払った、もう君に何も負っていない」と言う傲慢な凡人がこのうえなく憎むべき存在であるのも同じ理由によるのだ。

社会性、正義、衡平、これが三つの段階における本能的能力の正確な定義である。これによってわれわれは同胞とのやりとりを追求するのであり、その物理的な発現様式は「自然および労働の産物における平等」という定式によって説明される。

これら三つの社会性の段階は、互いに支え合い、前提とし合う。正義なしの衡平は存在しない。正義なしの社会は無意味である。実際、才能に報いるため、ある者から不正に奪って生産物を手に入れて別の者に与えるなら、才能に対して当然の敬意を払ったことにはならない。社会において結合者よりも多くの取り分を自分のものにするなら、真の意味で結合していることにはならない。正義とは唯一計量可能なものである物理的な物に与《あずか》ることへの承認によって姿を現す社会性であり、衡平とは賞賛や敬意という測れないものをともなった正義である。

このことから、いくつかの帰結が導かれる。

(1)われわれは、ある人に別の人に与えるより多くの敬意を与えること、想像しうるあらゆる程度の敬意を与えることへの自由をもつとしても、共有財からより大きな取り分を与える自由はもたない。なぜなら、正義の義務は衡平の義務よりも先に課されるものであり、前者はつねに後者に先立つべきだからである。暴君によって兄弟の死と夫の死のどちらかを選ぶよう強いられ、夫はまた見つけられるが兄弟はそうではないという口実で夫を捨てた女性が古代人たちに賞賛されたが、私に言わせれば、この女性は自らのうちにあった衡平の感情に従うことで正義に背《そむ》いたのであり、誤った行動をしたのだ。なぜなら、夫婦という社会は兄弟による社会と比べて当然のことながらより緊密であり、〔その社会の〕隣人の生は自分に属するようなものではないからだ。

同じ原理によれば、立法において、才能の不平等を口実に賃金の不平等を認めることはできない。正義に属する財の分配は、経済の管轄であり、熱狂の管轄ではないからである。

最後に、贈与、遺言、相続について、社会は同時に家族の情感とそれ固有の権利に気を配るが、衡平に導かれる愛や好意によって正義が破壊されることをけっして認めてはならない。長いあいだ父と仕事で結合してきた息子が他の人よりその仕事を引き継ぐことができると考えるのは、まったく好ましいことだ。仕事の遂行中に不意に死が訪れた市民は生来の嗜好と仕事への偏愛から最もふさわしい後継者を選別するすべを心得ているだろうと考えるのも、まったく好ましいことだ。何人もから相続者に指名された人には、さまざまな遺産の中から選択する権利がまるごと任されてもいるだろう。けれども、社会は一人の人間だけの利益になるような資本や産業の集中をまったく黙認できないし、労働の独占、侵略についても同様である。(3)

（3）正義と衡平は、これまでけっして理解されてこなかった。

「〔トロイア戦争の英雄である〕アキレウスとアイアースのあいだに、分かち合うべき、あるいは配分するべき敵国者からの獲得物が一二あるとしよう。二人の人格が同等であるなら、獲得物もまた算術的に均等でなければならない。アキレウスが六、アイアースが六である。そして、こうした算術的平等に従うなら、〔戦争に貢献する役割を果たしたとは言えない〕テルシテスも〔最大の功労者である〕アキレウスと等しい分け前に与るが、それはこのうえなく不公正であり、言語道断である。こうした不正を避けるために、人格の価値を比較し、その価値に見合った取り分を与えることにしよう。アキレウスの価値がアイアースの価値の二倍だとする。すると、アキレウスの取り分は八で、アイアースの取り分は四である。[*8] そこに算術的平等はないが、比例的平等がある。アリストテレスが〔『ニコマコス倫理学』で〕配分的正義と呼んだのは、このような価値の比較、《比例》である。それは幾何学的比例によってなされる」（トゥーリエ『法典の順序に従ったフランス民法』）。

アキレウスとアイアースは結合していたかそうでなかったか。問題はすべてそこに存する。アキレウスとアイアースが結合するどころか、彼らに俸給を支払うアガメムノンに仕えていたのであれば、アリストテレスの規準に対して言うべきことは何もない。奴隷に命令する主人は、二倍の賦役をした者に二倍のブランデーを約束することができる。これは専制の法であり、隷属の権利である。だが、アイアースとアキレウスが結合していたなら、二人は同等である。アキレウスが四の力をもっていて、アイアースが二の力しかもっていなかったとしても、それが何だというのだ！　アイアースは自分は自由だといつでも答えることができる。アキレウスが四の力をもつとしても、五の力をもつ者が彼を殺すだろう、と。そして、人格で奉仕することにおいて、彼アイアースはアキレウスと同じだけの危険を冒しているのだ、と。同じ理屈がテルシテスにも適用される。戦うことができないなら、料理人、弾薬供給兵、駄馬係になればよい。何にも向かないなら、病院に入ればよい。いずれにせよ、彼に暴行を加えたり法を強制したりすることはできないのである。

人間にとって可能な状態は、二つしかない。社会のうちに存在するか、社会の外に存在するかだ。社会において条件は必然的に平等で、各人が手にしうる敬意と尊敬の程度だけが異なる。社会の外では、人間は利用できる材料、資本化された用具であり、しばしば不便で無益な動産である。

(2)衡平、正義、社会は、生命体において、同じ種の諸個体に関してのみ存在することができる。ある種から別の種、例えば狼から山羊、山羊から人間、人間から神、ましてや神から人間において、それらが生起することはありえない。正義、衡平、愛を至高の存在に帰属させることは、純然たる神人同形論である。[*9] 公正な、情け深い、慈しみ深いなど、われわれが神につける形容辞は、連禱から抹消されなければならない。神は神に関してのみ公正で、衡平で、善であると捉えることができる。しかるに、神は比類なく、孤高である。したがって、神は慈愛、衡平、正義といった社会的情感を感じることはできない。羊飼いが彼の羊や犬に対して公正だと言われるだろうか。否だ。もし彼が六ヵ月の子羊から二歳の雄羊と同じだけの毛を刈り取ろうとしたり、子犬に老番犬がするような群れの番の仕事を求めたりしたら、不公正だとは言われずに、狂っていると言われるだろう。それは、人間と動物のあいだには情感がありうるにしても社会はないからである。人間は動物を物として、こう言ったほうがよければ感覚をもつ物として愛するのであって、人格として愛するのではない。それゆえ、哲学は神の観念から迷信ゆえに帰せられた情念を除去したのちに、われわれの自由な信心が神に与えるもろもろの徳性をも除去せざるをえないだろう。(4)

(4) 女性と男性のあいだには愛、情念、親交ほか、望むだけのものが存在しうるが、真の社会は存在しない。[*10] 男性と女性は一緒には歩まない。性の違いは動物間の種の違いと同じ性質の分離を構築する。したがって、私は今日女性の解放と呼ばれるものを賞賛するどころか、それが極端に至らなければならないとするなら、むしろ女性の閉じ込めのほうにずっと心が傾いている。
女性の権利および男性との関係性はいまだ明確化されておらず、婚姻法全体は民法と同じく未整備のままである。

神が地上に降臨してわれわれのあいだに住まうことになったとしても、われわれの同胞になるのでなければ、彼を愛することはできないだろう。何か財を生産するのでなければ、彼には何も与えられないだろう。われわれを騙《だま》していないと証明するのでなければ、耳を傾けられないだろう。彼の力能をわれわれに明らかにしなければ、崇《あが》められもしないだろう。人間存在についてのいっさいの情感的、経済的、知的な法則は、他の人々を遇するのと同じように神を遇するよう命じる。つまり、理性、正義、衡平に従って遇するよう命じるのだ。私はそこから、もしも神が人間と直接的交渉の関係に入ろうとするなら、神は人間にならなければならない、という帰結を引き出す。

ところで、王たちが神の似像であり、その意志の僕《しもべ》であるとしたら、われわれのように働き、われわれに対して社交的になり、自らの出費に比例して生産し、従僕とともに議論し、一人で大きな物事をなすという条件でしか、われわれから愛、富、服従、名誉を受け取ることはできない。ましてや、そう主張する人がいるように王が公務員であるなら、彼に帰するべき愛はその個人的な親切さによって、彼に従うべき義務はその命令の証拠によって、彼の特別歳費は市民の数で割った社会的生産の全体によって測られることになる。

こうして、法律学、政治経済学、心理学のすべてが一致してわれわれに平等の法則を与える。権利と義務、才能と労働に支払われるべき報酬、愛や熱狂の飛躍、これらすべては冷厳な尺度によってあらかじめ決定され、数と均衡に従属する。条件の平等にこそ、社会の原理がある。普遍的連帯にこそ、平等の法則の承認がある。

条件の平等は、われわれの情念と無知のせいで、これまでけっして実現することはなかった。だが、われわれがこの法則に反対することが、ますますその必要性を浮き彫りにしている。これは、歴史が絶えず証拠を挙げ、一連の出来事全体が明らかにしていることである。社会は等式から等式へと進む。観察者である経済学者の目からすると、帝国の諸革命は互いに差し引き合う代数学的量の減少なり、時間という絶対確実な働きがもたらす未知数の除去なりにしか見えない。数は歴史の摂理である。おそらく人類の進歩には別の諸要素も関わる。だが、諸民族を揺り動かす多くの隠れた原因において、所有に対するプロレタリアの定期的爆発にもまして強力で、規則的で、見分けやすいものはない。所有は、人口が増加するとき、まったく同時に排除および侵略という形で作用するが、その所有があらゆる革命の発生原理であり、決定的原因だった。宗教戦争や征服戦争は、種族の絶滅にまで至らないときには偶発的な混乱でしかなく、諸民族の生活のまったく数学的な前進によってすぐさま埋め合わされた。所有の蓄積する力能とはこのようなものであり、社会の頽廃および死の法則とはこのようなものである。

中世における商人と仲買人の共和国フィレンツェを見よ。それはゲルフ〔教皇派〕とギベリン〔皇帝派〕の名で非常によく知られた派閥によってつねに引き裂かれていたが、それらは結局のところ、武装して対峙する下層階級の人々と所有者貴族にほかならなかった。フィレンツェは銀行家に支配され、ついには負債の重さで押しつぶされた(5)。古代においてはローマを見よ。その誕生から高利によって食い尽くされていたにもかかわらず、発見された世界が断続的な内戦で血に染まる恐るべき無産者に仕事を提供するかぎりローマは繁栄した。だが、人民がかつての活力とともに道徳感覚の最後の輝きをも失ったとき、衰弱死したのだ。内部の競争によって絶えず分割されていた商業と貨幣の都市カルタゴを見よ。ティルス、シドン、イェルサレム、ニネヴェ、バビロンを見よ。これらの都市は、商業上の競合関係によって、また今日われわれが言うところの販路の不足によって、かわるがわる崩壊させられた。こうした多くの有名な事例は、どのような運命が現代の諸国民を待っているかを十分に明らかにしていないだろうか。人民が、フランスが、非難の叫びをともなった力強い声を鳴り響かせて所有者体制の廃止を宣言しなかったら、どうなるかということを。

（5） 博識のミシュレ教授は、かつてコレージュ・ド・フランスで「コジモ・デ・メディチの金庫はフィレンツェの自由の墓場であった」と述べた。

ここで私の仕事を終えねばなるまい。私は貧しい人の権利を立証し、豊かな人の横領を明らかにした。私は正義を要求する。判決の執行は私の仕事ではない。不当な享受を数年延長させようとして主張する人がいるかもしれない。平等を論証するだけでは不十分で、平等を組織化すること、とりわけ〔社会の〕分断を経ずに平等を確立することが必要なのだ、と。それに対して私は次のように答えてよいだろう。圧政に苦しむ人たちの心配事は大臣たちの当惑よりも大事である、と。条件の平等は政治経済学や法律学が従属する本源的な法なのだ、と。労働への権利と財に等しく与《あずか》れる権利は、権力が抱く不安を前に屈することはありえない。法典の矛盾を調停したり、ましてや統治の過失に苦しんだりするのは無産者の務めではまったくない。反対に、政治的平等および所有的平等[*11]の原理に従っておこないを正すことが市民的・行政的権力者の務めである。発見された悪は有罪判決を下され、消滅させなければならない。立法者は明らかな不公平に味方するべく確立される秩序について無知を理由に言い訳することはできない。返還の時機が待たれることはない。正義、また正義。権利の承認、無産者の復権。――裁判官および執政官よ、それが済んでから行政に思いをめぐらせ、共和国政府に必要なものを供するのだ。

なお、読者の誰一人として、私が破壊はできても建造はできないと非難することはないと思っている。平等の原理を論証することで、私は社会という建物の礎《いしずえ》を築いたのだ。それだけでなく、政治および立法の諸問題を解決する際にたどるべき道の実例までも示したのである。科学それ自体に関しては、私は原理以上のものを何も知らないと明言するし、今日誰も自分がより深く理解していると自惚《うぬぼ》れることができないのも知っている。多くの人が「私のところに来なさい。そうしたら真理を教えよう」と叫ぶ。そうした人々は、自らの私的な見解、強烈な確信を真理と取り違えている。概して彼らは真理全般について思い違いをしているだけなのだ。社会についての科学は、あらゆる人間科学と同じく、けっして完成されることはない。それが抱える問いの深さと多様性は無限である。われわれは、やっとその科学の初歩に達したところだ。われわれが諸学説の〔並存する〕時代を乗り越えられていないこと、討議における多数派の権威が事実の代わりとされ続けていることが、その証拠である。ある文法学会は、言語学上の問いについて投票による多数決で議論に決着をつけた。フランス議会の論議も、その結果はそこまで有害でないにしても、より大きな不合理を抱えているだろう。現代における真の政治評論家の任務は、でっち上げをする人やペテン師たちを黙らせて、公衆が象徴やお題目ではなく論証にしか満足しないよう習慣づけることである。科学について長々と述べる前に、その対象を明確化し、その方法論と原理を見出す必要がある。

科学を邪魔する偏見をその場から取り除くことが必要なのだ。一九世紀の使命とは、このようなものであるべきだ。

　私としては、そう宣誓したように解体の仕事を固持し、廃墟と瓦礫を通じて真理を追求することをやめはしない。私は中途半端な仕事を嫌うのだ。わざわざ知らせてくれる必要もないが、私があえて〔十戒の石板が収められた〕契約の箱に刃向かうようなことがあったとしたら、その蓋を落として、それで満足することはないと思ってくれてよい。不公平の聖域の秘儀が暴かれ、古い契約の銘板が打ち砕かれ、あらゆる古い信仰の対象が豚の寝藁に撒き散らされることが必要である。政治科学全体の要約であり、二〇名の立法者の象徴である〔一八一四年の〕憲章がわれわれに与えられた。征服者の自尊心であり、古代の叡智の要約である〔ナポレオン〕法典が書かれた。よろしい！　その憲章や法典から一つとして条文は残らないだろう。学者たちは、今後それを避けがたいものとして受け入れたうえで再構築する準備ができているのだ。

　しかしながら、誤謬が打破されると、必然的にその反対が真実であることが想定されるのだから、私はこの覚書を、政治科学の第一の問題、今日あらゆる知性が没頭している問題を解決せずに終わらせはしない。

　所有が廃されたなら、社会の形態はどのようなものになるか。それは共同体〔共産主義〕だろうか。

第二部

第一節　われわれの誤謬の諸原因について。所有の起源

人間社会の真の形態を確定するには、前もって次の問題を解決する必要がある。所有はわれわれの自然的条件ではないのに、どのようにしてそれは確立されたのか。動物においては非常に確固としている社会的本能が、どうして人間においては過ちを犯したのか。社会に生まれた人間が、なぜまだ結合していないのか。[*12]

このような問いは、悪の起源についての有名な問題を特殊な表現にしたものである。悪はつねにわれわれ人類の最も深遠な謎と捉えられてきた。自然は確実な仕方ですべてを予見し、自らの所産の保全のため、また自らがそれに割り当てた目的のためにすべてを秩序づけたのに、最も知的で最も道徳的な被造物である人間だけが道を間違え、過ちを犯し、道を踏みはずし、意地悪で不幸になった。この人間学的現象の解決にとって、それがあまりに単純だという理由以外の困難は見受けられないが、こうした現象は人間の心の真ん中に、それ一つで最も恐ろしい流星や天罰を超えるような激しい恐怖を投げかけるのである。想像力は、それによって意気消沈させられる。絶望した良心は、自分が恐ろしい神々に対して献身的であると思い、今度は宗教が贖罪と犠牲によって神々に懇願するべく努める。善を望んで悪を

なすという人間の矛盾を説明するため、哲学者たちは学説を積み重ねてきた。どんな形而上学的努力によってJ＝J・ルソーが「人間は善良な者として生まれたが、社会が堕落させる」という非論理的命題に至ったかは周知のとおりである。これは厳密に言えば「人間は社会的な者として生まれたが、社会が結合をやめさせる」という命題に帰着させられる。

別の哲学者たちによれば、現在の悪のうちに未来の生の証拠、より正確に言えば、その予告を見なければならない。現在生きているのは試練のときであり、至福の永続がその最後を飾るのだ、と。《機械じかけの神》である！　あたかも互いに絶滅させ合う恐怖を経験することなしには、われわれが最高度の運命に到達することができないかのように。われわれが待望する不死が目的ではなく補償であるかのように！　また別の哲学者たちは、悪のうちに人間本性と不可分の難点だけを見るため、悪は必然だと判断した。これはほとんど先の学説に回収される。最後に、おそらく気楽な数名の哲学者は、あたかも自分が感じない苦しみを否定することで、それを感じる他の人からも苦しみをなくせるかのように、悪の存在を否定する決心をした。

人間種の原初的頽落、同じことだが悪の必然性は、今日なお、あらゆる宗教および哲学の最終根拠である(6)。

（6）　哲学者クザンの同僚の大臣が演壇において「これからもずっと貧しい人はいるだろう」と述べたとき、彼は悪の必然性の教義を公言したのである。

そうした宗教および哲学に対して、最もはっきりとした否認で答えよう。私は原罪も悪の永続性も人類の救いがたさも所有者たちの終身的身分保障も否定する。

人間は複合的様相において結合すると述べた。たとえこの表現が正確さを欠いているとしても、その表現を利用して特徴づけた事実は、やはり真実である。すなわち、才能や能力が歯車装置をなすという事実である。だが、次のことを理解しない人がいるだろうか。才能や能力は、その無限の多様性ゆえに、今度はそれが意志における無限の多様性の原因になること。それによって、特質、傾向、あえて言えば自我の形態もまた不可避的に変質させられること。したがって、知性の領域と同じく自由の領域においても、個人の数と同じだけの類型、頭の数と同じだけの独創があり、その嗜好、気質、性向は相異なる考え方によって変様させられ、必然的に一致しえないこと、である。人間は本性や本能によって社会へと運命づけられているが、つねに移ろう多面的な人格性《ペルソナリテ》は社会に対立するのである。(7)

(7) 社会性と人格性というものは、道徳的世界を支配する二つの力、いわば求心力と遠心力である。

動物の社会では、あらゆる個体は正確に同じことをなす。同じ特質が諸個体を導き、同じ意志が諸個体を賦活する。動物の社会は、円形、鉤形、立方体、あるいは三角形の原子の集合体であるが、それらはつねに完全に同一の原子である。その個性《ペルソナリテ》はすべて一致しており、ただ一つの自我がそれらすべてを支配すると言えるだろう。単独であれ、社会をなしてであれ、動物たちが果たす仕事は、その特質を忠実に再現している。蜜蜂の群れが同じ本性をもつ等価の蜜蜂の単位から構成されるのと同じく、蜂蜜の巣房は恒常的かつ不変的に反復される房室の単位から形成される。

だが、社会的運命と個人《ペルソン》の欲求をまったく同時に計算に入れる人間の知性は、その技法がまったく異なるものであり、そのことが分かりやすい帰結として人間の意志を驚くほど多様なものにしている。蜜蜂において意志は恒常的で一様である。意志を導く本能が堅固で、その唯一の本能が動物の生命、幸福、全存在を作るからである。人間においては、才能は異なり、理性は未決定であるため、意志も多様で漠然としている。人間は社会を求めるが、強制や単調を避ける。人間は模倣好きだが、自分の考え方を愛し、自分の仕事に熱中する。

各人が蜜蜂のように生まれながらにして完成形の才能、完璧な専門的知識、天与の学識、要するに自らが遂行すべき職能を携えており、他方、反省し、推論する能力は奪われているとすれば、社会はおのずから組織化されるだろう。ある人は畑を耕し、またある人は家を建て、こちらの人は金属を鍛造し、あちらの人は服を仕立て、ある人々は生産物を蓄えて分配を司る、という光景が見られるだろう。各人は自分の仕事の理由を探ったり、任務に比して多く働いているか少なく働いているかを気にかけたりすることなく、自らの《典礼暦》[*13]に従って生産物をもたらし、賃金を受け取り、ときに休息するだろう。そして、これらすべては計算することも、誰かを妬《ねた》むことも、分配者に不平を言うこともなく、なされるだろう。分配者が不正をおかすこともないのだ。王たちは統治すれども君臨せず、だろう。なぜなら、ボナパルトが述べたように、君臨するとは肥育する所有者であることだからだ。各人が持ち場にいるために何も命令すべきことがないなら、王は権威や助言よりも集合の中心であることを利用するだろう。そこにあるのは、歯車の嚙み合った共同体であり、反省され、自由によって受け入れられた社会があるのではないだろう。

だが、人間は、非常に多様な才能と最も高度な能力を授けられているにもかかわらず、生まれたときには何も知らず、観察と経験の力によってしか熟達しない。それゆえ、人間は反省する。観察し、経験するとは、反省することだからである。そして、推論する。推論しないことができないからである。だが、反省するときには幻想を抱き、推論するときには誤りをおかす。そして、自らを正しいと思い、意地になり、自分自身に賛同し、自分自身を評価し、他の人を軽視する。そのときから人間は孤立する。なぜなら、自らの意志と理性を放棄すること、つまり自説を曲げることによってしか多数者に従うことはできないだろうが、それは不可能だからだ。そして、そうした孤立、合理的エゴイズム、さらには意見に関する個人主義は、経験の観察[*14]によって彼に真実が明らかにされないかぎり持続するのである。最終的な比較によって、これらすべての事実は、よりいっそう実感されることだろう。

蜜蜂の群れの無分別だが集中的で調和的な本能に突然反省と推論が合流するなら、その小さな社会は存続できないだろう。はじめ蜜蜂は、必ずやなんらかの新しい産業的手法、例えば房室を円形にしたり四角形にしたりすることを試みるだろう。もろもろの方式や発明が生み出され続け、やがて長期間の実践が巧妙な幾何学に助けられて、六角形が最も有利だということが明らかになっただろう。次いで反乱もあるだろう。雄蜂には食糧を備えるように、女王蜂には働くようにと言われただろう。働き蜂のあいだでの妬みが始まり、不和が爆発し、まもなく各々が自分自身のために生産するのを望むようになり、ついに巣は放棄され、蜜蜂たちは死滅するだろう。悪は、花の下に隠れた蛇のように、誉《ほま》れだったはずのもの、すなわち推論と理性によって蜜蜂の共和国に忍び込むだろう。

こうして、道徳的悪、つまりいま取り組んでいる問題において、社会の無秩序は、当然のことながら、われわれの反省する能力によって説明される。貧困、犯罪、反逆、戦争は、条件の不平等を生みの親としたが、条件の不平等は所有の娘であり、所有はエゴイズムから生まれ、エゴイズムは私的感覚から生み出されたのであり、私的感覚は理性の専制の直系の子孫である。人間は犯罪や非社交性から始まったのではなく、幼年、無知、無経験から始まったのである。絶対的な本能を授けられたが、筋道立てて考えるという条件のもとにも置かれた人間は、はじめはほんの少しだけ反省し、誤った推論をした。やがて、間違うことによって少しずつ考え方が正され、理性は改良された。まず取るに足らないもののためにすべてを犠牲にし、やがて後悔して涙を流す未開人である。長子相続権をただ同然のものと交換し、あとになって取引を無効にするよう望む〔旧約聖書『創世記』におけるイサクの子〕エサウである。一時的雇用で働きながら、永続的な賃金の上昇を要求する文明社会の労働者である。これは、彼もその雇用者も、平等なくして賃金はつねに不十分だということを理解していないのが理由である。次に、自らの地所を守るために死んだナボテである。奴隷になるまいとして自らの腹を引き裂いた〔古代ローマの政治家〕小カトーである。死の杯に至るまで思想の自由を守ったソクラテスである。自由を要求した一七八九年の第三身分である。そして、まもなく、生産手段と賃金の平等を要求する人民もここに加わるだろう。

人間が生まれながらに社会的であるとは、つまり、あらゆる関係のうちに平等と正義を求めるということである。だが、人間は独立と賞賛をも好む。これらの多様な欲求を同時に満たすことの難しさが、意志の専制、およびそれに続く専有の第一原因である。他方で、人間は絶えずその生産物を交換する欲求をもつ。けれども、さまざまな種類の価値の釣り合いをとることができないので、情念と気まぐれに従って大体のところで釣り合いがとれたと判断して満足する。そして、いつもその結果が〔一方の〕豪奢と〔他方の〕貧困であるような不誠実な商取引に専念する。こうして、人類最大の悪は、誤った仕方で行使された社会性、人類が非常に誇るものでありながら非常に嘆かわしい無知とともに適用する正義そのものに由来するのである。公正の実践とは、一つの科学である。その発見および伝播が権利と義務に関する啓蒙をもたらし、いずれは社会の無秩序を終わらせるような科学なのだ。

われわれの本能のこうした漸進的で苦しい教育、自発的知覚から反省的認識への緩慢で感取できない変形は、本能が固定的なままで啓蒙されえない動物には、いささかも認められない。

動物の本能と知性を非常にはっきりと分けたフレデリック・キュヴィエによれば[8]「感覚能

力、被刺激性、知性と同じく本能も原初的で固有の力である。自分がかかる罠を認識してそれを避ける狼や狐、いくつもの人間の言葉をその意味まで理解してわれわれに従う犬や馬は、知性によってそれをおこなっている。食物の残りを隠す犬、蜜房を作る蜜蜂、巣を作る鳥は、本能によってのみ行動している。人間においても本能は存在する。生まれてきたばかりの子供が乳を吸うのは特殊な本能によってである。だが、人間においては、ほとんどすべてが知性によっておこなわれ、知性が本能を代行する。動物では逆のことが起きる。彼らの本能は知性の代用として与えられたのである」（フルーランス「F・キュヴィエの観察の概要」）。

（8）　グロティウスは、F・キュヴィエよりも前に、動物における本能と知性を区別することができた。彼は〔『戦争と平和の法』で〕次のように述べている。「動物における本能は、なんらかの外的な知性的原理に由来するように思われる。なぜなら、本能に依存しない行為、そして本能に依存した行為より難しいわけではない行為のために、動物たちは同じ知性を見せはしないからである[*15]」。

「次のことを認めることによってのみ本能についての明晰な観念を手に入れることができる。動物はその感覚中枢において生得的で恒常的な心像や感覚をもっていて、それが行動を決定すること。通常の感覚や偶発的な感覚がそうするように、である。動物には、いつもある種の夢や幻影がつきまとう。それゆえ、動物の本能に関係あるものすべてにおいて、彼らを被催眠者のようなものと捉えることができる」（G・キュヴィエ『動物界入門』）。

こうして、知性と本能が程度の差こそあれ動物と人間に共通であるなら、人間のそれを特徴づけるものは何か。F・キュヴィエによれば、反省あるいは自己自身に立ち戻ることによって自分自身の変様を知性的に捉える能力である。明瞭さが欠けているので説明が必要だ。動物に知性を認めるなら、なにがしかの反省をも認める必要がある。反省なしに知性は存在しないからであり、F・キュヴィエ自身もたくさんの事例によって、そのことを証明している。だが、この博識の観察者が人間を動物から区別する種類の反省を自分自身の変様を捉える能力と定義していることに注意しよう。哲学的博物学者の簡潔な表現にできるだけの補いをして、このことを理解するべく努めよう。

動物たちが獲得する知性は、彼らが本能によって果たす営みをけっして変様させはしない。それでも、彼らの営みを妨げうる不測の事態に備えることだけを目的に知性が与えられているのである。反対に、人間においては本能的行動が絶えず反省的行動に変わる。こうして、人間は本能からして社会的であるうえ、日々の推論と選択によって社会的になりもするのだ。はじめ人間は本能によって言葉を生み出し[9]、霊感によって詩人だったが、今日では文法を科学に、詩を芸術にしている。人間は自発的な、あえてそう呼ぶなら本能的な概念によって神や来世を信じている。その概念を、途方もない、風変わりな、優雅な、慰めになる、恐るべき、といった諸形態のもとにかわるがわる表現してきた。こうした多様な信仰を一八世紀の軽薄な宗教蔑視は馬鹿にしたが、すべて宗教的感情が語った言葉なのである。そして、いつか人間は、自らの思考が探究する神とは何であるか、自らの魂が熱望する彼岸に何を期待できるかを理解するだろう。

（9）言語の起源に関する問題は、フレデリック・キュヴィエがなした本能と知性の区別によって解決される。言語は熟慮のうえでの発明でもなければ恣意的あるいは協約的な発明でもない。神からの伝達や啓示に由来するのでもない。言語は、蜜蜂の巣が本能的で非反省的な創作物であるのと同じく、人間の本能的で非熟考的な創作物である。その意味では、言語は人間の作品ではないと言ってもよい。言語は人間の理性の作品ではないからだ。それゆえ、言語のメカニズムは、そこに反省が関与しなければしないだけ、素晴らしく巧妙なものに見える。この事実は言語学が観察したことの中でも、最も奇妙だが最も議論の余地なき事実である。とりわけ、F・G・ベルクマン[*16]の一八三九年、ストラスブールのラテン語論文を参照せよ。この博識の著者は、その論文で、どのようにして感覚から音声的萌芽が生み出されるのか、どのようにして言語が連続する三段階に発展するのか、なぜ生まれながらに言語を生み出す本能的能力を授けられた人間が理性が発達するにつれてその能力を失うのか、そして、どうして言語研究が真の博物学であり科学であるのかについて説明している。今日のフランスには、稀有な才能と深い哲学をそなえた第一線の言語学者が何人もいる。ほとんど公衆に知られずに科学を生み出している控えめな学者たちの研究への献身が過小評価されているのは恥ずべきことである。彼らは他の人たちが喝采を求めるのと同じくらいの配慮をもって、それを避けているかのように見える。

人間は本能によって果たすことすべてをまったく重視していない。軽視している。あるいは、それを賞賛するにしても、自らのものとしてではなく、自然の所産として賞賛している。そうして、最初の発明者の名前を覆い隠す忘却が生まれる。宗教への無関心も生まれ、宗教実践を笑い草にすることになる。人間は反省と推論の産物にしか敬意を払わないのだ。本能による最も賞賛すべき作品も、人間の目には幸運な掘り出し物にしか見えない。知性の作品に対しては発見物という名が与えられている。私はそれを〔本書で〕ほとんどの場合に創作物と言ってきたが。情念と熱狂を生み出すのが本能で、犯罪と徳を作り出すのが知性なのである。

人間は知性を発展させるために、自分自身だけでなく他の人による観察も利用する。人間は経験を几帳面に記録し、年代記を保存し、それによって個体および種における知性を進歩させる。動物においては、知識の伝達はいっさいなされない。各個体の記憶は個体の消滅とともに消え去るのだ。

それゆえ、反省をわれわれの本能が知性へと生成する不断の傾向と解するなら、人間と動物を区別するのは反省だと言うだけでは足りないだろう。人間も、本能に従っているかぎりは、自らがなすことについてなんらの意識ももたないのだ。人間が動物と同様に本能だけを原動力としているなら、けっして誤らず、人間にとって誤謬も悪も無秩序も存在しないだろう。だが、創造主は、われわれの本能が知性へと生成するように反省を授けた。そして、その反省とそこから生じる知識には段階があるので、はじめ本能は反省によって導かれるというより、それに妨げられることになる。したがって、思考能力は人間を本性と目的に反して行動するよう仕向け、われわれは間違いをおかし、悪をなしてそれに苦しむことになるが、それは、人間を善に至らせる本能と悪に傾かせる反省が善悪についての科学に取って代わられ、われわれが確実に善を求めて悪を避けるようになるまで続くのである。

こうして、悪すなわち誤謬とその帰結は、本能と反省という対立する二つの能力の混合から生まれた第一子である。善あるいは真理は、その第二子たる不可避の成果でなければならない。擬人化を続けるなら、悪は二つの相反する力能のあいだの近親相姦によって生まれる。善は、やがて両者の厳《おごそ》かで神秘的な結婚から生まれる嫡出子となるだろう。

推論する能力から生まれた所有は、比較によって強化される。だが、反省と推論が自発性のあとに、観察が感覚のあとに、経験が本能のあとに来るように、所有は共同体のあとに来る。共同体あるいは単純な様相の結合は、社会性の必然的目標、本源的飛躍であり、社会性が姿を現し、定位するための自発的運動である。人間にとって、それは文明化の第一局面だ。法律家が消極的共同体と呼んだこの社会状態において、人間は人間に近寄り、大地の果実、動物の乳や肉を分かち合う。人間が何も生産しないかぎりは消極的である共同体が、労働と産業の発展によって徐々に積極的で歯車の噛み合ったものになっていく。だが、そのとき、思考の自律性と最善および最悪のものを推論するという恐るべき能力が人間に教える。平等が社会の必要条件なら、共同体は最初の種類の隷属なのだ、と。

これらすべてをヘーゲル的定式で表現するなら、次のように言うことになるだろう。

共同体という社会性の最初の様相、最初の確定は、社会発展の第一項、定立である。共同体と矛盾する所有という表現は、第二項、反定立をなす。残るは第三項、綜合を発見することであり、われわれは求められている解決を得るだろう。しかるに、その綜合は、必然的に定立を反定立によって修正することから生じる。したがって、それらの特質を究極まで精査することによって、そこに含まれる社会性への敵対物を除去することが必要である。そうして残る二項は、合流することによって人間的結合の真の様相を形成するだろう。

第二節　共同体および所有の特質

I　所有か共同体のほかにありうる社会を誰も構想しなかったという事実を隠すべきではない。この無限に嘆かわしい誤りが所有の全生命をなしてきたのだ。共同体の難点はあまりに明らかなので、批判者は人々がそれを嫌うようにするべく長々と弁舌をふるう必要などまったくなかった。共同体の不正の償いようのなさ、共同体がそれに向けられる好感と嫌悪感の双方に加える暴力、意志に対して課す鉄の軛《くびき》、良心を服従させる道徳的拷問、社会を無気力へとおとしいれること、一言で言えば、自由で活動的で議論好きで服従しないという人間の人格性を抑圧するおめでたく愚かな画一性は、社会全般の良識を刺激し、共同体に対して決定的な有罪判決を下したのである。

共同体擁護のために引き合いに出される権威や事例は、共同体に反するほうに向く。プラトンの共産主義的共和国は奴隷制を前提とした。〔古代ギリシアのスパルタ王〕リュクルゴスのそれは、奴隷たちに奉仕させるものであった。彼らは主人のためにすべてを生産する責を負い、ひたすら体育訓練と戦争に専念することだけが認められたのだ。J＝J・ルソーもまた共同体と平等を混同し、奴隷制がなければ条件の平等を可能なものとして構想できないとどこかで述べていた。原始教会の共同体は紀元一世紀末まで存続することはできず、まもなく修道院へと堕した。パラグアイのイエズス会の共同体において、黒人の境遇はどんな旅行者から見ても奴隷の境遇なみの悲惨さだった。そして、善良な教父たちも、新信徒が逃げるのを避けるため、溝と壁によって囲いを作らざるをえなかった、というのが実情である。バブーフ主義者たちは、明瞭に定式化された信条よりも所有への強烈な恐怖に導かれていたが、自分たちの原理の誇張によって失敗した。サン＝シモン主義者たちは、共同体と不平等を重ね合わせたが、仮装行列のように過ぎ去っていった。いま社会がさらされている最大の危険、それはこうした暗礁で、もう一度難破することである。

なんと奇妙なことだ！　体系的な共同体、所有の反省的否定が所有の偏見から直接の影響を受けて構想されていて、共産主義者のあらゆる理論の根本にふたたび見出されるのが所有であるとは。

共同体の成員たちが自分のものを何ももたないというのは本当だ。だが、共同体が所有者であり、しかも財のみならず人格および意志の所有者なのである。この至高の所有の原理によって次のことが起きる。全共同体において、自然が人間に課す一条件でしかないはずの労働が人間的命令になり、それゆえに憎むべき命令になること。反省的意志とは相容れない受動的服従が厳格に命じられること。どんな賢人を想定しても不備がつきものである規則を忠実に守ることに対して、いかなる抗議も許されないこと。人間の生命、才能、すべての能力が国家の所有物となり、国家が一般的利益のためにそれらを好きなように使う権利をもつこと。才能や特質についてのどんな共感や反感があろうと、それらを許容すれば大きな共同体の中にもろもろの小さな共同体を、その結果もろもろの所有を招き入れることになってしまうため、個別的社会は厳しく禁じられねばならないこと。責務ではなく善意、戒律ではなく忠言ゆえの義務であるにせよ、強者は弱者の仕事をしなくてはならないこと。不公正であるにせよ、勤勉な人が怠惰な人の仕事をしなくてはならないこと。馬鹿げているにせよ、学識ある人が愚かな人の仕事をしなくてはならないこと。最後に、自らの自我、自発性、天賦の才、情感を奪われた人間はコミューンの威厳と不屈さを前にして恭《うやうや》しく身を捧げなければならないこと〔以上である〕。

共同体は不平等だが、それは所有とは反対の意味においてである。所有は強者による弱者の搾取だが、共同体は弱者による強者の搾取なのだ。所有においては、条件の不平等はどのような名のもとに扮装するにせよ力から生じる。物理的な力や知的な力、出来事、偶然、運命の力、既得の所有の力、等々である。共同体においては、不平等は才能や労働の凡庸さに由来する。それは力と同じように賛美されるのだ。この不当な等式は良心を憤慨させ、価値ある者に不平を言わせる。弱者を助けるのは強者の義務かもしれないが、そうだとしても、強者はそれを寛大さによっておこないたいのであり、比較[*17]にはけっして我慢できないからである。彼らが労働や賃金の条件において平等なのはよいが、共同の仕事の不履行への相互不信がけっして妬みを呼び起こさないようにすることが大事だ。

共同体とは、抑圧であり、隷属である。人間はよろこんで義務の法に従い、祖国に仕え、友人たちに親切を施そうとする。だが、やりたい仕事を、やりたいときに、やりたいだけしたいのだ。自分の時間を自由に使い、必要性にのみ従い、友達も気晴らしも訓練も自分で選択したいのだ。命令ではなく理性によって貢献したいのだ。隷従的な責務ではなく英雄的精神から犠牲になりたいのだ。共同体は本質的にわれわれの能力の自由な行使、最も高貴な傾向性、最も内的な感情に反する。〔一方の〕共同体と〔他方の〕個別的理性や意志の要求とを両立させるために考えつかれたものは、すべて名前はそのままで事物を変えるようなことにしかならないだろう。しかるに、われわれが誠実に真理を求めるなら、言葉についての〔つまり、名前が相変わらず事物にふさわしいかについての〕論争は避けなければならない。

こうして、共同体は良心の自律と平等を侵害する。第一に、精神と心の自発性、行動と思考における自由意志を抑圧することによって。第二に、労働と怠惰、才能と愚鈍、悪徳そのものと美徳を福祉の平等によって埋め合わせることによってである。だが、所有が獲得をめぐる競争心によって不可能であるなら、共同体は怠惰をめぐる競争心によって、まもなく不可能になるだろう。

II　所有もまた、排除の権利と他国者遺産没収権によって平等を侵害し、専制によって自由意志を侵害する。所有の第一の結果については、先の三つの章で十分に敷衍したので、ここでは最終的な比較対照によって所有と盗みの完全な同一性を立証することで満足したい。

voleur〔盗人〕はラテン語では fur または latro と言われ、前者はラテン語の fero すなわち「私は奪う」にあたるギリシア語の〔動詞〕pherô から派生した〔名詞〕phôr を語源とする。後者は〔ギリシア語の〕lathroô すなわち「私は強盗する」を語源とし、その語根はラテン語の lateo すなわち「私は隠れる」にあたる lêthô である。ギリシア語には、さらに〔動詞〕kleptô すなわち「私はこっそり盗む」から派生した〔名詞〕kleptês という語もある。その語根の子音は「私は覆う」、「私は隠す」という意味の kaluptô と同じである。こうした語源学によれば、盗人の観念は、なんらかの手段で自分に属さないものを隠し、奪い、横領する人間という観念だということになる。

ヘブライ語では、同じ観念を「脇に置く」、「逸らす」を意味する動詞 ganab に由来する〔名詞〕gannab すなわち「盗人」という語で表現した。lo thi-gnob（十戒の八）は「汝盗むなかれ」、すなわち「汝のために何も差し押さえてはならず、蓄えておいてはならない」という意味である。ここで禁じられているものは、もつものすべてを持ち寄ることを約束して社会に参入する人が、有名な弟子アナニヤがそうしたように、ひそかにその一部をとっておくような行為である〔新約聖書『使徒言行録』五・一—五〕。

フランス語の動詞 voler〔盗む〕の語源は、さらに多くを物語る。ラテン語の vola すなわち「掌《てのひら》」に由来する voler、あるいは faire la vole〔盗みをなす〕は、〔トランプの〕オンブルのゲームで〔勝者が〕札を総ざらいすることである。したがって、voleur〔盗人〕とは、すべてを手に入れ、強者の独り占めをする受益者のようなものである。おそらく、この動詞 voler は、voleurs の隠語に起源をもち、それから口語表現として通用するようになって、さらに法律の言葉へと至ったのではないだろうか(10)。

(10) 動詞 flouer〔いんちきする〕も同じようになりはしないかと大いに心配している。健やかなる若者たちがすすんでこの表現を使っているし、すでにいくつかの新聞でも私は目にしている。

盗みは無数に多くの方法でおこなわれており、立法者は残虐さや功績の度合いに応じて非常に巧みに区別し、分類した。ある場合には盗みが尊ばれ、またある場合には罰されるようにするために、である。

盗みは次のようにしてなされる。(1)公道上で人を殺すことによって、(2)単独または群れをなして[*18]、(3)不法侵入または押し込み強盗によって、(4)詐取によって、(5)詐欺破産によって、(6)公文書または私文書偽造によって、(7)通貨偽造によって。

この種のものには、力や公然の詐欺だけを頼りに仕事を営む盗人すべてが含まれる。追い剝ぎ、強盗、海賊、地上や海上の略奪屋である。古代の英雄たちは、こうした名誉ある呼び名を負うことを光栄に思い、自分の職業を金になるだけでなく高貴でもあると捉えたのだった。〔旧約聖書『創世記』に猟師として登場する〕ニムロド、〔ギリシア神話に登場する伝説的なアテナイ王〕テセウス、〔ギリシア神話に登場する英雄〕イアソンとアルゴー船の勇者たち。〔旧約聖書『士師記』の登場人物〕エフタ、〔イスラエル王〕ダヴィデ、〔ギリシア・

ローマ神話の登場人物〕カクス、〔ローマの建国者〕ロムルス、クローヴィスおよびメロヴィング朝の後裔たちすべて。〔ノルマン人の傭兵で南イタリアを攻略した〕ロベルト・グイスカルド、〔グイスカルドの父〕タンクレード・ド・オートヴィル、〔グイスカルドの子で第一回十字軍の指導者〕ボエモンおよび大部分のノルマン人の英雄たちは、強盗であり、盗人であった。盗人の英雄的性格は〔古代ローマの詩人〕ホラティウスがアキレウスについて語る詩〔『詩論』〕で示されている。

〔アキレウスを詩に登場させるなら〕《自分の従う法はないと宣言させ、いっさいを武器で要求させよ(11)》。

(11) 私の権利とは、私の槍であり盾である。——〔当時の軍人で『アフリカ論叢』の著者〕ブロサール将軍は、アキレウスのように「私は槍と盾をもって酒と金と女を手に入れた」と語った。

また、ユダヤ教徒がダヴィデに、キリスト教徒がキリストに適用するヤコブの遺言の言葉(『創世記』第四八章〔正しくは第一六章と考えられる〕)《その手はすべての人に敵する》、「その手はすべての人から盗み、すべての人の手は彼から盗む」によっても示されている。今日では、古代の武装した強者にあたる盗人は徹底的に責められる。その仕事は、法典の用語で言えば、禁錮重労働から死刑に至る体刑名誉刑を導くのである。悲しむべき世論の逆転だ！

盗みは次のようにもなされる。⑻スリによって、⑼かたりによって、⑽背任によって、⑾博打やくじによって。

この第二の種類の盗みは、青年たちの思考能力と創意の鋭敏さを磨くためにリュクルゴスの法によって奨励されたものである。〔ギリシア神話の英雄〕オデュッセウス、〔古代アテナイの政治家〕ソロン、〔トロイアの捕虜になったとされるギリシア神話の登場人物〕シノン、〔古代ヘブライ人の族長〕ヤコブから〔両シチリア王女ベリー逮捕の間接的な責任者〕ドゥーツに至る古代および近代のユダヤ人たち、そしてボヘミア人たち、アラブ人たち、すべての未開人たち。それらの盗みは第二の種類のものである。ルイ一三世および一四世の治下、博打でいんちきをしても名誉が傷つけられることはなく、それはいわば規則の一部だった。そして、多くの誠実な人々がまったく気がひけることなしに、巧みなごまかしによって運命の気まぐれを補正したのだった。今日でも、あらゆる国の農民や高額少額の商売において取引ができること、すなわち相手を騙《だま》すことは非常に尊敬される価値の一種である。これは実に広く受け入れられたことなので、騙された人が自分も他の人を騙そうとは思わないほどである。フランス政府がくじの廃止を決心するのにどれだけの苦労があったかは周知のとおりだ。政府は所有に対する短刀の一刺しになると感じたのである。スリ、いかさま師、ペテン師は、手先の器用さ、才気の鋭敏さ、雄弁の魅力、創意の大いなる豊かさをとりわけ活用する。ときには強欲への餌を示す。それゆえ、筋力よりも知性をずっと優先させる刑法は、前述の四種を名誉刑ではなく懲治刑のみが科される第二部類とするべきだと考えた。現在では、唯物論的で無神論的な法だと非難されよう。

盗みは次のようにもなされる。⑿高利によって。

福音書の公刊以来、非常に憎まれ、非常に厳しく罰せられるようになったこの種の盗みは、禁じられる盗みと許される盗みのあいだの過渡的段階を形成する。それゆえ、その両義的な本性によって法律や道徳において数多くの矛盾を引き起こすのである。法曹、財政、商業に携わる人々によって非常に巧みに利用される矛盾である。こうして、抵当を設定して一〇、一二、一五％で金を貸す高利貸しは、それが発覚すると莫大な罰金を科される。だが、同じ利子を受け取る銀行家は、確かに貸付としてではなく、為替または割引、つまり売買契約として受け取るのだが、それは国王特権によって保護される。けれども、銀行家と高利貸しの区別は、もっぱら名目上のものだ。動産または不動産を担保に金を貸す高利貸しと同じく、銀行家は紙の資産を担保に金を貸している。銀行家は、高利貸しと同じく、利子を前もって得る。抵当が消滅するなら、つまり銀行券が返済されないなら、銀行家は高利貸しと同じく借用者に対して求償権を保持する。これは、まさに銀行家を金の販売者ではなく金の貸付者にする事態である。だが、高利貸しの貸付期間が一年、二年、三年、九年、それ以上であるのに対して、銀行家の貸付は短期である。しかるに、貸付期間の差、証書の形式のいくらかの違いは契約の本性を変えはしない。国家にであれ、商業にであれ、三、四、五％で資金を投下する資本家、つまり銀行家や高利貸しよりは少ない利子を受け取る資本家に関して

言えば、彼らは社会の精華であり、誠実な人々の精髄である。盗みにおける節度は、まったき美徳なのである。(12)

(12)　高利（おそらく婉曲によって利子付き貸付と呼ばれることもある）を扱った著者たちを検討することは、興味深く実り多い主題だろう。神学者たちは、いつの時代にも高利と戦ってきた。だが、いつも小作地や家の賃貸借の合法性を認め、しかも家の賃貸借と利子付き貸付の同一性は明らかなので、彼らは複雑性と区別の迷宮で道に迷い、高利について何を考えなければならないのかが分からない、という結末におちいった。道徳の教師である教会は、自らの教説の純粋さに非常に執着し、また誇りに思っているが、所有および高利の真の本性について、ずっと無知なままであった。教会は高位聖職者の機関を通じて、最も嘆かわしい誤謬を宣言することまでしたのだ。ベネディクトゥス一四世は《借用と賃貸はけっして同等ではありえない》と述べた。〔一七世紀の神学者で王権神授説で知られる〕ボシュエによれば「地代の設定と高利は天と地ほどに遠い」。このような考えによって、どうして利子付き貸付を非難できようか。とりわけ、はっきりと高利を禁じる福音書をどうして正当化できようか。こうして、神学者たちの苦悩は極度のものとなる。彼らとて、利子付き貸付と賃貸借を当然にも同一視する経済学的論証の明白さを認めないわけにはいかないので、もはや利子付き貸付をあえて非難はせず、福音書が禁じるのだから、やはりなんらか〔ほかに〕高利なるものがあるはずだと述べるにとどまる。だが、すると高利とは何か。彼ら諸国民の教師たちが、彼らの言うところ「無駄に語ったはずのない」福音書の権威と経済学的論証の権威のあいだで逡巡するのを見ることほど愉快なことはない。私からすれば、まさに福音書の最高度の名誉は、ほかでもなくこうした自称学者たちによる古くからの不誠実によってもたらされるのである。利子付き貸付と賃貸借を同一視した〔一七世紀の古典学等の学者〕サルマシウスの議論は、〔以下いずれも自然法論を展開した〕グロティウス、〔一七世紀の法学者〕プーフェンドルフ、〔一八世紀の法学者〕ビュルラマキ、〔一八世紀の哲学者クリスティアン・〕ヴォルフ、〔一八世紀の法学者〕ハイネクツィウスによって反駁されたが、より興味深いのはサルマシウスが自らの誤謬を認めたことである。人々はサルマシウスによる同一視をもとに、あらゆる資本利得は不当だと結論づけ、福音にかなった平等の論証へと歩みを進めるのではなく、正反対の結論を引き出した。小作料や家賃が万人の同意のもとで許されているのだから、金利もそれと同じだと認められるなら、高利と呼べるものはもはや何もない。したがって、イエス・キリストの掟は幻想であり無であって、それを認めても冒瀆ではない。こうした結論である。〔私の〕この覚書がボシュエの時代に出版されていたなら、この大神学者は聖書、神父、聖伝、公会議の決定事項、教皇を用いて高利が悪魔の発明品であるのに対して、所有は神授権である、と証明したことだろう。そして、この異端の書は焚書となり、著者は投獄されたことだろう。

盗みは次のようにもなされる。⒀地代、小作料、家賃、賃貸料を設定することによって。『プロヴァンシアル』の著者〔パスカル〕は、イエズス会の〔決疑論者〕エスコバルやモハトラ契約とともに、一七世紀の誠実なキリスト教徒たちを大いに楽しませた。エスコバルは「モハトラ契約とは、布地を高値の掛け払いで買い、同時にその売り手に現金払いでより安く転売する、という契約である」と述べた。エスコバルは、この種の高利を正当化する理屈を見つけたのである。パスカルとジャンセニストは、みな彼を馬鹿にした。だが、諷刺家パスカル、衒学家〔ピエール・〕ニコル、無敵の〔アントワーヌ・〕アルノーは、バジャドリードのアントワーヌ・エスコバル神父が次のような論拠を出してきたら、何と言っただろうか。「家の賃貸借契約とは、不動産を高値の掛け払いで買い、一定期間のあと、その売り手に安く転売する、という契約である。ただ作業を簡略化するために、買い手は最初の売値と二番目の売値の差額を支払うことで満足するのだ。家の賃貸借契約とモハトラ契約の同一性を否定するなら、私はすぐさまあなたがたをやり込める。それらの同等性を認めるなら、私の教説の正しさをも認めるのでなければ、あなたがたは地代や小作料をも同時に禁止することになるはずだ」と。

イエズス会士のこの恐るべき立論に対して、モンタルト氏〔パスカルの偽名〕は警鐘を鳴らし、社会が危機に瀕している、イエズス会士たちが社会を土台から掘り崩している、と叫んだことだろう。

盗みは次のようにもなされる。⒁商人の利益がその職能の正当な賃金を超過するとき、商取引によって。

商取引の定義は、周知のとおり「六フランの価値のものを三フランで買い、三フランの価値のものを六フランで売る技法」というものである。このように定義された商取引とアメリカ風の盗みとの違いは、交換される価値の相対的割合、つまり利益の大きさに尽きる。

盗みは次のようにもなされる。⒂楽な地位に身を置き、並外れた給与を支給されて、生産物から利益を得ることによって。

いくらかの小麦を消費者に売る小作人が、測量の際に測量枡に手を突っ込んで、ひとつかみを横領するなら、彼は盗んだことになる。講義に対して国家から支払いを受けている教授が、書店を介して公衆にもう一度売るなら、彼は盗んだことになる。楽な地位にある者が、無とひきかえに並外れた生産物を受け取るなら、彼は盗んだことになる。どんな職能人や労働者であれ、一しか生産せずに四を、一〇〇しか生産せずに一〇〇〇を支払われるなら、盗んだことになる。そして、この本の出版社と著者である私が本の価値の二倍を支払わせるなら、盗んだことになる。

要約しよう。

古代の詩人たちによって「黄金時代」と呼ばれた消極的共同体から脱すると、正義は力の権利になり始めた。組織化を追求する社会において、能力の不平等は価値《メリット》の観念を呼び起こした。そして、衡平〔という考え〕によって敬意だけでなく物質的財をも人格的価値と比例させよう、という構想が思いつかれたのだ。当時認められた第一の、そしてほとんど唯一の価値は身体的力だったので、最強者、《優れし者》こそ、そのことによって最も価値ある者、最善者、《優れし者》であり、最良の取り分への権利をもったのである。その取り分が拒まれるなら、まったく当然のこととして、彼はそれを奪った。そのことと、あらゆるものへの所有権を勝手にわがものにすることとの距離は、ほんの一歩でしかない。

英雄時代の権利とはこのようなものであり、それはギリシア人とローマ人において保持され、伝統によって少なくとも共和政末期まで続いた。プラトンは『ゴルギアス』においてカリクレスという名の人物を紹介しているが、彼が非常に才気に富む形で力の権利を擁護したのに対して、《平等》の擁護者ソクラテスは熱心に反駁したのであった。〔ローマの軍人・政治家である」大ポンペイウスは、とかく恥じたのではあるが、ある日、ふと「武器を手にしているのに、なぜ法を尊重するのか！」と漏らしたと伝えられている。道徳感覚と野心が戦い合う人間、英雄とか強盗の規準によって自らの暴力を正当化しようとする人間の特徴をはっきり示している。

力の権利に由来して人間による人間の搾取、言い換えれば隷属、高利、征服者が敗れた敵国者に課す税、そして非常に多くの租税の一群全体、すなわち塩税、国王特権、賦役、人頭税、小作料、家賃、等々、要するに所有が生まれた。

力の権利に正義の第二の現れである策略の権利が続いた。英雄たちは、策略において抜きん出ることなく、敗れてばかりだったので、この権利を嫌った。策略も、やはり力ではあるが、身体的能力の領域から精神的能力の領域に移された力である。狡猾な提案によって敵を欺《あざむ》くことへの熟達は、褒賞にさえ値するものと思われていた。だが、強者はいつも誠実さを褒めそやした。当時、約束の尊重と宣誓の遵守は、論理上というより文字どおり必要なものだった。十二表法には《言葉が宣言されたゆえに、それは法である》、言葉が語られたらそれは法になる、と書かれている。策略、正確に言えば裏切り行為は、古代ローマの政治のほとんどすべてをなしていた。数ある事例の中でも、ヴィーコ[*19]はモンテスキューによっても引用されることになる次の事例を引いている。ローマ人は、カルタゴ人に対して、わざと社会や国家を意味する civitas という語を用いて彼らの財産と都市の保全を保障した。カルタゴ人は、反対に、物的な意味での都市、すなわち urbs として理解し、城壁を再建し始めたのので、条約違反を理由にローマ人から攻撃された。ローマ人は英雄時代の法に従っていたので、両義的表現によって敵国者を騙していたが、不公正な戦争をしているとは思わなかったのである。

策略の権利から産業、商業、銀行の利益が生まれた。商売上の詐欺も生まれ、才能や天才の美名の裏に隠された最高度の奸策、いんちきとみなされるべきもののいっさいをめぐる野望が生まれた。最後に、あらゆる種類の社会的不平等が生まれた。

法が禁じるような盗みにおいては、力と策略は単独でむきだしの形で用いられる。許される盗みにおいては、力と策略は生み出される効用へと扮装し、犠牲者から身ぐるみ剝ぐための道具として利用される。

暴力と策略の直接的使用は、早くから全員一致の意見として拒絶された。だが、どの国民も、いまだ才能、労働、占有と結びつけられた盗みから解放されるには至っていない。このことから決疑論のあらゆる不確実さと法律学の無数の矛盾が生まれたのだ。

『イリアス』および『オデュッセイア』の詩において吟唱詩人が称揚する力の権利と策略の権利は、ギリシアの立法いっさいを着想させたものであり、ローマ法もその精神で満たされている。そして、現在の習俗や法典においても、それは生き延びている。キリスト教も、それをなんら変えなかった。そのことをもって福音書を非難しないようにしよう。聖職者たちは法律学者と同じように誤った仕方で着想したので、説明も理解もけっしてできなかったのだ。公会議や高位聖職者の道徳に関するいっさいへの無知は、集会所や執政官の無知と同等である。権利、正義、社会についての根を張った無知こそが、キリスト教会を殺し、その教えの名誉を決定的に傷つけたものなのだ。ローマ教会ほか、もろもろのキリスト教会の不誠実は明白である。揃ってイエス・キリストの教えを理解していないのだ。揃って道徳と教説において誤ったのだ。揃って誤った命題、馬鹿げた命題、不公平と人殺しに満ちた命題への責を負っているのだ。自らを無謬だと述べ、道徳を堕落させた教会こそ、神と人間たちに許しを乞うがよい。その妹プロテスタントも謙虚になるがよい……そうすれば、覚めているが信心深く情け深い人々が認めてくれることだろう(13)。

(13)　使徒は「私は福音を知らせ、私は福音に生きる」と述べた。それは働くことによって生きることを意味した。他方、カトリックの聖職者は、所有によって生きることを選んだ。中世のコミューンが大土地所有者である大修道院長や司教、そして領主と戦ったことは有名である。聖職者の資本利得を守るために教皇が破門を宣告したことも、それに劣らず有名である。今日でさえ、フランス教会聖職者の公的諸機関はなお、聖職者の手当は賃金ではなく、かつて聖職者がその所有者であった財産、一七八九年に第三身分に引き取られた財産の補償金だと主張している。聖職者は、労働よりも他国者遺産没収権によって生活の糧を得ることを好むのだ。

アイルランドがおちいっている貧困の最大の原因の一つは、イギリス国教会の聖職者の莫大な所得である。こうして、異端と正統、プロテスタントとカトリックは、互いに非難し合うべきことなど何もない。いずれも等しく正義において誤り、いずれも十戒の八「汝盗むなかれ」を理解しなかったのである。

法の発達は、その多様な表現において、所有がもろもろの形態において踏んだのと同じ段階の踏み方をした。至る所で正義がその目前の盗みを追い払い、次第に狭められた限界内にそれを閉じ込めるのが見られる。これまでのところ、公正による不公正の征服、平等による不平等の征服は、本能から発し、事物の力だけによって果たされてきた。だが、人間の社会性の最終的勝利は反省によるべきである。そうでなければ、ふたたび別の封建的混沌におちいることになるだろう。われわれの知性のうちに栄誉が温存されているか、われわれの低劣さのうちに底知れぬ悲惨が温存されているかのどちらかなのだ。

所有の第二の結果は専制である。しかるに、専制は精神において必然的に合法的権威の観念に結びついているので、専制の自然的原因を説明することによって合法的権威の原理を知らしめなくてはならない。

われわれは、どのような統治形態を選ぶだろうか。おそらく最も若い読者の誰かが応えるだろう。——おや！　そう問えるのですか。ならば、あなたは共和主義者だ、と。——共和主義者、よろしい。だが、この言葉では何も明確化されない。〔共和政を意味するラテン語〕res publica とは公的な事柄のことだ。しかるに、どんな統治形態のもとであれ、公的な事柄を認める者は誰でも自分は共和主義者だと言える。王もまた共和主義者だ。——なんだって！　あなたは民主主義者なのですか。——違う。——なに！　では、君主政支持者ですか。——違う。——立憲主義者ですか。——どうか、そうではありませんように。——それなら貴族政支持者ですか。——全然違う。——混合政体を望むのですか。——いっそう違う。――それなら、あなたは何者なのですか。――私はアナーキストである。――分かりましたが、政府に向けた、あてこすりですね。――まったくそうではない。たったいま、あなたは真剣にじっくり考え抜かれた私の信仰告白を聞いたのだ。私は秩序の真の友人だが、十全たる意味においてアナーキストである。聞いてほしい。

社会的な動物種において、「若い個体の弱さこそ、すでに力をもっている年長の個体への服従の原理である。そして、動物たちにとっては特殊な種類の意識である習慣が、最年長の個体が最弱となってもなお、彼が権力を保持する理由をなす。社会が長によって導かれるとき、実際ほとんどいつも、その長とは群れの最年長者である。ほとんどいつもと言ったが、それは確立された秩序が暴力的な情念によって乱されることもありうるからである。そのとき、権威は別の者に移る。だが、権威がふたたび力から始まったあとは、やはり同じように習慣によって保たれるのである。野生の馬は群れで移動する。その先頭を進む長がおり、馬たちは信頼してついていく。その長が逃げたり戦ったりせよと合図を出すのである」。「人間が育てた羊は人間に従うが、自らの生まれた群れにも同じように従う。羊は人間を自らの群れの長としかみなさないのだ……。家畜にとって、人間は彼らの社会の一員でしかない。人間の技法は、家畜たちに結合者として受け入れられるようにすることに尽きるのだ。知性の点でもまさっている人間は、まもなくその長になる。それゆえ、ビュフォンが述べたように、人間は動物たちの自然状態を変えることはない。反対に、その自然状態を利用するのである。言い換えれば、人間は社会的な動物を見つけ、それを家畜化し、彼らの結合者になることで、その長となるのだ。こうして、動物の家畜状態は社会性の一つの特殊事例、〔自然状態からの〕単純な変様、限定的な一帰結にすぎない。あらゆる家畜は本性からして社会的な動物なのである……」（フルーランス「F・キュヴィエの観察の概要」）。

社会的な動物は本能によって長に従う。だが、F・キュヴィエが言い落とした点、すなわち長の役割がまったく知性的なものである点に注意しよう。長は他の動物たちに対して、結合すること、自らの導きのもとに集まること、繁殖すること、逃げること、身を守ることを教えはしない。これらの点のそれぞれについて、長は従う者たちが自分と同じくらい知っていると分かっている。だが、既得の経験によって不測の事態に備えるのは長である。困難な事態において一般的本能に対して私的な知性による補いをするのは長である。熟考し、決定し、先導するのは長である。要するに、啓蒙された慎重さによって全体の善の最大化のために国民的因習を統御するのが長なのである。

生来的に社会をなして生きる人間も、当然のこととして長に従う。もともと長とは、父、族長、長老、すなわち誠実な人、賢者であった。したがって、その職能はもっぱら反省と知性によるものだった。人類は他の社会的動物種と同じく、固有の本能、生得的能力、一般観念、感情および理性のカテゴリーをそなえている。長、立法者、王は、かつて何も発明、想定、考案しなかった。既得の経験に従って、しかしつねにもろもろの意見や信条に合わせつつ、社会に指針を与えることしかしなかったのだ。

道徳と歴史に煽動者がもつような不吉な気分をもたらしつつ、人類は根源において長も王も有さなかったと断言した哲学者たちは、人間本性について何も知らなかったのだ。王政、しかも絶対王政は、民主政と同じく、いや、それよりも原初的な統治形態である。太古の時代以来、英雄たち、悪党たち、冒険する騎士たちが王冠を勝ち取り、王になるのを見てきたので、人は二つのもの、すなわち王政と専制を混同する。だが、王政は人間が創造されるとともに始まった。消極的共同体の時代にも存続したのである。英雄主義とそれが生み出した専制は、正義の観念の最初の確定、すなわち力の支配とともに始まったにすぎない。価値の比較によって最強者が最善だと判断されるようになるや、長老は最強者にその地位を譲らざるをえなくなり、王政は専制的になったのである。

王政の自発的、本能的、そしていわば生理学的な出自は、初期の王政に超人間的な性格を与えた。人民はそれを神々に結びつけ、神々から最初の王が降臨したのだと述べた。そこから、王家の神的系図、神々の化身、救世主の寓話が生まれ、さらに、いまでも非常に奇特な擁護者がいる王権神授説が生まれたのである。

王政は、はじめは選挙によるものだった。なぜなら、人間がほとんど生産しなかったために占有もしなかった時代、所有権はあまりに弱くて、相続の観念を生んで父の王位をその子に保証することができなかったからである。だが、野原が開墾され、都市が建設されたとき、他のものと同じく、それぞれの職能も専有された。そこから王位と祭司職の世襲が始まった。さらに、最もありふれた職業にまで世襲がもたらされた。それは階級の区別、地位による自尊心、平民の卑賤化をともなった事態であり、また私が遺産相続の原理について述べたことを確証するような事態である。すなわち、それが空席の職能に備えたり、始めた仕事を完成させたりするための自然が示した様式だということである。

ときに野心による王位の横領者、簒奪者が出現し、それが一方で正当なる王、合法的な王、他方で王位簒奪者という名称が使われる理由となった。だが、こうした名称が強制されてはならない。忌まわしい王もいれば、許容できる王位簒奪者もいるからである。王政が唯一可能な統治形態であるなら、あらゆる王政は善なるものかもしれない。だが、合法的かといえば、けっしてそうではない。世襲も、選挙も、普通選挙も、主権者の卓越性も、宗教や時間による聖別も、王政を合法的なものにはしない。君主制なり、寡頭制なり、民主制なり、どんな形態のもとにそれが現れようと、王政あるいは人間による人間の統治は不法であり、不合理である。

人間は最も早く最も完全に欲求を満たすことができるように規準を求める。はじめ、そうした規準は人間にとって生きたものであり、目に見え、触れられるものだった。つまり、それは父であり、主人であり、王であった。人間が無知であればあるほど、指導者への服従と信頼は絶対的なものとなる。だが、規準に順応すること、すなわち反省と推論によって規準を発見することが人間の法則であり、そうである人間は長の命令についても推論するのである。しかるに、このような推論は、権威に対する抗議であり、不服従の始まりである。人間は、至高の意志の理由を探究し始めるとき、反逆者になるのだ。命令するからという理由ではなく、〔命令の根拠が何かを〕表明するからという理由で王に従うのをやめるなら、人はそのときから、もういかなる権威も認めず、自分自身が自分の王だと断言しているのである。そうした人間を厚かましくも導こうとし、自らの法が承認されるために多数派への尊重だけを示す者には災いがあろう。やがては少数派が多数派となり、軽率な専制君主は打倒され、その法はすべてなきものにされるからだ。

社会が啓蒙されるにつれて、王の権威は減退する。これは、あらゆる歴史が立証している事実である。国民の誕生時には、人間がいくら反省し、推論しても無駄である。方法論も原理もなく、自らの理性を用いるすべを心得ていなかったので、彼らは正しくものを見ているのか、それとも誤っているのかが分からなかったのである。当時いかなる知識を得ても王の権威に反論するには至らなかったので、それは絶大だった。だが、少しずつ経験から習慣が生まれ、習慣は慣習になった。次いで、慣習は規準の形になり、原理がしっかり定められた。つまり、法として表現された。それに対して生きた法である王は敬意を表さざるをえなくなったのだ。慣習と法の数があまりに増えたので、君主の意志が一般意志にいわばがんじがらめにされるときが来た。王位に就いても慣習と慣例に従って統治すること、自分が王なしで法を作る社会の執行権力にすぎないことを誓わざるをえなくなるのだ。

そこに至るまで、すべては本能的に、いわば当事者の知らないうちに起こる。だが、この運動の必然的な最終段階を見ることにしよう。

人間はもろもろの観念を学び、獲得することによって、ついに科学の観念、すなわち事物の現実に適合し、観察から引き出される知識の体系の観念を獲得するに至る。そうして、人間は科学、言い換えれば無機物の体系、有機体の体系、人間精神の体系、世界の体系を探究する。どうして社会の体系についても探究するということにならないだろうか。だが、そうした高みに達すると、人間は政治の真理あるいは政治科学が、主権的意志、多数派の意見、民衆の信念からまったく独立した事柄であることを理解する。王、大臣、行政官、人民も、意志として捉えられるかぎり科学にとっては何ものでもなく、まったく考慮に値しないものだと理解する。同時に次のことも理解する。人間が社会的なものとして生まれたのなら、自分に対する父の権威は、理性が形成され、教育が完了し、父との結合者になるときには終わること。人間の真の長、人間の王は証明された真理であること。政治とは奸策ではなく科学であること。立法者の職能は結局のところ教育[*20]に帰着することである。

　こうして、ある社会での人間の人間に対する権威［の絶大さ］は、その社会が達成した知的発展と反比例し、その権威の持続可能性は真の統治、すなわち科学に従う統治に対する多かれ少なかれ一般的な欲望によって計算される[14]。すると、力の権利と策略の権利が正義のますます広範な確定を前に制限され、ついには平等のうちで根絶されるはずであるのと同様、意志の至高性《スヴランテ》は理性の至高性を前に道を譲り、ついには科学的社会主義のうちに消滅するだろう。所有と王政は、世界の始まり以来、解体の途上にあるのだ。人間が平等のうちに正義を求めるように、社会はアナーキーのうちに秩序を求める。

（14）　その見地からすれば、われわれはいまだ理性と真理による統治からは隔たったところにいる。次の文書によって判定するとよい。これは公衆の半数が賞賛し、残り半分は反応することしかできなかったものである。

下院。一八四〇年五月一〇日の審議。アラゴの演説。

「われわれの統治の原理は、国民主権《スヴランテ》の原理である。この原理がときに有害だったこと、少しばかり厄介だったことを、私はよく知っている……。そして、国民主権の原理に理性主権の原理を置き換えるよう望まれていることも知っている。

私は理性主権を大いに支持する者である。だが、それはどんな確実な徴によって理性が認められ、誤謬と区別できるのかが私に示されれば、である……。パスカルは〔『パンセ』において〕「私たちが見るのは、ほとんどいかなる公正も不公正も、土地が変われば、その性質も変わるということである。緯度が三度上がれば、法律全体がひっくり返る。一本の子午線が真理を決めるし、わずか数年の占領も真理を決める。法には、その時代というものがある。川や山によって区切られる滑稽な正義よ！　ピレネー山脈のこちら側で真理であることが、あちら側では誤りなのだ」と述べている。

理性主権の原理はパスカルのこうした言葉を前にすれば、ほぼ支持できないとあなたがたは理解するだろう。いや、正確に言えば、理性主権の原理は理性を認める手段と切り離しえず、それはパスカルが発見しなかったものだということになろう。

それゆえ、国民主権の原理に立ち戻らねばならない……。プラトンは、世界は数によって統《す》べられる、と述べた。ゲーテが、世界がよく統べられているかどうかは数によって裁定される、と述べたとき、より真実に触れていた……」。

優れた精神が道を踏み外しているときには正さなければならない。その誤りが権威となってしまうからだ。

理性に対するアラゴの取るに足らない攻撃は、まったく道理を欠いている。彼はどんな徴によって理性が認められうるのかを問う。ならば、私は、彼がどんな徴によって数学的論証が正しいと認めるのかを問いたい。だが、政治や道徳の問題は幾何学の問題とは違う、と彼は言うだろう。私は所有についてのこの覚書を、その反証としてあえて示しているのだ。

この尊敬すべき雄弁家は、人間的正義の不確実性に関するパスカルの警句を引用している。この警句が私の論証の確実性を前に崩壊すると言うにとどめておこう。だが、この高名なるアカデミー会員は、パスカルが人間的判断の矛盾を指摘したのは、もっぱらそこから至高にして絶対確実な裁き、すなわち理性主権の類義語たるものの必然性を導くためだったことを忘れている。

この改革派の下院議員は「国民主権の原理に立ち戻らねばならない」と叫ぶ。

これは力のために理性を捨てねばならないという意味でないとしたら、まったく何も意味していない。こうして、アラゴほど繊細で辛辣な精神の持ち主が、ゲーテの言葉に政治的格言などではなく、それよりずっと代議制に対する気のきいた諷刺を読み取るということをしなかったことが、私には驚きである。惑星の摂動を計算することが問題だとして、アラゴは〔月のクレーターの一つ〕ポンテクランの三〇〇万票をどれくらいのものと評価するだろうか。国民軍の三〇〇万票であれば、民法および刑法に関して何かより多くのことを証明する、ということはないのだ。

そもそも理性に対する反対者は、永遠の矛盾を抱えている。なぜ彼らは騒動を退けられるのか。なぜ彼らは節度や学習を勧められるのか。なぜ納得させたり説得したりすることに努められるのか。要するに、なぜ理性を論難しながら、絶えず理性に訴えかけ、理性にばかり期待をかけるのか。

よろしい。理性は至高《スヴラン》だが、理性をそれと認めることが大問題だ〔ということを認めよう〕。けれども、その企ては難しいとしても不可能ではなく、アラゴのような人であれば、手中に多くの、いや、かなりの証拠をもっているに違いない。

アナーキー[21]支配者・主権者《スヴラン》の非在、これこそわれわれが日々近づいている統治形態である。けれども、人間を規準とみなし、その意志を法とみなす根深い習慣によって、この統治形態は無秩序の極み、混沌の現れとみなされている。一七世紀パリのブルジョワは、ヴェネツィアに王などいないと聞いて驚きがおさまらず、そんな不合理なことは初耳だと危うく笑い死にしそうになったと言われている。われわれの偏見とは、このようなものである。われわれがいまのようであるかぎり、誰もが一人または複数の長を望むのだ。私の手元に小冊子がある。その著者は、熱心な共産主義者でありながら、〔山岳派の政治家〕マラーの再来であるかのように独裁を夢見ている。われわれの中で最も進んでいるのは、主権者の数ができるかぎり多くなるよう望む人々、その最も熱烈な願いの向かう先が国民軍による王政であるような人々である。おそらく市民軍に執着している人の誰かが、まもなく言うことだろう。「皆が王である」と。だが、その誰かが話し終えるや、この私が言う。「誰も王ではない」と。われわれは好むと好まざるとにかかわらず結合しているのだ。あらゆる内政問題は、県の統計データに従って解決されなければならない。あらゆる外交問題は、国際的統計に関する問題である。統治の科学は当然のことながら科学アカデミーの一部門に属し、必然的にその終身幹事が首相になる。あらゆる市民がアカデミーに論文を提出できるのだから、あらゆる市民が立法者である。だが、誰の意見であれ、それが論証されるかぎりでしか物の数に入らないので、誰も理性に対して自分の意志を代置することはできない。誰も王ではないのだ。

立法および政治の素材は、すべて科学の対象であって意見の対象ではない。立法権は体系的に認識され、明示された理性にのみ属す。どんな力能に対してであれ、拒否権や裁可権を与えるのは暴政の極みである。正義と合法性の二つは、数学的真理と同じく、われわれの同意からは独立した事柄である。それらを強制するには、それらが認識されるだけで十分だ。それらが理解されるようになるには、熟考と研究だけが求められる。だが、人民が主権者ではなく、立法権がそこから生じるのでもないとしたら、それは何なのか。人民とは法の番人であり、人民とは執行権力である。あらゆる市民は「これは真実だ。あれは公正だ」と明言することができる。だが、その確信は当該市民に対してしか強制力をもたない。市民が宣言する真実が法になるためには、それが認められなければならない。しかるに、法を承認するとは何か。それは数学的あるいは形而上学的な演算を検証することである。実験を繰り返し、現象を観察し、事実を確認することである。国民だけが「命令によってかくあるべし」と述べる権利を有するのだ。*22

これらすべてが一般に受け入れられた考えの転覆であること、私が現実の政治をひっくり返そうと努めているように見えることは認める。だが、逆説から始めたのだから、私が正しく推論してきたなら、一歩進むごとに逆説に出くわし、逆説で終わらざるをえないということを読者にはご考慮願いたい。それに、立法者のペンの代わりに法の剣が市民の手に返されるなら、どんな危険が市民の自由を襲うか、私にも分からないのだ。本質的に意志に属する執行権は、あまりに多くの受任者に託されることはできない。だが、そこにこそ正真正銘の

人民主権が存するのだ。(15)

(15)　このような考えがいつか精神に深く根づくとしたら、それは代議制や弁舌家の暴政によってなされるだろう。かつて学問、思想、弁舌は同じ表現のもとに混じり合っていた。優れた思想と学識の持ち主を意味して、すばやく語る者、力強く語る者などと言われたのだ。かなり前に、弁舌は抽象によって学問と理性から切り離された。論理学者が述べるように、その抽象は少しずつ社会において具体化した。その結果、今日では、ほとんど語らないような種類の学者たちがいるし、言葉を扱う学問の世界では学者ですらないような弁舌家もいるのだ。こうして、哲学者はもはや学者ではなく弁舌家である。立法者、詩人はかつて深遠にして崇高な存在だったが、今日では弁舌家だ。弁舌家はよく響く鐘であり、どんなに弱く叩いてもいつ終わるとも知れない音を発する。弁舌家においては、話の流れはいつも思考の貧しさと正比例する。弁舌家は人々を支配する。われわれの目をまわし、まいらせ、われわれから略奪し、搾り取り、馬鹿にする。学者はといえば、口をつぐむのだ。彼らが何か述べようとすると、その話は遮《さえぎ》られる。彼らは書けばよいのだ。

所有者、盗人、英雄、主権者、これらの名称はすべて同義語であるから、自らの意志を法として強制しても矛盾や制御〔困難〕に苛《さいな》まれることもない。つまり、自分はまったく同時に立法権力であり、執行権力である、と主張するのだ。それゆえ、王の意志に科学的で真なる法則を置き換えることは、すさまじい戦いなしには果たされない。だが、そうした絶えざる置き換えは、まさに所有誕生後の歴史の最も強力な要素であり、政治上の動きの最も多産な原因だったのだ。その実例はあまりに多く、あまりに明白なので、ここで立ち止まって報告できないほどである。

しかるに、所有は必然的に専制、恣意的な統治、好色な意志の支配を生み出す。それこそがまさに所有の本質に属することなので、そうだと納得するには、所有とは何かを思い出させ、われわれの周囲で何が起きているのかを思い出させるだけで十分である。所有権とは、浪費し、濫用する権利である。それゆえ、統治が経済《エコノミー》であるなら、つまり生産と消費、労働や生産物の配分をその唯一の目的とするなら、どうして所有と両立する統治が可能だろうか。財が所有物であるなら、どうして所有者が王、それも専制君主、所有する能力に比例した王ではないということがありえようか。そして、各所有者がその所有の領域内で至高の陛下であるなら、その地所の全域における不可侵の王であるなら、どうして所有者の統治が混沌と混乱でないということがありえようか。

したがって、所有を基礎とするなら、いかなる統治も公共経済も行政も不可能なのである。

第三節　第三の社会形態の確定。結論

共同体は平等と法を求める。所有[*23]は理性の自律と人格的価値の感情から生まれたものであり、あらゆる事柄において独立と比例を望む。

だが、画一性を法とみなし、平板化を平等とみなしてしまう共同体は、圧制的で不公正なものとなる。所有は、その専制と侵略のために、まもなく抑圧的で非社会的な姿を現す。共同体および所有が望むものは善であるが、それぞれが作り出すものは悪である。だが、なぜか。それは両者ともに排他的で、それぞれに社会の二つの要素を理解していないからである。共同体は独立と比例を拒絶し、所有は平等と法では満足しないのだ。

しかるに、平等、法、独立、比例という四つの原理に基礎を置いた社会を構想するなら、次の諸点を見出す。

(1)条件の平等すなわち手段の平等にのみ存し、充足の平等すなわち平等な手段とともに労働者が作り出すべき平等に存するのではない平等が正義と衡平を少しも侵害しないこと。

(2)事実についての科学から生じ、したがって必然性そのものを拠り所とする法がけっして独立に背《そむ》かないこと。

(3)各個人の独立あるいは私的理性の自律は才能や能力の違いに由来するので、法の限界内で安全に存在しうること。

(4)物理的な事物の領域ではなく、知性と感情の領域内でのみ認められる比例は、正義や社会的平等を侵害することなく保持されうること。

共同体と所有の綜合であるこの第三の社会形態を自由と名づけよう[16]。だが、われわれは自由とは何かを明確化するために共同体と所有を見境なく結びつけたりはしない。それは馬鹿げたエクレクティスムだろう。われわれは分析的方法によって、それぞれに含まれる真なるもの、自然の要望と社会性の法則に適合するものを探し求め、それぞれに含まれる異質な要素を除去する。すると、結果として人間社会の自然な形態、つまり自由にふさわしい表現がもたらされることになるのだ。

（16）〔ラテン語の〕libertas（自由）、liberare（解放する）、libratio（解放）、libra（秤〔〔重量単位の〕リーヴル〕）、これらすべての表現の語源は共通だと考えられる。自由とは、権利と義務の釣り合いである。人間を自由にするとは、他の人との釣り合いをとること、すなわち他の人たちの水準に置くことである。

自由とは平等である。なぜなら、自由は社会状態のうちにしか存在せず、平等なしに社会は存在しないからである。

自由とはアナーキーである。なぜなら、自由は意志による統治を認めず、法則の権威、すなわち必然性の権威しか認めないからである。

自由とは無限の多様性である。なぜなら、自由は法の限界内であらゆる意志を尊重するからである。

自由とは比例である。なぜなら、自由は功績《メリット》への野心と名誉への競争心を完全に自由なままにしておくからである。

いまや、われわれはクザン氏を手本にして〔本書八七頁〕、「われわれの原理は、真であり、善であり、社会的である。この原理から、恐れることなくあらゆる帰結を導こう」と言うことができる。

人間における社会性は、反省によって正義となり、諸能力の嚙み合わせによって衡平となる。その定式が自由である。そうした社会性が道徳の真の基礎であり、われわれのあらゆる行動の原理であり、規準である。それこそが、普遍的な動因であり、哲学が探究し、宗教が強化し、エゴイズムが取って代わろうとしてきたもの、純粋理性ではけっして補うことのできないものである。われわれにおいて、義務と権利は必要から生まれる。必要を外的存在との関係で捉えるなら権利であり、われわれ自身との関係で捉えるなら義務なのだ。

食べたり寝たりするのは欲求〔＝必要〕である。睡眠や栄養に必要な事物をわれわれに得させるのは権利である。本性が要求するときに、それらを利用するのは義務である。

生きるために働くのは必要である。それは権利でもあり、義務でもある。

妻と子供たちを愛するのは欲求である。その保護者、扶養者であるのは義務であり、他の誰にもまして妻子から愛されるのは権利である。夫婦の貞節は正義に属する。姦通は反社会罪である。

自分の生産物を他の人の生産物と交換するのは必要である。*24 その交換が等価性をもってなされるのは権利である。われわれは生産するより前に消費するのだから、われわれ次第であるなら、最後の生産物が最後の消費に続くようにするのが義務である。自殺は詐欺破産である。

われわれの理性の光に従って自分の任務を果たすのは必要である。自分の自由意志を維持するのは権利である。他の人のそれを尊重するのは義務である。

同胞に高く評価されたいというのは欲求である。同胞の賛辞に値するのは義務である。自分の業績が評定されるのは権利である。

自由は、いささかも相続および遺言の権利に反さない。自由は、平等がそれによって侵害されることのないよう、ただ気をつけるだけである。自由は、われわれに対して二つの遺産から選び、けっして両者を併合しないようにと言う。譲渡、代襲、養子縁組、そしてあえてこの言葉を使うなら協同司教職に関するあらゆる立法は、やり直されねばならない。

自由は、競争心を助長し、それを消滅させることはない。社会的平等において、競争心は平等な条件で競争することに存する。その報酬は、すべてそれ自身のうちにあるのだ。勝利によって誰も損なわれることはない。

自由は、献身を賞賛し、賛意をもって尊ぶ。だが、自由は献身なしでも済ませられる。社会的均衡には正義で十分なのだ。献身は義務以上のおこないである。けれども、「私は身を献じる」と言える者は幸福である。(17)

(17)『レガリテール〔*L'Égalitaire*〕』というタイトルで創刊号が〔一八四〇年五月に〕出版されたばかりの〔共産主義、新バブーフ主義の〕月刊誌では、献身が平等の原理とされている。これは、あらゆる概念を混同したものである。献身それ自体は、最高度の不平等を前提とする。献身のうちに平等を探ることは、平等が自然に反するのを認めるようなものだ。平等は正義、厳密な意味での権利、所有者自身によって援用される原理のうえに確立されるべきものである。そうでなければ、けっして存在するようにならないだろう。献身は正義にまさるが、法のように強制されることはできない。なぜなら、その本性からして見返りなきものだからである。確かに、献身の必要性が万人に認められることは望ましいだろうし、『レガリテール』の思想はその格好の実例ではある。しかし、残念ながら、それは結局、何にもなりえない。実際、「私は身を献じたくない」と言ってくる人に、どう返答するのか。強いるべきなのか。献身が強制されるなら、それは抑圧、隷属、人間による人間の搾取である。そうして無産者は所有に献身するのである。

自由は本質的に組織化の性質をもつ。人々のあいだの平等、国民のあいだの均衡を保証するためには、農業と工業が、教育、商業、貯蔵の中心が、各国の地理的および気候的条件、生産物の種類、住民の気質や自然的才能、等々に従って配分されることが必要である。非常に公正で、学問的で、よく組み合わされた割合に応じているので、どの場所においても人口、消費、生産物の過剰もなければ不足もないような配分である。そこにおいて、公法および私法の科学、すなわち真の政治経済学が始まる。新しい法を記述し、世界を平和にすることは、いまや所有という誤った原理から解放された法律学者たちの仕事である。学識と天才は彼らに不足していない。そして、拠点も与えられたのだ(18)。

(18)　現代のあらゆる社会主義者のうち、フーリエの弟子たちが最も進んだ、そして社会主義者の名に値するほとんど唯一の者たちだと私は長いこと思ってきた。彼らが自分たちの任務を理解し、人民に語りかけ、共感を呼び起こし、自分たちが理解していないことについては口をつぐんでいたなら、彼らがもう少し傲慢でない主張を掲げて、もっと公的理性に敬意を示していたなら、おそらく彼らのおかげで改革が始まっていたことだろう。だが、どうしてこんなにも決然とした改革者たちが権力と豪奢の前では、つまり、より反改革的なものの前では絶えずひざまずくのか。どうして彼らは理性の時代にあって、人々が神話や寓話ではなく論証的理性によって考えを変えさせられることを望んでいるのを理解しないのだろうか。どうして彼らは文明に対する執拗な反対者であるにもかかわらず、文明が生んだ有害度の高いものを借用するのか。すなわち、所有、財産および地位の不平等、貪食、内縁関係、売春、等々、そして妖術、魔力、魔法である。なぜ彼らは自分が何一つ理解していない倫理学、形而上学、心理学といった学問の悪用で学説全体を作りながら、それらへのいつ終わるとも知れない仰々しい反対演説をするのか。なぜ名前しか知らない数多くの事物について理屈に合わないことを言ったことが主要な功績であるような人物〔フーリエ〕を、史上最も奇妙な言葉を使って神格化するべく偏執するのか。人物の不謬性を認める者は、誰であれ、まさにそのことによって他人を教化できなくなる。自分の理性を放棄する者は、誰であれ、やがて自由検証を禁止するだろう。ファランステール主義者たちが支配者であるなら、それで平気なのかもしれない。だが、彼らがついに筋道立てて考え、方法論を携えて進み、天啓ではなく論証を示してくれるなら、われわれはすすんで彼らに耳を傾けるだろうに。次いで、彼らが工業、農業、商業を組織し、労働を魅力的にし、最も目立たない職能を名誉あるものにするなら、われわれは喝采するだろうに。とりわけ天啓説を厄介払いするのがよいだろう。それのせいで彼らは信仰者や使徒というよりも、ずっと詐欺師かその被害者に見えているのだ。

私が任務として定めた仕事は完了した。所有は打ち破られた。それが再び立ち上がることはないだろう。この論考が読まれ、伝えられるところでは、どこでも所有の死の萌芽が植えつけられることだろう。そこでは、やがて特権と隷属が霧散する。理性の君臨が意志の専制のあとを継ぐことになる。実際、次のような命題の単純さを前にして、どんな詭弁、どんな頑固な偏見がもちこたえられようか。

Ⅰ　個別的占有は、[19] 社会生活の条件である。五〇〇〇年にわたる所有〔の歴史〕が、そのことを明らかにしている。だが、所有は社会の自殺である。占有は正しく、所有は正しくない。占有を維持しつつ所有を消去せよ。すると、原理におけるこの変更だけによって法、統治、経済、社会体制のすべてを変えることになるだろう。そして、地上の悪を追い払うことになるだろう。

(19)　個別的占有は大規模な耕作や一体的開拓に対する障害には少しもならない。私が細分化の難点について語ってこなかったとしたら、それは万人にとって既知の真実を多くの人が語ってきたのに重ねて繰り返すのは無益だと思ったからである。だが、あれほどうまく零細の耕作から貧困が生じることを示した経済学者たちが、その原理がまるごと所有のうちにあることを理解しなかったのは驚きである。とりわけ彼らによる土地の動産化計画が所有廃絶の始まりになると感じなかったことには驚くばかりだ。

Ⅱ　先占する権利は全員にとって等しいため、占有は占有者の数に応じて変化する。だが、所有は形成されえない。

Ⅲ　労働の結果もまた全員に等しいため、所有は他国者の搾取や家賃によって自滅する。

だが[*25]、人間のあらゆる労働は必然的に集合の力から生じるのだから、同じ理由によって、あらゆる所有は集合的で不分割のものとなる。より明確に言えば、労働は所有を消滅させる。

Ⅳ　労働者のあらゆる能力は、あらゆる労働用具と同じく、蓄積された資本であり、集合的所有物であるから、能力の不平等を口実とした待遇や財産の不平等は不正であり盗みである。

Ⅴ　商取引は契約者の自由および交換される生産物の等価性を必要条件とする。しかるに、価値とは各生産物にかかった時間と費用の総量を表し、また自由は不可侵のものであるから、労働者は権利と義務において平等であるのと同じように、必然的に賃金においても平等である。

Ⅵ　生産物は生産物によってしか買われない。しかるに、あらゆる交換の条件は生産物の等価性にあるため、利益なるものは不可能であり、不公正である。経済学の最も初歩的なこの原理を遵守せよ。すると、貧困、贅沢、抑圧、悪徳、犯罪、そして飢餓は、われわれの環境から消え去るだろう。

Ⅶ　人間は、全面的同意によって結合するより前に、生産に関する物理法則および数学的法則によって結合している。それゆえ、条件の平等は、正義、すなわち社会的な権利、厳密な意味での権利に属する。敬意、友情、謝意、賞賛は、ただ衡平の権利あるいは比例的な権利ということになる。

Ⅷ　自由な結合《アソシアシオン》、生産手段の平等の維持と交換の等価性の維持に限定された自由は、唯一可能な社会形態であり、唯一公正な社会形態であり、唯一真なる社会形態である。

IX　政治とは、自由の科学である。どのような名のもとに扮装しようとも、人間による人間の統治は抑圧である。社会の最高度の完成とは、秩序とアナーキーの結合に存する。

古くさい文明の終わりが訪れ、新しい太陽のもとで地表が一新されようとしている。一つの世代が根絶されるがままにし、旧来の不正行為者が砂漠で死滅するがままにしよう。聖なる大地は彼らの遺骨を覆い隠しはしないだろう。時代の腐敗に憤慨し、正義の熱情に身を焦《こ》がす若き人よ、祖国が大事なら、人類の利益に心を打たれるなら、あえて自由の大義に奉じるのだ。古いエゴイズムを脱ぎ捨て、生まれつつある平等の民衆的流れに身を投じるのだ。そこで鍛え直された精神は、未知の精気と活力を得るだろう。柔軟になった天賦の才は不屈のエネルギーを取り戻すだろう。きっと、すでに衰えていた心は若返ることだろう。浄化されたあなたの眼には、すべての眺めが一変して見えるだろう。新しい感情が、あなたの中に新しい考えを生み出すだろう。宗教、道徳、詩、芸術、言語は、より大きく、より美しい形態のもとに現れてくるだろう。そして、これからのあなたは自らの信条をかたく信じ、熱中しながらも冷静に考え、そうして普遍的刷新の曙光を迎えることだろう。

それから、憎むべき法の痛ましい犠牲者であるあなたよ、からかい好きの世間に根こそぎ奪われ、侮辱されているあなたよ、労働にいつも成果がなく、休息に希望がないあなたよ。気にすることはない。あなたの涙が重要なのだ。父たちは苦悩のうちに種を蒔き、息子たちは歓喜のうちに収穫するのだ。

おお、自由の神よ！　平等の神よ！　私の理性が理解するより先に、私の心に正義の感情を据えつけられた神よ、私の切なる祈りをお聞きください。私が書いてきたことすべては、あなたが私に書きとらせたことなのです。あなたが私の思考を形成し、私の研究を導き、私の精神から野次馬根性を、私の心から執着を取り上げてくださいました。それは、私が主人と奴隷の眼前にあなたの真理を公刊するためだったのです。私はあなたが与えてくださった力と才能に従って語ってきました。あなたの作品を完成させるのは、あなたです。私が求めているのが自分の利益か、あなたの栄光かはご存じでしょう。おお、自由の神よ！　ああ！　私の覚書など消滅し、人類が自由にならんことを。私のいる暗闇の中から、ついに教化された人民が見られんことを。高貴な教育者たちが人民を啓蒙せんことを。無欲の心が人民を導かんことを。できることなら、われわれの試練の時を短くし、平等のうちに傲慢と吝嗇を抑え込んでください。われわれを低劣なままにしておく栄光の偶像崇拝をやり込めてください。貧しい子供たちに、自由のただなかでは、もはや英雄も偉人もいないことを教えてください。権力者、豊かな人、あなたの前では私の口がけっしてその名を発せないような人々に略奪の恐ろしさを感じさせてください。彼がまっさきに返還を許してほしいと求めんことを。その後悔のすばやさによって一人でも赦免されんことを。そのとき、強者も弱者も、博識なる人も無知なる人も、豊かな人も貧しい人も、えも言われぬ友愛のうちに結びつくのです。そして、みな一緒に新しい賛歌を歌いながら、あなたの祭壇を再建することでしょう。自由と平等の神よ！

訳注

*1　フレデリック・キュヴィエ（Frédéric Cuvier）（一七七三―一八三八年）は、ジョルジュ・キュヴィエ（Georges Cuvier）（一七六九―一八三二年）の弟で、博物学の数多くの研究、とりわけ『自然科学事典（*Dictionnaire des sciences naturelles*）』の「本能」の項目の著者である［C］。

*2　ルイ・ド・ボナール（Louis de Bonald）（一七五四―一八四〇年）は、認識論上の説、とりわけプルードンが高く評価した言語と思考の関係についての説を主張した反革命家である［C］。

*3　以下、「人間たちのあいだの法とは何か」（二九一頁）の直前まで、のちの版では削除されている。

*4　この段落は「正義の二重の本性」から導かれる議論としては論理がやや不明瞭である。前半で「本能」、「情感的能力」に基礎を置く「社会（性）」の議論、後半で「等しい量」を「知的能力」で捉えられることに基礎を置く「平等」の議論がなされているのなら論理が見えやすいが、実際には前半で社会の「観念」の議論が展開されており、結果として「社会（性）」と「平等」という正義の二つの要素の議論になっている。

*5　この議論は、キケロ以来の議論を踏まえている。キケロは、全人類に普遍的な自然法に基づいて、たとえ相手が敵であっても相互の信義を違わぬことを正義の義務と捉えつつ、報恩や近親者との結びつきへの配慮の重要性をも語った。

*6　「もろもろの力の均衡」という発想は、プルードンの社会思想において重要である。時代を経ると、政治哲学的色彩を強く帯びていく。

*7　この注は、のちの版では次のように改められる。「私はここで衡平という語でラテンの人々〔とりわけキケロ〕が《人間性》と呼んだもの、つまり人間に固有の種類の社会性のことを言おうとしている。万人に向いた温和で感じのよい人間性によって、誰への不義ともならずに序列、徳性、能力を見分けることが

できる。これは社会的共感および普遍的愛に関する配分的正義である」。

＊8　テルシテスを含めた配分として記述すれば、前者では分け前が三者で四ずつ、後者では価値が二：一：〇であるから、順に八、四、〇ということになる。

＊9　本書で何度か言及される神人同形論については、『経済的諸矛盾の体系』で本格的な批判が展開される。そこでプルードンはヘーゲル左派の疎外論的人間主義こそ有神論の最たるものだと批判し、神の存在を仮定するとしても、それは人間と本性的に対立する「敵」としてだと述べる。

＊10　この記述は「兄弟による社会」よりも「夫婦という社会」は緊密だという少し前の記述（三一三頁）と矛盾するように見える。なお、プルードンのジェンダー観は批判の対象となってきた。

＊11　「所有的」の原語は bonitaire であり、プルードンによる造語である。「財産」の意味をもつラテン語の bonum を語源にしたものと考えられる。

＊12　以下「人間は複合的様相において結合すると述べた」（三二四頁）の直前まで、のちの版では削除されている。この議論も『経済的諸矛盾の体系』で本格的に論じられるものの萌芽とみなせる。

＊13　原語は ordon であるが、ラテン語の ordo を誤記して比喩的に用いたものとして訳した。他方で、「草を刈る人たちや刈り草を乾かす人たちによる配列的労働を指して使われる農業上のローカル用語と推測される」（A）と言われている。

＊14　「経験の観察」の原語は、l'observation de l'expérience である。段落はじめの表現からすれば「観察と経験（l'observation et l'expérience）」の誤記である可能性がある。

＊15　原文では同内容のラテン語とフランス語が併記されているが、後者のみ訳した。

＊16　フレデリック＝ギヨーム・ベルクマン（Frédéric-Guillaume Bergmann）（一八一二―八七年）は、ストラスブール大学の言語学教授であり、プルードンの友人にして文通相手だった。ラテン語論文のタイトルは「言語の起源と本性について（De linguarum origine atque natura）」である［C］。

＊17　「比較」の原語は comparaison である。contrainte（強制）ならば通りやすいところである。
＊18　この⑵を最初に置き、以下すべてに関わることとして書かれていれば、より理解しやすいように思われる。
＊19　ジャンバッティスタ・ヴィーコ（Giambattista Vico）（一六六八―一七四三年）は、イタリアの哲学者。プルードンは、その書『新しい学』をミシュレによるかなりの自由訳（一八三五年）で読んだ［C］。
＊20　のちの版では「教育」が「真理の体系的探究」に改められる。
＊21　のちの版では、ここに以下の原注が付される。「「アナーキー」の語に通常与えられる意味は原理の非在、規準の非在である。そのことから、この語は無秩序と同義とされた」。
＊22　前年の『日曜日の祝祭の効用について』（一八三九年）において、プルードンは類似した表現で考えを述べている［C］。
＊23　本章第一部第三節で「衡平」を「社会的比例」と言い換えていた議論（三一〇頁）を思い出したい。また、配分的正義との連関については、本章の原注（2）（三一〇―三一一頁）と（3）（三一四―三一五頁）を参照のこと。
＊24　アリストテレス『ニコマコス倫理学』第五巻で示された考えである。
＊25　「だが」のニュアンスが不明確である。のちの版では「だが」が削除されたうえ、「人間の」以降が「Ⅳ」として立てられる（以降、一つずつ番号がずれて、全一〇項目となる）。

訳者解説

『所有とは何か（*Qu'est-ce que la propriété?*）』（一八四〇年）は、一九世紀フランスの社会思想家ピエール＝ジョゼフ・プルードン（一八〇九―六五年）の初期の主著である。「所有とは盗みである」という警句によって物議をかもした著作であるが、社会哲学における古典の一つに数えられてよい価値をもつ。

以下、（一）プルードンとその時代について、（二）本書の位置づけ、（三）本書の枠組みと意義の順で手短に解説したい。

なお、『所有とは何か』の理路は細部まで見ると複雑である。本解説は議論を全体にわたって要約し、紹介するのではなく、本書で働く大きな理屈の枠組みを提示することに注力する、という方針をとる。

一　プルードンとその時代

まずはプルードンという思想家がどのような人物であったか、そして、どのような時代状況・思想状況を生きた人物であったかを概観しよう。

労働者プルードン

プルードンは、スイスとの国境に近いフランス東部フランシュ゠コンテ地方のブザンソンに生まれた。労働者階級出身で、五人兄弟の長男であるピエール゠ジョゼフは、向学心旺盛でありながら、やがて学業を断念せざるをえなくなり、印刷所で働き始める。そこでの経験は、二つの意味でプルードン思想の生成・展開の養分となった。

一つには、校正作業を通じた知識の獲得。聖職者の文章の校正によってヘブライ語を習得するなどしたことは、聖書および言語学への関心を強める契機となった。また、同郷のシャルル・フーリエの著書の校正は、別様の社会を構想することへの養分になった。本書においてもプルードンはフーリエとその弟子たちへの批判を展開しているが、『人類における秩序の創造（*De la création de l'ordre dans l'humanité*）』（一八四三年）において、フーリエの「系列」の発想を批判的に継承・更新することによって独自の秩序論を生み出すことになる。フーリエとの格闘によってこそ、プルードン思想は練り上げられたのだ。

もう一つには、労働者の境遇についての深い実感の醸成。印刷工として働いた経験、フランス各地を巡行して印刷所の現場監督を務めるなどした経験は、社会の構成単位は仕事場であるという発想（これも『人類における秩序の創造』で述べられる）をあたためる準備となった。もちろん、なにより重要なのは、本書冒頭にもあるように、「最も数が多く最も貧しい階級の物質的・道徳的・知的境遇を改善する手段」を見出すべく研究を進めようという動機が力強く形成されたことである。そうして、三〇歳を手前にしてプルードンは奨学金を得てパリで研究生活を始めることになる。『所有とは何か』はその成果である。

七月王政とその思想状況

本書が書かれたのは、七月王政（一八三〇—四八年）の時代である。「金融封建制」と揶揄されるその体制の支配層は大ブルジョワ、とりわけ大銀行家や地主であり、有権者数は人口の一％にも満たなかった。経済・社会的には産業化の本格化する時代であり、都市人口の急速な増加にともない、都市労働者の貧困が解決すべき社会問題として捉えられるようになる（田中 二〇〇六）。ただし、フランスにおける農業人口の割合は依然として高く、都市労働者においても、イギリスに比べれば職人的労働者の多かった時代である。プルードンの著作でも、鉄道や鉱工業といった大工業への言及が目立って増えるのは、一八四八年二月革命の頃からだった。本書が書かれた状況として、まずは以上を確認しておきたい。

哲学界では、本書でもたびたび言及されるヴィクトール・クザン（一七九二—一八六七年）をまず挙げるべきだろう。七月王政下で公教育大臣を務めたクザンの哲学史研究を基盤とする哲学は、制度的な意味での学界の中心にあった。奨学生プルードンもまた熱心にクザンの哲学史講義を読み、『所有とは何か』の執筆にあたってそれがきわめて有益だった旨を読書ノートに記している。やがて『人類における秩序の創造』の形而上学論において、プルードンはクザンへの本格的批判を展開するが、著述活動を始めた時代のプルードンが当時の王道的な知的基盤を踏まえていることも確認しておく必要がある（なお、本書では、デステュット・ド・トラシ（一七五四―一八三六年）、スコットランドのトマス・リード（一七一〇―九六年）への言及も目立つが、いずれも当時読まれるべきスタンダードだった（松永二〇〇八））。

プルードンは、本書執筆にあたり、「たくさん読んでも無意味な時代に生まれればよかったと思うほどに」という言葉のとおり、法学と経済学をはじめとする諸学の知識を恐るべき勢いで吸収している。法学に関しては、当時影響力のあったトゥーリエを通じるなどして自然法論の伝統を学んだことが重要である。経済学（当時は「政治経済学」と呼ばれた）に関しては、アダム・スミスに端を発する古典的自由主義のフランス版と呼ぶべきものが興隆していた（前述のトラシも、この思潮に数え入れられる）。『所有とは何か』の頃にはすでに他界していたものの、そうした思潮の中心人物ジャン＝バティスト・セイ（一七六七―一八三二年）の経済学をプルードンは一つの主たる批判対象としている。

セイは、供給が需要を作り出すという「セイの法則」で知られる。大きく分ければ、生産の視点から出発する経済学である。教科書的説明によれば、二〇世紀のケインズが「セイの法則」を批判しつつ消費の視点から出発する経済学を立ち上げ、それが福祉国家へとつながる再分配政策の理論的根拠の一つになった、という図式を描くことができる。後述するように、プルードンもまた消費の視点から出発することを重視する。だが、向かう先は再分配する大きな政府ではない。むしろ、その正反対である。

産業化が進み、解決すべきものとしての社会問題が顕在化する中、政治形態のみならず、社会・経済のあり方をどうすべきかが盛んに論じられた時代である。そこでの一方の極を政治経済学とするなら、他方の極には、のちに「初期社会主義」とも呼ばれるサン＝シモンおよびフーリエの徒たちがいた（さらにはバブーフ主義者などの共産主義者も）。専門的なことはさておき、図式的に言えば、政治経済学は「レッセ・フェール」という言葉が知られるように放任主義の発想、社会主義は経済の組織化を統治の中枢に置く設計主義の発想である。そうした時代状況の中、プルードンは『経済的諸矛盾の体系、あるいは貧困の哲学（*Système des contradictions économiques, ou Philosophie de la misère*）』（一八四六年）において、政治経済学と社会主義を同時に乗り越えることを明言し、その方法論を提示することになる。

哲学者プルードンと社会思想家・実践家プルードン

では、端的に言って、この時代におけるプルードンの特異性とは何か。二つの側面に分けて考えるのがよい。ここでは、仮に哲学者プルードンと社会思想家・実践家プルードンという分け方をしよう。本書第一章の言葉を借用すれば、考え方における「革命」をもたらしうるのが哲学者で、「進歩」を追求するのが社会思想家・実践家である。

まず哲学者としては、折衷的思想の拒否である（「均衡」はプルードン思想の重要概念だが、それは折衷とは大いに異なる。原理同士の対立の結果が均衡である）。本書では、とりわけクザンのエクレクティスムへの批判という形でそれが現れている。クザンの哲学を単なる折衷主義とみなしてよいのかという問題はあるが、ともかくもプルードンが自由主義的立場（本書で「慎重さ」と表現されるものを重視する立場）をとらないことが確認できれば、いまはよい。本書の所有批判の論理がそうであるように、ある原理を徹底化するとどうなるかを考えること、それが哲学者プルードンの仕事の中心にある。そうした哲学者としての仕事によって、一つの完全な秩序的社会が理念的に思考されるのである。

他方、社会思想家・実践家としては、その理念的社会への漸進はいかにして可能かを考えることが課題である。その場合のプルードンは、放任するのでもなく、上から設計するのでもない形での相互的関係の組織化を提唱する。個別者（部分）同士の水平的関係の組織化である。イメージとしては、自発的に生じる相互的関係が整流され、組織化されるための道筋を示す、というものである。プルードンがつねづね批判するのは、よい政府を作れば万事がうまくいくと考えてしまう「政府万能主義」である（ただし、民衆がそれを求めることには論理的必然があるとも捉えている）。

『所有とは何か』は、哲学者プルードンの著作である。他方、社会思想家・実践家としてのプルードンの姿がとりわけ鮮明になるのは二月革命後のことだった。

まず、四万部の発行部数を数えたと言われる『人民の代表（*Le Représentant du peuple*）』紙などの新聞発行に主幹的立場でかかわり、新聞論文において、二月革命は政治革命でなく社会・経済革命であるべきだと繰り返し述べた。具体的には、信用・流通の組織化をこそ進めるべきだと主張し、上からの生産の組織化の発想だとプルードンが捉えたルイ・ブランらを批判した。次に、そうした考えのもと、無償信用の構想を練り、実際に「人民銀行」などの設立を目指して奔走した。これは、中小産業家にとってアクセスしやすい信用体系の構築が当時の喫緊の課題だったことに対応している。さらには、新憲法制定に向けた国民議会の議員に選出されるなど、政治の表舞台に立ちもした。特に労働権の憲法への書き込みを主張した議員プルードンは、大統領制への反発などから第二共和国憲法制定の際、反対票を投じた数少ない一人である。

プルードンの社会構想

ところで、プルードンをアソシエーション（フランス語で「アソシアシオン」）の思想家と捉える見方がある。フランス革命後、中間団体（組合、結社の類い）を禁止するル・シャプリエ法が制定されたことは有名だが、二月革命前後の時代には先に述べた「二つの極」のあいだで、さまざまなアソシエーションの構想が唱えられていた。個人と国家の中間領域の組織化によって社会問題の解決を目指すという意味では、確かにプルードンの発想に近いものと言える。

だが、確認しておくべきは、『所有とは何か』で言われる「結合《アソシアシオン》」の議論は全体社会についてのものであり、中間領域においてアソシエーションを組織するという発想ではない、ということである。また、一八五一年の『一九世紀革命の一般理念（*Idée générale de la*

Révolution au XIXe siècle)』において、「自由への桎梏」となる結社的なアソシエーションをプルードンはむしろ批判し、それは「社会的な力」の一つとは数えられないとさえ述べている。他方、同じ著作で、とりわけ地域にまたがる鉄道路線の拡大を念頭に置いて、大工業については労働者アソシエーションに委ねるべきだとも述べている。のちの労働運動に大きな影響を与えた遺著『労働者階級の政治的能力（*De la Capacité politique des classes ouvrières*）』（一八六五年）を到達点とする部分社会の組織論も、確かにプルードン思想の一部をなしてはいる。だが、いずれにしても、プルードンは一貫して全体社会のあり方にこそ関心を向けており、そのかぎりにおいて部分社会の組織化についても論じた、と捉えたほうがよい。

そのことにも関係して、いま触れた『一九世紀革命の一般理念』の扱いは研究者の議論の対象となってきた。同書において、社会の原理を「配分的正義から交換的正義へ」と変えるべきだという発想のもと、最終的には全世界に相互的関係の連鎖が広がるという構想が描かれるからだ。アナーキズムである。トマス・アクィナスの定義によれば、配分的正義は全体と部分の関係を司り、交換的正義は部分と部分の関係を司る正義である（本書第二章（一〇〇頁）で比例関係における第四項として「全体」が挙げられるが、哲学史的に言えば、これはアリストテレスを踏まえたトマスに由来する。それゆえに、いまトマスに言及している）。『一九世紀革命の一般理念』のプルードンは、政府万能主義を強く批判しつつ、部分同士の関係の連なりだけによる全体社会を構想できないかと考えた。学が共通の立法規範になることによって、である。

多くの研究者は、のちに展開されるフェデラリズム（連邦主義）こそプルードンが真に提示した社会構想だと捉えてきた。とりわけ晩年の『連邦の原理（*Du Principe fédératif*）』（一八六三年）でイタリア統一問題を念頭に置いて明確化される構想である。それは、個人（家長）、自治体、ステート（アメリカの州をイメージしてほしい）のあいだで双務的関係が成り立ち、より小さいアクターに多くの権限が留保される分権の発想である。一八五〇年代のプルードンは、全体社会における個別集団の存在についての考えを深化させ、もろもろの力の均衡として社会を捉える傾向を強める。最大著『革命における正義と教会における正義（*De la justice dans la Révolution et dans l'Église*）』（初版一八五八年）において、本書で提示された「集合の力」の概念（後述）を集団間にも適用することが試みられたのが山場である。

だが、このフェデラリズムの発想の論理枠組みが何であるかを考えれば、それはやはり部分同士の相互的関係を基盤として全体社会を構想するものだと言える。通常異なるオーダーのアクターとして捉えられるもの（個人、自治体、ステート）をいずれも「部分」と捉え、それらが双務的な契約関係を結ぶ、という発想が根幹にあるからだ。その点において、プルードンの社会構想は一貫した論理構造をもっている。そして、本解説において言うべきは、こうした配分的正義と交換的正義をめぐる古典的な問題系に本格的に足を踏み入れて全体社会の理念像を描いた著作が『所有とは何か』だということである。

二 『所有とは何か』の位置づけ

次に、本書がプルードン思想の展開においてどのような位置にあるか、そして思想史の中でどのような位置にあるかを研究史や後世への影響に短く言及しつつ概観する。

切実な動機

すでに述べたように、プルードンは二月革命が社会・経済的な革命であるべきだと主張した。『一九世紀革命の一般理念』では、一八四八年の労働者階級の願いは「仕事を、仕事を通じてパンを」というものだったと述べ、それこそが「革命そのものだ」と断言している。ここには初期以来の一貫した考えが現れている。継続的に仕事にありつけ、生き続けられることが第一に重要だという考えである。その考えを支える論理が明確化された著作こそ『所有とは何か』だった。生きていくために「人間は自由と同じく労働を放棄することもできない」。まずプルードン思想における本書の位置づけとして、労働者プルードンの実感が論理化され、その後の思想展開の根拠地となった著作だという点を押さえておきたい。

先に触れた信用・流通の組織化が必要だという主張、それに基づく「人民銀行」の構想に対して、「プチ・ブル的」だという非難が浴びせられた。マルクス（主義者）によってである。だが、そうした非難は、プルードンからすれば、有閑さが可能にするものでしかない。

働き、生き続けるための資金繰りを問題にしないで済むような有閑さ、資本制に立脚した有閑さである。

本解説冒頭で『所有とは何か』には古典としての価値があると述べた。古典とはアクチュアルであり続ける書物のことである。書かれた時点と読まれる時点の状況の類似だけでは足りない。その書物に刻まれた動機の切実さこそが、筆者と読者をつないでアクチュアリティを生み出す。本書において、例えば「仕事をください。追い払わないでください」から始まる場面には、プルードンの思考を促す切実さがはっきりと感じ取れる。あるいは、一八三一年のリヨン蜂起の「働いて生きよう。さもなくば戦って死のう」という標語が援用されていることにも気づかされる。これらは有閑の思想家が搾取の不正を机上で非難するのとは明瞭に異なる動機の刻印であり、本書のアクチュアリティの源泉と見るべきものだと訳者は考えている。

『所有とは何か』の目的意識

プルードンにとっての最初の社会哲学書は、本書の前年に書かれた『日曜日の祝祭の効用について（*De l'utilité de la célébration du dimanche*）』（一八三九年）である。そこでプルードンは「働き、生きる権利」という表現を用いて、社会における人間の条件の平等について語っていた。単に「生きる権利」と書かれるのではない。本書冒頭の「手紙」にもあるとおり、同書はアカデミーの懸賞論文課題に応じて書かれたという制約上、むしろ日曜日における労働の停止の意味を明らかにすることに向けて論述が展開されている。そうした事情もあってのことだろう、やはり「手紙」に書かれているとおり、アカデミーは『日曜日の祝祭の効用について』の議論において「条件の平等の原理そのもの」が明らかにされていないと評し、プルードンもその指摘に納得している。

そうして、『所有とは何か』は条件の平等の原理を明らかにする目的を抱えて書かれた。これが先述の「労働者プルードンの実感の論理化」の内実をなす。そのとき重要なのは二点――相続と消費である。

まず相続から。本書が相続をめぐるアカデミーのコンクール課題（長子相続権の廃止の意義について）を踏まえて書かれたことを忘れてはならない。プルードンは、その課題を「相続の原理は平等の原理になりえないのか」と言い直す。相続についての記述は散在しており、それが果たしている機能は読み取りづらいかもしれない（主張としては、遺産の選択権のみ認められる、とされる）。だが、事柄として考えても明らかなように、条件の平等を考えるにあたっては、前世代から誰がどれだけ受け取るのかということを問題にする必要がある。それゆえ、本書における相続の議論は通時的な観点から条件の平等を考えるためのものとして読まれるべきである。だからこそ、後述するように、他国者にだけ一〇〇%の相続税をかけるという「他国者遺産没収権」が第四章での批判対象を代表する語として選ばれるのである（なお、当時の読書ノートを見ると、グロティウスが外国人に遺言権がないことについて論じた箇所などの書き抜きがあり、プルードンの問題関心は明らかである）。

他方、共時的な観点から条件の平等を考えるにあたって重要なのが、消費についての議論である。消費についての記述も散在しており、重要さが十分に強調されていないようにも見える。だが、その議論においてこそ「切実な動機」の論理化がなされている。プルードンは「われわれは生産するのに先立って消費する」と言い、「労働と再生産的消費は同じ事柄である」とも述べる。要するに（丁寧な読解は読者に委ねたい）、前者は「生き続けているのでなければ働けない」ということ、後者は「働いてこそ生き続けられる」ということである。このループからはずれることができないのは誰にとっても同じである。そう、これこそが本書で示される共時的観点からの条件の平等の原理である。

相続の議論に立ち戻れば、いま述べたループが機能するのに先立って、人は幼年期を過ごすことに気づく。幼年期を生き続けられなければ、働き始めることはできない。だからこそ「相続の原理は平等の原理になりえないのか」もまた問われなければならないということになる。「能力の不平等」をめぐる議論において、有能と目される人の社会に対する「負債」の議論が登場するが、こうした議論も通時的な観点における平等の原理についての議論として読まれるべきである。

このように『所有とは何か』は、前年の『日曜日の祝祭の効用について』で示された条件の平等についての考えを原理の位相へと高め、その後の思想を支え続ける根幹論理を編み出すべくして書かれたものとして位置づけられる。

「社会」の発見

少し研究史に触れよう。プルードン生誕一〇〇年（一九〇九年）の頃、まもなくソ連が誕生しようという時代、ボルシェビズムへのオルタナティヴを探ることを念頭に、プルードン研究は最初の隆盛期を迎えた。その中心の一人として、デュルケーム学派の社会学者セレスタン・ブグレ（一八七〇―一九四〇年）を挙げることができる。ここでは固有名の列挙しかできないが、以降、ジョルジュ・ギュルヴィッチを橋渡しにして、没後一〇〇年（一九六五年）頃の第二次研究隆盛期、時代的にはスターリン批判以後にして「六八年」前後の時代のピエール・アンサールなど、プルードン研究の一つの主流を形成してきたのは社会学者たちである（他方、アンリ・ド・リュバックとピエール・オプマンに代表される聖職者による研究も重要である。それから、生誕二〇〇年（二〇〇九年）の前後から第三次研究隆盛期が始まったとみなせることを付言しておきたい。なお、一概には言えないが、「第二次」においては官僚制国家、「第三次」においてはグローバル資本主義へのオルタナティヴの模索という動機を指摘することもできる）。

そうした社会学系統の研究潮流において、プルードンは近代社会におけるいわゆる「社会的なもの」の最初の発見者の一人だと捉えられてきた。本書の思想史的位置づけとしては、まずそれを押さえておきたい。とりわけ先述のブグレがなした指摘以降（Bouglé 1911）、本書における「集合の力」と分業の議論の重要性は繰り返し強調されている。コンコルド広場のオベリスクの例で語られるように、二〇〇人が一日で実現しうることを一人が二〇〇日で実現できるとは言えない。このことから、個々人の力に還元されえない力が実在する、と考えることができる。これが「集合の力」である。また、第三章で社会における「職能と関係」についての議論が展開されるが、確かにこれは、ブグレがそうしたように、全体社会の分業論として読解可能なものである。

ところで、『所有とは何か』において、「社会」はしばしば主語の位置に立ち、個人に対して発言する。そのとき、「社会そのもの」が主体としての姿を現している。「集合の力」に代表されるような現象としての社会的なもの、つまり「社会」の実在をそれによって確認できるようなものとは身分が異なるものとして、である。この「社会」は、研究史において「ありうべき社会」などと表現された（佐藤 一九七五）。だが、注意すべきは、そう表現するとしても、現前の社会との対置に基づく「理想」というより、「理念」としての社会として捉えるべきだということである。現前の社会においても現象として「集合の力」が見出される以上、なんらかの意味で社会なるものが実在していると考えられる。そうした社会なるものを理念空間において概念連関をもって示したもの、それが「社会」である。

そう捉えるなら、『所有とは何か』は、確かに近代における理念的社会像を提示した初期の著作群の一つとして位置づけることができる。

古典的枠組みと近代社会のリアリティ、それを踏まえた後世への影響

だが、一般に理念空間は価値中立的ではありえない。そこでまず指摘するべきは、『所有

とは何か』においてアリストテレスおよびその後の自然法論の伝統への立脚が見られることである。先にも触れたとおり、本書で配分的正義と交換的正義をめぐる問題が展開されているのは一見して明らかであるにもかかわらず、そのことには十分な注意が払われてこなかった。プルードンが理念的な意味での「社会」について述べるとき、もろもろの「必要」に応じる形で各職能へと人員が適正に配分され、そのうえで各職能人同士が等価交換をしている状況が念頭に置かれている。プラトンの『国家』第二巻とそれを踏まえたアリストテレス『ニコマコス倫理学』第五巻の問題系に立脚し、理念的な意味での「社会」が描かれるのである。本書結論部の関連箇所を引用しよう。

人々のあいだの平等、国民のあいだの均衡を保証するためには、農業と工業が、教育、商業、貯蔵の中心が、各国の地理的および気候的条件、生産物の種類、住民の気質や自然的才能、等々に従って配分されることが必要である。非常に公正で、学問的で、よく組み合わされた割合に応じているので、どの場所においても人口、消費、生産物の過剰もなければ不足もないような配分である。

商取引は契約者の自由および交換される生産物の等価性を必要条件とする。しかるに、価値とは各生産物にかかった時間と費用の総量を表し、また自由は不可侵のものであるから、労働者は権利と義務において平等であるのと同じように、必然的に賃金においても平等である。

先ほど来述べているような全体社会の理念像が古典的な配分・交換の正義の理屈で述べられている。そして、もちろん、ブグレの議論を紹介しつつ述べたように、ここには近代社会に対するプルードンのリアリティも反映している。要するに、相対的な自律領域として経済社会が捉えられていると言ってよい。そもそも「働き、生きる」という考え自体に当時進行していた労働観の変化が反映してもいるだろう。そうした近代社会のリアリティをもちつつ、歴史上きわめて特殊な社会だった古代アテナイ由来の議論の枠組みをベースにして「社会」の概念連関を作成している。そう要約することができる。

こうしたプルードンの論理の枠組みに対して、権力を背景とした税こそが市場を生むのであって、経済社会領域の自律性なるものは単なる起源の忘却だという批判を浴びせることも可能だろう。だが、それが言えるためには、まず近代社会のリアリティが一定程度了解されていなければならない。そうした了解がないところでは、いまの批判は成り立たないからである。そもそも自律性とは分析する視点によってのみ確保される相対的自律性でしかありえず、分析の視点を支えるリアリティの了解からすべてが始まるのだ。プルードンは、そういう了解をこそ一九世紀前半という時代に言語化したのである。

そのことから、後世への影響として二つのことを指摘できる。まずアナーキズム思想への影響。ただし、近代社会のリアリティが広く共有されるに従い、アナーキズムの思潮はプルードンから離れていく。とりわけ人類学発展以降のアナーキズム（アナルコ・コミュニズム）において相互扶助の共同性を称揚する傾向が見られるが、本書第五章の共同体批判からしても明らかなように、プルードンにそうした傾向性を見ることは難しい。むしろ、「集合の力」の概念によって、共同性とは異なるものとしての集合性の位相を発見し、理性による近代社会の方向づけを目指すという性格がプルードンにおいては色濃かったのである。

その意味で、もう一つの影響として、経済学者レオン・ワルラス（一八三四―一九一〇年）へのそれは重要である。父ワルラスの影響を受けつつ、ワルラスは最初の経済学上の著作『経済学と正義』（一八六〇年）において、プルードンの『革命における正義と教会における正義』の議論を批判しつつ、交換理論の足がかりを作る。その批判は、プルードンの社会像に反映する古典的なものと近代的なもののうち、前者を批判するものだと要約できる。つまり、プルードンは、半分は自然法論の伝統に立脚しており、交換的正義を言いながら、結局は先立つ配分的正義をいわば密輸している、という批判として理解できる。つまり、交換領域が十分に自律性をもつものとして描かれていない、という批判である。こうして、本書で示された社会像は、その後の近代経済学の理念空間の立ち上げに動機の部分で寄与したものとも言える。

所有批判の影響

実は研究史において、本書の主題である所有批判そのものについては、あまり重視されてこなかった。後年のプルードンが所有権廃絶の考え（本書の論理から導き出された帰結のほうにあたる考え）を放棄することがその理由の一つである。だが、より根本的な理由としては、「社会」についての議論と所有批判の議論との不可分な論理的連関について十分に理解されなかったためだと訳者は考えている。確かに、本書の「大きな理屈の枠組み」は見えづらいかもしれない。

近年の研究においても、本書第四章で展開される資本利得への批判を「二重の盗み」への批判と解説するような読解がなされている。また、第二次研究隆盛期に流行した疎外論的なプルードン解釈を採用して、本書の所有批判は、物に対する人間の絶対的権利が人間同士の関係における絶対的権力に結びつくことへの批判なのだとする読解も見られる。多様な解釈を容れることも古典の価値ではあるが、本解説としては、社会像と所有批判の連関という大きな枠組みで本書を理解したい（次節参照）。

だが、その前に触れておかなければならないのは、本書の所有批判とドイツ思想との関係である。フランスにおける本書の評価は、いわば当然にも否定的なものが圧倒的多数だった。そうした中、マルクス＆エンゲルスが『聖家族』（一八四四年）において本書の所有批判を肯定的に捉えたことはよく知られている。やがてマルクスがプルードンを激しく批判（というより誹謗）することになるのは思想史の常識だが、『所有とは何か』の「集合の力」が明らかにした労働力と労賃の非等価性の議論が、その後のマルクスに大きな影響を与えたことは明らかである。

思想展開上の要としての『所有とは何か』

ところで、プルードンがヘーゲル左派との交流を経たのちに書いた『経済的諸矛盾の体系、あるいは貧困の哲学』にはドイツ思想の影響が見られる、という指摘がなされてきた。とりわけフォイエルバッハ的な疎外論の影響である。だが、実際の議論を読めば、そうした「新しい無神論者である人間主義者たち」こそ「神とは人類にほかならない」と捉える「最も完成した有神論」の主張者だとプルードンが述べて、批判的に捉えていることは明白である（だが、ムグリオニによるプルードン選集で「人間主義者たちは次のように述べている」という趣旨の箇所が削られ、プルードン自身の主張であるかのように掲載されたことなどによって、そうは捉えられなかった経緯がある。とりわけ日本でそうした傾向があったので、この機会に指摘しておく）。

もちろん、ヘーゲル左派との交流によってプルードン思想が深化した側面もある（疎外論図式を先述の新聞論文で借用したりもしている）。だが、それは『所有とは何か』で示された社会秩序とその変革についての議論を精緻化させるという意図が主であるところの従である。おおまかに言えば、『人類における秩序の創造』において社会秩序論の精緻化が、『経済的諸矛盾の体系、あるいは貧困の哲学』において秩序変革論の精緻化がおこなわれた。

一言ずつのみ述べておけば、『人類における秩序の創造』では、本書の議論（例えば、三三九頁以降の議論）を方法論化し、多様な事象を特定の視点から単位化する理屈を「秩序の創造としての形而上学」という哲学観に結びつけた。そして『経済的諸矛盾の体系、あるいは貧困の哲学』では、『人類における秩序の創造』での「視点」に関する議論を二元論的な社会秩序把握の正当化論理として採用しつつ、「別の必然性」としての社会秩序変化の理屈を提示することがなされたのである（なお、その後、すなわち二月革命後については前節で触れた）。

こうした展開を見ても、『所有とは何か』はプルードン思想の要をなす初期著作だと言える。付言すれば、ドイツ思想の影響を好んで取り上げる研究傾向は、まさにプルードンが批判したもの、すなわちクザンが整備したような哲学研究のあり方を反映していると言える（もちろん、プルードンもその恩恵をこうむっており、それはそれで意義がある）。プルードン思想から読み取るべきは、在野の思想家が粗削りにも見える議論の中に潜ませている強靱で独自な思想そのもののはずなのである。

三　『所有とは何か』の枠組みと意義

さて、社会像と所有批判の連関という枠組みの理解を柱にして、本書の大きな理屈を概観したい。以下、まず「社会」における結合者と敵という構図をプルードンが採用していることについて確認し、次に本書における正義と衡平の概念について整理する。それらによって本書の大きな理屈の枠組みは描ける。だが、そこまでの議論では、所有の「侵略」の権能に焦点をあてて論じることになるため、補足として、もう一つの権能である「排除」についても論じ、両権能の関係を明確化する。これで目的は達成されるが、最後に「所有とは盗みである」という警句にどのような意義があるのかを述べて、解説を閉じたい。

結合者と敵

本書のエピグラフは古代ローマの十二表法の言葉である。《他国者に対して所有権返還要求は永久不変である》。ここから議論を始めよう。この条文が掲げられた理由は明瞭である。プルードンはラテン語の「他国者（hostis）」を「敵（ennemi）」と訳したうえで、第二章冒頭などで対所有者を念頭にして「所有権確認訴訟」を起こすという言い方をしている。「敵」たる所有者に対して社会的財の返還を求める、という意味を込めてエピグラフにした。おそらくプルードンの意図は、それに尽きるだろう。

だが、この条文は、プルードン自身が何度か言及するキケロが『義務について』で敵とのあいだにも守られるべき信義があると述べる文脈で引用したものであり、それは自然法論の歴史において重要である。キケロは、やがて「敵」という意味で捉えられるようになったhostisの語が、もともとは「他国者」の意味だったとして、十二表法を引用するのである。そのことを踏まえると、このエピグラフはより深い意味を醸し出す。プルードンの社会像が端的に描かれた箇所の引用をはさんで、そのことを説明しよう。

だが、われわれ人間がみな結合者であるわけではないということがありうるだろうか。〔…〕われわれがいっさい結合しないよう望んだとしても、事物の力、消費の必要、生産の諸法則、交換の数学的原理によって、われわれは結合しているのである。この規則の唯一の例外は所有者の場合である。所有者は他国者遺産没収権〔droit d'aubaine〕によって生産するのだから、誰の結合者でもなく、したがって生産物を誰と分かち合う義務もないが、同様に、誰にも自分のものを彼に分ける義務はない。所有者を除いて、われわれは全員が互いのために労働しており、他の人の援助なしに自分だけでは何もできず、絶え間なく互いに生産物やサービスの交換をおこなっているのである。これらすべては社会行為でなかったとしたら何だろうか。

働き、生きる人間たちは、社会においていやおうなく結合している。誰かが生産したものを消費し、自分が生産したものを誰かが消費する、という相互的関係が成り立っている場こそ、社会である。そう望むかどうか、という意志の問題ではない。本書において、統治と意志概念の結びつけはネガティヴに評価される。「意志の至高性」が認められるかぎり、あらゆる政体は「人間による人間の統治」であり、王政と本質的には同じなのである。

さて、いやおうなき結合の唯一の例外は「機能しないか、自らの快楽のために気まぐれに従って機能して何も生産しない機械」とも呼ばれる所有者である。「働き、生きる」ことから逸脱した存在であるがゆえに「部外者」なのだ。そうした存在のもつ権利である所有権は

「社会外の権利」であり、「反社会的」と表現される。これは道徳的主張というより、論理の話として述べられているものである（なお、念のため述べれば、プルードンは「働けない」存在を切り捨てる論をしているのではない）。

けれども、この「部外者」は実際には社会に存在する。しかも、統治的意志に基づいて認められた「盗みの権利」を享受している。それゆえにこそ働かずして生きられる。プルードンは「資本利得の権利」とも読めるdroit d'aubaineという表現を用いることで、歴史上実在した他国者遺産没収権をひきあいに、この構造をあぶり出す。他国者遺産没収権とは、社会においていやおうなく結合した一員であるはずの定住外国人を意志の力で例外化して相続権を認めず、代わりに領主（国王）に遺産没収の特権を与えたものである。あらゆる資本利得の権利は、それと同じ根をもつものだとプルードンは捉えるのだ。

分かりやすい例は、銀行家が受け取る利子である。高利貸しの受け取る利子が「禁じられる盗み」であるのに対して、これが「許される盗み」であるのは、「国王特権によって保護される」からである。小作料や賃貸料も「民法の恩恵」なしには成り立たない。いずれにしても、資本利得の権利は、いやおうなき結合をもたらす「事物の力」とはまったく別の論理、すなわち権利の当事者と部外者を意志に基づいて分ける力によってこそ生まれる。したがって、あらゆる資本利得の権利は他国者遺産没収権と同根のものなのである。

そうした考えに基づいて、プルードンは、社会の結合の部外者である所有者こそ真の例外であり、しかも彼らは「盗む」のだから、部外者であるのみならず、社会の「敵」だと捉える。本書の大きな枠組みには、社会にとっての「他国者」は外国人などではなく所有者だという転覆の論理が働いている。このことを押さえておきたい。プルードンの意図はともかく、ラテン語原文とフランス語訳が並置されたエピグラフが醸し出しているのは「他国者ではなく所有者こそ敵である」という意味である。

正義と衡平

プルードンのある友人が第一章にすればよかったのに、と指摘した第五章では、正義と衡平についての議論がなされる（その前段階の「社会性」については措く）。動物と人間の比較によって展開される議論において、正義は両者に共通のもの（ただし、それを観念として捉えるのは人間だけだ、という違いがある）、人間だけが到達する社会性の段階にあるものが衡平だ、という結論が述べられる。ただし、「正義の義務は衡平の義務よりも先に課されるもの」であり、まずは正義が満たされる必要がある。そのうえで論じられる衡平の議論が、本書の一つの重要なポイントをなしている。正義、衡平の順に見て、それを明らかにしよう。

まず正義とは、結合者でしかありえない人間同士に適用されるものである。海難事故で溺れる人を見つけたら助けなければならないし、食糧を分かち合わなければならない。それをしないのは社会の「敵」である。この議論の中で、先に引用した「われわれ人間がみな結合者であるわけではないということがありうるだろうか」という一節が書かれる。そうして、社会、正義、平等は三つの類義語である、とプルードンは明言する。ここでもキケロ以来の議論を踏まえ、より近い結合者を先んじて助けるべきだという近接性の秩序について述べられているが、そうしたグラデーションをもちつつ、正義は全体社会（さらには人類社会全体）において誰に対しても平等に課されるような普遍的原理である。

さて、他方、衡平である。社会は「人間においては複合的な様相のものである」。人間も動物と同じように正義をめぐる本能によって結合するが、それだけではない。そうして、プルードンは、人間特有の「社会的感情」として、「強者においては、寛大であることの快楽。等しい者のあいだでは、純粋な心からの友情。弱者においては、賞賛し、感謝することの幸福」を挙げる。これらを統括する概念が「衡平」または「社会的比例」である。これらの社会的感情の機能は、要するに「均等化」である。例えば、弱者が強者に対してしかるべき賞賛・感謝を向けつつ、しかし服従はしないこと。これは、しかるべき敬意をしかるべき人に配分するという均等化である。のちの版で書き直されてしまう注の言葉が分かりやすい。「正義は生産物の配分を司る。衡平は友情、謝意、賞賛、非難の配分を司るのだ」。アリストテレスは配分的正義を名誉や財貨の配分に関する正義だと述べたが、「名誉」にあたるものの配分は衡平が、財貨については正義が司る、とプルードンは分節化させるのである。

このことは重要だ。プルードンが共同体（共産主義）を批判するのは、衡平の感情を抑圧するからである。「所有は強者による弱者の搾取だが、共同体は弱者による強者の搾取なのだ」。本書においてもフーリエの神格化が批判されるが、ここに見られるプルードンの考えは、のちに共産主義を標榜して誕生する国家への先取り的批判になっている。人間だけがもつ社会性である衡平、すなわち差がありつつも相互的に敬意を表し合うことで均等化していく力能を抑圧しようとする「おめでたく愚かな画一性」への志向は、共同体だけが「所有者であり、しかも財のみならず人格および意志の所有者」であるような統治形態にしかつながらない。共同体を象徴する特定個人への崇拝が要請されるのは理の当然なのである。プルードンがマルクスからの運動参加の呼びかけに冷淡な態度をとったのも頷ける。

だがしかし、この衡平は危うい。いわばその濫用が容易に起きるからだ。先に課されるべきはずの正義を衡平が呑み込んでいってしまう。これをプルードンが問題にしているということが、これまで十分には理解されてこなかった。例えば、第三章では「何であれ才能を現金で評価するのは不可能なことだ。才能と金は通約不可能な量だからである」と書かれる。才能に対して、しかるべき敬意が払われるべきである。だが、それを財貨の配分に直結させることはできない。財貨によって測定可能な量ではないからだ。しかし、現前の社会においては実際それが可能だと捉えられる。衡平が正義を呑み込むのだ。

そして、そうした衡平の濫用を制度化したものこそ所有権である。先に論じた他国者遺産没収権、すなわち資本利得の権利について述べる冒頭で、はっきりとこう書かれている。「資本利得は、一種の国王特権、触知可能で消費可能な敬意である」。そもそも、なぜ所有の体制が生じたのかといえば、消極的共同体の時代から脱するとき、正義が「力の権利」になったことに由来する。能力の不平等が「価値《メリット》」の観念を呼び起こす（「価値」に応じた配分という考えはアリストテレス由来のものである）。そして、「衡平〔という考え〕によって敬意だけでなく物質的財をも人格的価値と比例させよう、という構想が思いつかれた」。そのとき「ほとんど唯一の価値は身体的力だった」ために、衡平に呑み込まれた正義が「力の権利」と化した。そうして所有の体制が発生した、とプルードンは捉えるのである。つまり、力をもつ者に対して、単にしかるべき敬意が払われることにとどまらず、それが財をめぐる特権に直結させられたということである。だからこそ、プルードンは述べるのだ。「正義、ただ正義のみ。これが私の議論の要約である」。念のため付言すれば、これは衡平の廃絶を主張しているのではない。衡平に先んじるべき正義、配分的正義と交換的正義が適正に機能する結合者たちの社会像の提示が本書の仕事だと言っているのである。

排除と侵略

とはいえ、ここまで述べてきた他国者遺産没収権への批判は、所有批判のすべてではない。第三章末で、プルードンは第二章と第三章での議論は所有の「排除の権能」についての議論だったとまとめ、第四章で展開する「他国者遺産没収権」の議論を「侵略の権能」と呼んでいる。そこで、「排除」についての議論で働いている理屈を手短に整理し、それとの関係で、侵略の権能がなぜ本質的なのかを明確化して、所期の目的を達成したい。

先に見た結合について、プルードンは「いやおうなく事物の力や数学的必然性が彼らを結合させる」という表現も用いている。その裏返しとして、所有については「物理的・数学的に不可能である」と言われる。なぜ物理・数学の問題なのか。それを理解すれば「排除の権能」の意味内容はクリアになる。

第二章、第三章の論理のベースをなしているのは、所有権を擁護する理屈をつきつめれば所有権は否定されることになる、という論法である。擁護という営みが可能なのは、それを正しいことと捉えるからである。その正しいとされていることを認め、普遍化してみるなら、所有権が否定されるという結論に達する。それを第二章では先占、第三章では労働を根拠概念とした所有権擁護論に対してやってみせるのである（そのほか、普遍的同意や時効などについても論じられるが、ここでは措く）。

それぞれについて数多くの論者の言を引用して論が展開されるが、結局この論法において何がいちばん大きな機能を果たしているかといえば、空間の有限性と人口である。そう、これが「物理的・数学的」という表現に対応している。ある有限空間において「働き、生きる」ことが可能な人数という条件が規定する結合が問題である。それゆえ、さまざまな職種について、その職能人が社会で存在しうるためにはどれだけの人口が必要か、という議論がなされる（本書一八〇―一八一頁）。本書でもマルサスの議論が参照されるが、人口増加が社会問題だった時代である。プルードンは「所有は、人口が増加するとき、まったく同時に排除および侵略という形で作用する」と明言するのである。

さて、まず第二章では、自由、平等、安全の権利がそれぞれ絶対だということが述べられる。その「絶対」とは、要するに権利の相互性が成り立つということである。誰もが同じくそれらの権利をもっていても誰の権利も侵害されない。それゆえ、絶対の権利といっても問題はない。他方、所有においては権利の相互性が成り立たない。キケロの劇場の比喩を引用して、プルードンは、座席数が十分にあって占有の権利の相互性が成り立つなら、各人が一席を先占し、占有しておく権利をもてることを認める（なお、占有をめぐる議論に揺れがあると指摘されるが、そうではない。本解説を踏まえて確かめてみてほしい）。それを踏まえたリードの議論が導くはずの帰結について述べる中で、プルードンは「観客が入退場するのに応じて、座席は全員にとって同じ比率で狭くなったり広くなったりする」という表現を用いている。空間の有限性と人数の問題である。先占説が導くのは占有の平等であるはずで、全員にとって十分な座席がなくても一席の（あるいは、もっと多くの）座席の確保を認めてしまう所有権ではない。大枠として、こう理解できる。

第三章の議論は複雑だが、おおよそ次のとおりである。まずもって労働説は単独では機能しない。労働するための場所の先占が先立つはずだからである。労働によってその成果物への権利が発生するとしても、それによって土地に対する権利は発生しない。だが、それでも労働による土地所有権発生という議論を仮に認めるなら、理屈上それは所有の平等にしか行き着かない。けれども、実際上はそうなっておらず、それは結局、問題が先占とその承認に存するからである。ここでさまざまなことが言われるが、その一つとして「集合の力」の議論が登場し、労働の全体的成果は、各個人の成果の総和を超えるのだから、労働説を採れば集合的な所有権に行き着くはずだ、と述べられる。けれども、「集合の力」そのものに支払うことは原理的にできない。その分が搾取されるのを認めるなら、労働説は矛盾におちいる。集合的労働が集合的所有に結びついてはいないのだから。他方、その分を各人に分配するなら、平等が実現し、所有者は存在しえなくなる。また、労働能力の違いを所有権正当化の根拠とする論もあるが、結局は「利用できる材料に量的制限があることによって、労働者数に応じた分業の必要性が証明される」だけである。やはり労働説も、それが正しいとしていることをつきつめれば、空間と数の理屈によって、結合者だけから成る社会の肯定へと行き着くのである。

さて、では「排除の権能」とは何か。「二人の所有者を結合させることは、二つの磁石を同極同士でつなげるのと同様に不可能である」。この言葉が分かりやすい。空間と数が許す形で占有の権利の相互性が成り立っている社会は、結合者だけから成るものである。他方、そうした物理的・数学的必然性を超えて所有しようとする者が一人ならず社会にいることを想定するなら、彼らは必要よりも多く所有しようとして磁石の同極のように反発し合う。その結果、いずれかの磁石は外にはじき出される。それゆえに所有権は「排除」の権能をもつと言われるのである。

ところで、所有権が認められる場において は、単に複数の磁石があるのではなく、磁力の強い磁石とそうでない磁石が存在する。そう考えるべきである。そうであるなら、「排除」の理屈を説明するだけでは足りない。誰かは排除されるだろう。だが、誰が排除されるのか。弱い磁石だろう。それを説明するには、強い磁石を強く、弱い磁石を弱くしているものが何かを考えなければならない。そうして、それが「侵略の権能」たる他国者遺産没収権、すなわち資本利得の権利だと言われるのである。それは「所有権の古き創設者」たちが所有権を認めることでそれが引き連れることになるとは「予見しなかった」権利だが、もはや「それが存在しないところでは所有は存在しないも同然である」と捉えられるほど、「所有にとってあまりに本質的」になった権利であり、「貧困化させる力能」を有するものである。

「所有とは盗みである」

はじめに戻って、そろそろ解説を閉じよう。第一章の冒頭、「所有とは盗みである」という命題は「奴隷制とは殺人である」という命題を「変形させただけ」だと述べられる。だが、どういう意味で「変形」なのかについては詳しく述べられていない。最後に、ここまでの解説を踏まえて「変形」の内実を明らかにし、『所有とは何か』の意義を述べたい。

奴隷とは誰か。歴史上の典型を挙げれば、まず被征服民、すなわち他国者。次に債務奴隷、すなわち税や債務の不払いによって「他国者」と化した人々。そして農奴、すなわち領主などの「力」と特権によって半「他国者」として権利が制限された人々である。同じ社会に生き、いやおうなく結合する者でありながら、侵略され、社会外に排除された人々、それが奴隷である。社会内の存在に認められる権利が認められないということは、つまり「働き、生きる権利」が認められないということ、つきつめれば殺人である。それが制度的に認められる。こうして奴隷制とは、究極的に言えば、合法化された殺人の権利だということになる。

ところで、所有とは合法化された「盗みの権利」である。それは社会内で結合する者を侵略して排除していく権能である。そこで考えよう。奴隷制は突如発生するものではない。征服、囲い込み、課税といった過程が先立って存在する。これは、すなわち所有の「侵略する権能」であり、いやおうなく結合するはずの人を意志の力によって例外化し、「他国者」化させていくプロセスである。

こうして「変形」の意味は明確になる。所有という盗みの権利は論理上、最終的には殺人の権利である奴隷制に行きつく。「変形」とは、結果の表現である奴隷制の命題を過程の表現である所有の命題に変形させたものだと理解できる。それゆえ、奴隷制を批判する精神の持ち主であれば、当然のことながらその発生過程を問題にすべきであり、結果だけを批判しているのでは不十分である。こうした観点を思想史にもちこんだことこそ『所有とは何か』の意義にほかならない。

自由主義的な「慎重さ」をもってすれば、どの程度の「盗み」なら合法的なものと認めても奴隷制にはつながらないか、という議論に進むだろう。そもそも、近代的な私的所有権論の祖とみなされるジョン・ロックは、「但し書き」という形で、所有が無制限に認められるのではない、と述べていたのだ。その後の歴史を見れば、多寡はあれ、基本的には「慎重さ」をもって人間たちは現状に対処し、社会を操縦してきた。

もちろん、それを否定すべきではない。だが、それは究極的には線引きの技術論である。

線が引けるためには紙（や木や石）がなければならない。プルードンの視線は、紙のほうにこそ向けられていた。無限大の紙は存在しない。では、紙はここまで、という限界を定めているものは何か。それを誰かが探究しなければならなかった。そうした探究をおこない、紙の一方の端に「所有とは盗みである」という考えを書き込んだ人物こそ『所有とは何か』のプルードンなのである。

主要参考文献

Bouglé, Célestin Charles Alfred 1911, *La sociologie de Proudhon*, Armand Colin.
伊多波宗周 二〇二一「社会革命と「人間たちの政治」——第二帝政期におけるプルードンの思想展開の一側面」、『フランス哲学・思想研究』第二六号、日仏哲学会。
佐藤茂行 一九七五『プルードン研究——相互主義と経済学』木鐸社。
田中拓道 二〇〇六『貧困と共和国——社会的連帯の誕生』人文書院。
松永澄夫 二〇〇八『哲学史を読むⅠ』東信堂。

＊

本書の訳出にあたり、次の邦訳と英訳を参考にさせていただいた。すなわち、『所有とは何か』長谷川進訳、『プルードンⅢ』三一書房、一九七一年とPierre-Joseph Proudhon,

What Is Property?, edited and translated by Donald R. Kelley and Bonnie G. Smith, Cambridge University Press, 1994である。なお、いずれもリヴィエール版全集（一九二六年）を底本としたものであり、本書とはテクストが若干異なっている（「凡例」参照）。

本書の翻訳には当初の予定より大幅に長い時間をかけてしまった。何年ものあいだ、いつもあたたかいお言葉で励ましてくださった講談社編集部の互盛央さんに心よりの感謝を申し上げたい。私の作業が遅れているうちに、編集長という大変ご多忙なお立場になられた中で、丹念に訳文をチェックしてくださり、数多くのご指摘をいただいた。本書が読みやすいものになっているとすれば、それは互さんのおかげである。また、最初に本書の翻訳を提案してくださった髙山裕二さんにも御礼申し上げたい。

二〇二三年一〇月

伊多波宗周

KODANSHA

＊本書は、講談社学術文庫のための新訳です。

ピエール＝ジョゼフ・プルードン

1809-65年。フランスの社会思想家。政府至上主義を批判して相互性に基づく自由で平等な社会の実現を提唱。主な著書は，本書（1840年）のほか，『貧困の哲学』（1846年）など。

伊多波宗周（いたば　むねちか）

1979年生まれ。京都外国語大学教授。専門は，フランス社会哲学。主な著書に『社会秩序とその変化についての哲学』など。

講談社学術文庫

定価はカバーに表示してあります。

所有《しょゆう》とは何《なに》か

ピエール＝ジョゼフ・プルードン

伊多波宗周《いたばむねちか》 訳

2024年1月11日　第1刷発行
2024年8月2日　第2刷発行

発行者　森田浩章
発行所　株式会社講談社
東京都文京区音羽2-12-21 〒112-8001
電話　編集（03）5395-3512
販売（03）5395-5817
業務（03）5395-3615
装　幀　蟹江征治
印　刷　株式会社新藤慶昌堂
製　本　株式会社国宝社

ISBN978-4-06-534580-1

#「講談社学術文庫」の刊行に当たって

これは、学術をポケットに入れることをモットーとして生まれた文庫である。学術は少年の心を養い、成年の心を満たす。その学術がポケットにはいる形で、万人のものになることは、生涯教育をうたう現代の理想である。

こうした考え方は、学術を巨大な城のように見る世間の常識に反するかもしれない。また、一部の人たちからは、学術の権威をおとすものと非難されるかもしれない。しかし、それはいずれも学術の新しい在り方を解しないものといわざるをえない。

学術は、まず魔術への挑戦から始まった。やがて、いわゆる常識をつぎつぎに改めていった。学術の権威は、幾百年、幾千年にわたる、苦しい戦いの成果である。こうしてきずきあげられた城が、一見して近づきがたいものにうつるのは、そのためである。しかし、学術の権威を、その形の上だけで判断してはならない。その生成のあとをかえりみれば、その根は常に人々の生活の中にあった。学術が大きな力たりうるのはそのためであって、生活をはなれた学術は、どこにもない。

開かれた社会といわれる現代にとって、これはまったく自明である。生活と学術との間に、もし距離があるとすれば、何をおいてもこれを埋めねばならない。もしこの距離が形の上の迷信からきているとすれば、その迷信をうち破らねばならぬ。

学術文庫は、内外の迷信を打破し、学術のために新しい天地をひらく意図をもって生まれた。文庫という小さい形と、学術という壮大な城とが、完全に両立するためには、なおいくらかの時を必要とするであろう。しかし、学術をポケットにした社会が、人間の生活にとってより豊かな社会であることは、たしかである。そうした社会の実現のために、文庫の世界に新しいジャンルを加えることができれば幸いである。

一九七六年六月

野間省一